RETOUR
À KINGSTON

Titre original

SHADOW SONG
publié par Pocket Books, New York

Terry KAY

RETOUR
À KINGSTON

*Traduit de l'américain
par Véronique Lossky*

JC Lattès

1

Le matin de sa mort, Avrum Feldman est venu me voir. Il avait dit qu'il le ferait, et il l'a fait. Il avait promis que ce serait son dernier acte sur Terre, avant de rencontrer ce vieux farceur de Dieu, comme il me le rappelait souvent. Je savais mieux que tous les gens qui l'entouraient, avec quelle impatience il attendait ce rendez-vous. Dieu avait passé assez de temps à se cacher là-haut, derrière son écran de nuages et son éblouissante couverture d'étoiles, à faire ses tours de passe-passe cosmiques, tel un magicien de rien du tout.

— Mais avant d'aller trouver ce dieu, je vais essayer un dernier coup avec toi, avait-il souvent répété. Pour voir si tu m'écoutes.

Lorsque Avrum me rendit sa dernière visite, ce fut comme un murmure venu d'ailleurs, une sorte de prémonition. Il est arrivé dans un doux frémissement qui a couru sur ma nuque, tel le bref rayon du soleil d'un matin vif et joyeux.

Je m'en souviens parce que j'ai courbé les épaules pour résister au frisson.

C'était tôt le matin. Je me trouvais dans la salle de dessin de l'école privée où j'enseignais. J'observais un talentueux jeune homme qui examinait avec intensité son tableau représentant des feuilles d'automne. La toile était magnifique. Elle restituait merveilleusement les couleurs. Les coups de pinceau épais semblaient se soulever pour quitter le cadre en s'enroulant, comme les feuilles d'automne lorsqu'elles touchent le sol pour la première fois.

Et je pensais à Avrum.

La dernière fois que je l'avais vu, c'était neuf mois auparavant. Dans les monts Catskills. Les feuilles aux couleurs vives s'enroulaient, telles des coupelles rouges, jaunes et orange, rappelant le tableau du talentueux jeune homme. Son regard cherchait le point précis où il pourrait placer la goutte de peinture qui luisait au bout de son pinceau et qui prenait vie au cœur de son imagination.

Et ce léger frémissement derrière la nuque — le savoir prémonitoire — c'était Avrum qui me taquinait gentiment avec sa mort, m'en informant au moment où Brenda Slayton, la secrétaire du directeur, apparut à la porte du studio et dit d'une voix douce — si douce que j'ai compris aussitôt que quelque chose était arrivé :

— Bobo, j'ai New York pour toi, au téléphone, il faut que tu répondes.

Si je parle encore de la mort d'Avrum dans les années qu'il me reste à vivre, je dirai : « Oui, je savais. » Et ce ne sera ni un mensonge, ni une fantaisie de mon imagination, car Avrum avait dans la vie le pouvoir merveilleux de se trouver là où il le désirait. Il lui suffisait simplement de le souhaiter. Si ce pouvoir lui avait été si facilement donné dans la vie, s'orienter dans la mort devait lui être simple comme bonjour.

Avrum s'était vanté :

— *Ja*, c'est facile à faire, c'est très facile !

Je n'ai jamais contesté que les prétentions d'Avrum étaient complètement dingues. Elles l'étaient. Un tas de gens qui le connaissaient ou croyaient le connaître disaient de lui qu'il était fou. Moi aussi, je pensais la même chose, quand je l'ai vu pour la première fois.

Il était assis sur un banc public dans une contre-allée du petit village de Pine Hill, État de New York, dans les monts Catskills. Il avait les yeux fermés, la tête penchée en arrière. Un doux sourire animait son visage. Il écoutait Amélita Galli-Curci. C'est Henri Burger qui me l'a dit.

— Il écoute qui ? demandai-je.

— Une vieille chanteuse d'opéra, m'expliqua Henri.

— Mais je n'entends personne.

— Et alors? Est-ce que je l'entends, moi? Est-ce que quelqu'un l'entend? Seulement Avrum. Que veux-tu que je te dise?

Les gens qui le connaissaient, ou qui croyaient le connaître, chuchotaient à plaisir qu'Avrum était un vieux fou qui s'inventait de belles histoires pour se distraire. Qui pouvait entendre chanter, alors qu'il n'y avait pas de chanteuse.

Mais ceux qui le ridiculisaient ne savaient rien de ce pouvoir merveilleux d'être là où il le désirait. Il pouvait se transporter partout, aussi librement et gaiement qu'un enfant qui rêve. Il pouvait faire le souhait de retourner vers le passé et il bondissait aussitôt au-delà du temps, comme une étoile filante, pour retrouver cette nuit dans laquelle ce qu'il avait été et ce qu'il allait devenir se rassemblaient en une harmonieuse sérénité. Une voix tant intérieure qu'extérieure lui donnait des ordres si absolus qu'Avrum ne pouvait que s'y soumettre.

Cela s'était passé le soir du 28 janvier 1918, le lendemain de son trente et unième anniversaire. Parce qu'il aimait l'opéra, sa femme, épousée dix-huit ans auparavant, leur avait offert deux places, les moins chères, au balcon de l'Opéra de Lexington, à New York, pour entendre Amélita Galli-Curci, dans le rôle principal de *Dinorah*, de Giacomo Meyerbeer.

La femme d'Avrum était une émigrée polonaise qui avait américanisé son nom en Marina. Elle n'aimait pas l'opéra. Avrum racontait qu'elle se plaignait chaque fois qu'il mettait un disque.

— Tu n'écoutes pas. Écoute et la voix de la musique te parlera, lui disait-il.

Mais elle ne croyait pas à la voix de la musique. Si l'on n'y croit pas, on ne peut rien entendre.

Le 28 janvier 1918, au côté de sa femme agacée, il écouta *Ombra leggiera* — le « Chant de l'Ombre »; et la voix de la musique lui parla, libérant en lui le pouvoir de désirer et de rêver. Il est devenu alors un autre homme, un homme que les gens allaient désormais traiter de dingue et de vieux fou qui s'inventait de belles histoires pour se distraire.

Lorsqu'il parlait de cette soirée, ce qu'il a souvent fait durant les trente-huit ans où je l'ai connu, c'était toujours comme s'il la vivait pour la première fois, comme s'il venait de faire cette expérience quelques heures auparavant.

Il faisait froid ce soir-là, se rappelait-il, une nuit balayée de neige avec un rideau de pluie et un vent qui transperçait les poumons des gratte-ciel de Manhattan. Après la représentation, Avrum entendit à nouveau la voix de la musique. Elle lui ordonna de s'éloigner et il obéit, laissant sa femme pester, tandis que les passants hochaient la tête.

Avrum n'est pas rentré chez lui cette nuit-là. Il a erré dans les rues, abasourdi, l'écho de la voix merveilleuse d'Amélita Galli-Curci résonnant joyeusement dans sa mémoire.

— Vingt-quatre rappels de rideau pour le « Chant de l'Ombre », répétait-il avec emphase. Et soixante pour le salut final, avait-il compté.

Mais oui. Soixante. Et Géraldine Farrar, la grande *prima donna*, s'était levée et l'avait acclamée.

— Et ma femme, ma femme. Sais-tu seulement ce qu'elle a dit?

La voix d'Avrum devenait perçante lorsqu'il l'évoquait.

— « Tant d'argent, pour piailler comme ça! » Et elle ne s'est même pas levée pour les ovations, ajoutait-il excédé.

Le matin, au lever du jour, il a pris son café dans un bistrot, lisant les journaux que des clients avaient laissés sur les tables. Le critique du *Times* écrivait :

La voix que ce public déchaîné a entendue pour la première fois est une de ces voix qui « volent dans les airs ». A la fin de sa principale aria, ce n'était plus une voix de femme, c'était le doux et rond gosier d'un oiseau.

Puis Avrum est rentré à la maison. Marina était partie de bonne heure à la boulangerie où elle travaillait. Elle avait déposé un mot sur la table de la cuisine : « Où es-tu allé? Qu'est-ce que j'ai fait? » Avrum a déchiré le billet, il a emballé ses affaires dans deux valises et il est parti.

C'était ce qu'il devait faire, a-t-il ensuite expliqué, c'était ce que la voix lui commandait.

Je ne me lassais pas d'entendre cette histoire, même s'il

la racontait toujours de la même manière, avec les mêmes mots, les mêmes intonations, comme un texte appris par cœur, et perfectionné au fur et à mesure des représentations successives.

C'était une histoire romantique et bizarre, semblable à celle que les personnes âgées relatent souvent, lorsqu'elles se sont accrochées à un moment de solitude dans leur vie et qui, depuis, les possède et les dirige.

Pourtant, il y avait toujours eu quelque chose de plus pressant encore dans celle-ci. Avec le temps, j'ai commencé à croire qu'Avrum la répétait parce qu'il voulait que je sois présent au moment où il faisait ce retour en arrière. Il souhaitait me faire comprendre que, pour se sentir heureux ou satisfait, il fallait qu'il se passe dans la vie un événement qui changeait tout — un grave et indéniable retournement si absolu et si lourd de conséquences que son importance devenait éternelle.

Pour Avrum, ce moment fut le soir où il entendit Amélita Galli-Curci chanter à l'Opéra de Lexington ; le soir où la voix de la musique lui a parlé.

Et jusqu'à ce qu'il meure, le 12 juillet 1993, à l'âge de cent six ans, Avrum Feldman a consacré sa vie à commémorer cet instant. C'était une vie d'innocente fantaisie, et de souffrance supportée avec délectation.

C'était, comme il l'avouait souvent lui-même, une vie merveilleuse, mais incomplète. Il me répétait alors, comme pour me mettre en garde :

— C'est une grande souffrance que d'aimer quelqu'un et savoir que l'on ne pourra jamais être ensemble.

Et il ajoutait, avec un sourire triste :

— J'ai bien choisi la personne, mais je n'étais pas l'homme qui convenait.

Celui qui m'appelait au téléphone était Sol Walkman, l'administrateur de la maison de retraite de Highmount, dans laquelle Avrum avait passé trente ans. J'ai aussitôt reconnu sa voix ; une voix fluette, impersonnelle. Je l'avais rencontré plusieurs fois, lorsque je venais rendre visite à

Avrum, mais je ne l'avais jamais trouvé sympathique. Je n'arrivais pas à comprendre pourquoi les gens qui ne paraissaient doués d'aucune compassion pour les autres, choisissaient précisément un métier qui en exigeait tant.

Sol m'annonça qu'Avrum était mort la nuit précédente, sans doute entre minuit et le lever du jour.

Il ajouta :

— D'après le dossier de M. Feldman, c'est vous que l'on devait avertir. Il n'y a rien qui le stipule, mais je dois vous le demander ; êtes-vous son fils ?

— Non, lui répondis-je. Juste un ami. Il n'avait pas d'enfants ni parent, à ma connaissance.

— Je vois.

— Je peux arriver demain matin, dis-je.

— Ses dernières volontés étaient très précises. Il désirait être emmené immédiatement au funérarium pour être incinéré. C'est clairement spécifié dans ses instructions. Je viens de les relire.

— Alors emmenez-le.

Il y eut un silence.

— Vous ne voulez pas que l'on attende votre arrivée ? Vous ai-je bien compris ? J'ai parlé au directeur des Pompes funèbres. Il dit que...

— Aucune importance. Faites selon son souhait, le coupai-je.

Il y eut encore un silence, puis Sol déclara, avec un semblant de courtoisie :

— Très bien. Ce n'est pas la coutume juive, mais, en tant que gentil, je pensais que vous voudriez voir le corps.

— Je n'ai aucune raison.

— Vous ne le reconnaîtriez sans doute pas. Franchement, il n'est pas beau du tout.

— J'en suis convaincu. Il était vieux.

— Vieux et faible. Sa santé exigeait beaucoup de soins spéciaux.

— C'était un homme très spécial, répliquai-je.

J'entendis Sol soupirer :

— Tous nos pensionnaires le sont !

Il avait du mal à se contrôler.

— Je serai là demain, dis-je.

Après un murmure de mécontentement, je l'entendis raccrocher.

A la fin de l'après-midi, j'étais à l'aéroport de Newburgh, à New York, un peu étourdi et sonné, comme quelqu'un qui se réveille d'un sommeil agité. La journée avait été compliquée : remplacements à l'école, réservations d'avion, bagages à la hâte, et l'inévitable dispute avec ma femme, Caroline. Je ne pouvais pas lui en vouloir, et en même temps je lui reprochais de ne pas comprendre. Jamais elle n'avait accepté mon amitié avec Avrum. Il s'agissait, pour elle, d'une relation bizarre, ridicule et embarrassante. Que pouvais-je réellement avoir de commun avec un vieil homme plus dingue que dingue ? Des années durant, elle l'avait accusé de profiter de moi et elle déplorait mon manque de courage à mettre fin à ses exigences.

— Maintenant qu'il est mort, tu vas peut-être tirer enfin un trait sur toutes ces imbécillités.

— Je ne pensais pas que c'étaient des imbécillités.

— Et comment est-ce que tu appelles ça ?

— Une amitié.

— Oh ! là ! là ! Bobo ! avait-elle soupiré.

Je voulais l'appeler aussitôt après avoir parlé à Sol Walkman. Je voulais lui raconter comment Avrum m'avait averti de sa mort, par sa présence dans ma classe. Je voulais qu'elle comprenne, et qu'elle réponde de sa voix la plus douce : « Je suis désolée, Bobo. Je savais qu'il comptait beaucoup pour toi. »

Mais je ne l'ai pas appelée, parce qu'elle ne pouvait pas m'apporter ce dont j'avais besoin.

Nos disputes au sujet d'Avrum n'étaient pas nouvelles, mais toujours désagréables.

J'ai loué une voiture à l'aéroport, je suis allé jusqu'à Kingston et j'ai réservé une chambre dans un motel. J'ai dîné dans un petit restaurant, puis j'ai acheté une bouteille de cognac. Rentré dans ma chambre, je m'en suis versé une rasade, sur de la glace. J'ai pris le journal gratuit de Kingston et me suis allongé sur le lit, calé contre les oreillers.

Il y avait un article à propos d'Avrum, en première page.
Il ne révélait pas grand-chose sur lui. On disait qu'il était né
en Allemagne en 1887, qu'il avait émigré en Amérique en
1907, qu'il avait travaillé comme colporteur, fourreur,
maître d'école et finalement comme interprète au service
d'immigration des États-Unis à Ellis Island. Puis qu'il s'était
retiré aux monts Catskills et qu'il y était mort dans la maison
de retraite de Highmount, financée par des associations
caritatives juives. On disait aussi qu'il était le plus vieux pen-
sionnaire et sans doute le citoyen le plus âgé de l'État de
New York.

Le récit occupait six paragraphes.

J'ai pensé alors que les journaux savaient bien peu de
choses sur les gens.

J'avais envie de lire qu'Avrum aimait la musique,
comme d'autres aiment Dieu, qu'il pouvait réciter des pas-
sages entiers de livrets d'opéras, aussi facilement que les éco-
liers récitent des poèmes de Kipling. Sans connaître le sol-
fège, il pouvait être possédé par la musique. Saisi par
l'inspiration, il ramassait alors un petit bout de bois et diri-
geait des orchestres imaginaires, avec tant de conviction et
de passion que les passants — même ceux qui le prenaient
pour un vieux fou qui s'inventait de belles histoires pour se
distraire — s'arrêtaient pour l'observer. Envoûtés, ils
croyaient eux aussi entendre des violons dans le chant des
oiseaux.

Je voulais lire qu'Avrum possédait une rare intuition
pleine de simplicité et de justesse. En tout cas, cela avait été
le cas avec moi.

Je voulais lire que lorsque les gens ricanaient d'Avrum,
c'était de peur parce qu'ils étaient mal à l'aise. Je voulais lire
que lorsqu'ils le quittaient, ils levaient la tête pour écouter,
se demandant s'ils pouvaient aussi entendre la voix d'Amélita Galli-Curci.

Je voulais lire qu'Avrum avait accepté pour ami, à
presque soixante-dix ans, un garçon de dix-sept ans à peine,
venu d'une campagne du Sud : il avait dit que c'était le destin
qui les avait réunis dans les monts Catskills.

Il avait entendu des horreurs sur des Sudistes, revêtus

de draps blancs, qui brûlaient la croix de leur Christ sur les pelouses des juifs. Il savait que des juifs avaient été lynchés, simplement à cause de leur nom. C'était inacceptable. Il avait lu des histoires là-dessus. Il en hurlait de rage. Des rabbins en avaient parlé. Il savait que, dans le Sud, les juifs étaient ostracisés, que leurs droits étaient bafoués, comme ceux des Noirs.

Et il m'avait prévenu :

— Toi, tu es du Sud, tu dois savoir comment les autres vivent, si tu veux rester vivant.

Ce qu'Avrum ne comprenait pas, ou ne pouvait pas comprendre, c'est que je ne savais rien de ces atrocités commises contre les juifs. Chez moi, aucune atrocité, contre aucune race ni aucune croyance, n'était racontée ni même admise. Si on en débattait, ce qui était fort rare, c'était toujours avec regret et affliction.

— Personne n'est jamais complètement innocent, m'avait répliqué Avrum.

Mais il avait tort. J'étais justement cet innocent, le cinquième enfant d'une famille de fermiers, d'origine irlandaise et anglaise, qui, après quelque cent ans d'errance à travers la Pennsylvanie, la Virginie et les deux Carolines, s'était finalement installée en Géorgie, dans les vallées fertiles de la Savannah.

Le silence faisait partie de notre nature. Le silence du travail était un vrai maître, pensait mon père. « Un homme silencieux ne porte pas le poids de sa langue », aimait-il à répéter. Je devais apprendre plus tard que ceux qui n'étaient pas du Sud pensaient que nous étions paresseux et passifs, parce que nous n'étions pas bavards. Nous n'étions pas paresseux. Nous n'étions pas passifs. Nous étions des gens du Sud.

Et pour un homme du Sud, un innocent, cela avait été un pas énorme que de quitter les douces vallées vertes du nord-est de la Géorgie, pour aller vers les froids et majestueux monts Catskills dans l'État de New York. Et c'était plus que des milliers de kilomètres. C'était un plongeon dans une autre culture, si immense que j'en tremble encore.

Avrum Feldman était là, à Pine Hill, dans les Catskills,

quand j'ai atterri, affolé. Il était assis sur son banc, dans la contre-allée, ce vieux fou qui s'inventait de belles histoires.

Et nous sommes devenus amis. Avrum avait précisé que c'était écrit.

Il y a longtemps de cela, il m'avait choisi pour clore sa vie et faire son kaddish.

C'était une requête étrange et j'avais souvent essayé de m'y soustraire en le suppliant :

— Je ne peux pas faire un kaddish, je ne suis pas juif.

— Et alors ? Mon kaddish non plus ne l'est pas. Tu verras. Tu verras, me répondait-il.

Je n'essayais pas d'obtenir d'explication. Je savais qu'il finirait par avoir raison de moi.

Je voulais lire dans le journal de Kingston que le kaddish d'Avrum Feldman serait accompli par son ami, Madison Lee Murphy, connu aussi sous le nom de Bobo.

Je voulais lire qu'Avrum Feldman n'était pas un vieux fou, que c'était un homme béni, parce qu'il comprenait ce qu'aucun d'entre nous ne parvenait à saisir.

Pourtant, je savais que j'étais injuste. Comment l'auteur de six paragraphes convenus, louant la longévité d'un homme de cent six ans, pouvait-il savoir qu'Avrum Feldman croyait à la puissance d'un seul instant et à la force de la musique ?

Il était tard. J'éteignis les lumières dans la chambre et me couchai, l'esprit occupé par Avrum.

La mort rafraîchit la mémoire et repousse l'épaisseur des années. C'est comme lorsqu'on retrouve un objet, un souvenir bien rangé dans une boîte. Le simple fait de le toucher rappelle vivement ce que l'on a pu ressentir lorsqu'on l'a vu la première fois. On retrouve alors le sentiment qui nous avait poussé à le ranger dans cette boîte.

En ce qui concernait Avrum, il y avait dans ma mémoire une telle boîte. C'est elle qui me permettait de comprendre que les histoires sur Amélita Galli-Curci étaient autre chose que des commérages.

Un soir, durant l'été où je l'ai rencontré, et après qu'il m'eut parlé d'Amélita Galli-Curci, Avrum a insisté pour que je le raccompagne jusqu'à la chambre de son hôtel. J'ai pensé qu'il ne se sentait pas très bien et qu'il craignait de rester seul. Je lui demandai s'il avait besoin d'un médecin.

— Un médecin ? s'étonna-t-il. Qu'est-ce qu'un médecin a à voir avec tout ça ?

— Je me demandais pourquoi vous aviez envie que l'on vous raccompagne ; je pensais que vous ne vous sentiez pas très bien, dis-je en m'excusant.

Il éclata d'un gros rire.

— *Mein Gott !* Je ne suis pas comme l'un de ces vieillards de la maison où tu travailles, s'exclama-t-il en gonflant le torse. Je veux te montrer quelque chose.

Dans sa chambre, sommairement meublée, il cala la porte avec une chaise et me fit asseoir.

— Ne me demande rien, fit-il. Rien du tout.

Il s'est dirigé alors vers une malle, au pied de son lit, et en a sorti une boîte en acajou ouvragée qu'il a posée sur la table. Il l'a ouverte avec la clef que, souvent, il palpait distraitement dans sa poche en arpentant les rues de Pine Hill.

Il a retiré de la boîte deux magnifiques chandeliers de verre taillé, deux chandelles blanches, et les a placés sur la table. Puis, avec précaution, il a sorti une photographie encadrée représentant une femme au visage sévère mais distingué. Je savais que c'était Amélita Galli-Curci. Il l'a adossée aux chandeliers, puis a disposé une partition barrée d'une grande signature et sur laquelle il a déposé un collier de perle. Un bijou de théâtre.

Je croyais qu'il allait me fournir une explication, mais il n'en fit rien et je le regardai s'asseoir, les yeux rivés sur la photographie. Il sourit. Je voyais ses lèvres remuer en un murmure silencieux, comme pour une paisible prière. Quelques minutes plus tard, je débloquai la porte et quittai doucement la pièce.

Je ne parlai à personne de cette soirée.

Les gens se seraient moqués. Ils auraient dit qu'Avrum avait fait une icône d'une vieille chanteuse d'opéra. Ils auraient eu la preuve qu'Avrum était un vieux fou.

Personne ne savait que, durant le même été, et pendant les longues années qui ont suivi, moi aussi je conservais une photographie soigneusement rangée, jusqu'à ce que je ne supporte plus de ne pas la voir. Alors, comme Avrum, je la sortais de sa cachette et je la plaçais devant moi, sur une table nue. Puis, je prenais dans ma main une pierre bleue que la femme-enfant de la photographie m'avait donnée et je restais assis comme le faisait Avrum.

Je contemplais le visage au regard vif et généreux qui me souriait. Je me mettais à espérer que je pourrais à nouveau tenir cette femme dans mes bras. Je murmurais son nom, je le répétais inlassablement, je me languissais d'elle et mon âme lui envoyait de douces prières.

Mais je ne suis pas aussi courageux que l'était Avrum. Je n'ai pas abandonné ma vie pour un rêve impossible. Je n'ai pas pris le risque d'entendre des voix. Je me berçais de souvenirs, mais je n'accomplissais plus le rite de la solitude.

Avrum n'était pas un vieux fou.

Il était amoureux d'Amélita Galli-Curci.

Et il m'a enseigné la joie d'un tel amour.

Voilà pourquoi nous étions amis et cela, je n'ai jamais pu le raconter à Caroline.

Je crois que c'est pour cette raison qu'il y a longtemps Avrum m'avait choisi pour « clore » sa vie en accomplissant son kaddish.

Avrum connaissait l'existence de la photographie que je tenais cachée, et savait pourquoi je la possédais.

Je n'ai pas eu besoin de le lui dire. Il savait.

2

Je retourne toujours dans les Catskills avec joie et mélancolie à la fois. Je roule lentement, en suivant la nationale 28 à la sortie de Kingston. Je n'ai pas envie d'avaler les montagnes d'un trait. Je veux en savourer la vue, comme on garde en bouche le goût d'un vin surprenant. J'aime prononcer à haute voix le nom des villes et villages que je traverse : le Creux Pierreux, le Passage du Vallon, Ashakan, la Boïceville, Phoenicia, Allaben, Shandaken, Le Grand Indien.

Je pense aux torrents où des hommes lancent des lignes aussi légères que des fils d'araignée au-dessus de l'eau : la mèche l'effleure, et s'enroule avant de se placer, pour prendre la truite qui glisse dans les creux froids des eaux de la Bièvre, de la Coulée, du Delaware et de l'Ésope. Les noms de ces villes, de ces villages, et de ces torrents sont pour moi des poèmes.

J'aime l'impression que procurent les montagnes s'élevant au-dessus de la vallée. Leurs murs de pins et de chênes, de bouleaux aux troncs blancs qui s'écaillent, de rhododendrons et de lauriers, de ronces et d'herbes folles m'enserrent. C'est merveilleux d'observer les arbres. J'ai toujours voulu m'arrêter sur le bord de la route et peindre avec frénésie, pour retransmettre dans les touches de couleur ce que je ressentais. Mais je crois que l'on ne peut peindre les arbres. Leurs couleurs s'enfuient et l'on peut voir leur mouvement le long des flots de soleil, leurs cimes fières et leurs branches musclées, tels les bras des danseurs, embrassant par leur ballet la musique tout entière.

Je me demandais si c'était la dernière fois que j'emprunterais cette route lente et mélancolique vers les Catskills ; que je passerais devant les villages et les torrents aux noms de poèmes. Depuis 1955, j'y étais retourné tous les deux ou trois ans, pour rendre visite à Avrum. Ou du moins c'est ce que j'aimais à dire. Peut-être, me mentais-je à moi-même. Avrum était mon ami, certes. Mais ne l'ai-je pas utilisé comme prétexte pour faire ce voyage qui m'emplit de crainte ?

Caroline a toujours pensé que quelque chose de plus séduisant que l'amitié me poussait à revenir dans les Catskills. Elle se méfiait de ces voyages et de mon insistance à les faire seul. J'avais essayé de lui expliquer qu'Avrum serait mal à l'aise, si elle m'accompagnait. C'était un argument puéril, et elle n'était pas dupe.

— Je pourrais rester à l'hôtel pendant que tu seras avec lui, faisait-elle remarquer.

— La prochaine fois, on en reparlera, lui rétorquais-je.

Mais la prochaine fois n'arrivait jamais. Finalement nous avons cessé d'en discuter. Je partais et Caroline rongeait son frein. Mais lorsque je rentrais on n'en parlait plus.

Il y a une partie de moi-même qui, par conditionnement social je suppose, me culpabilisait de partir ainsi, en laissant Caroline — eh bien, non ! Je pense aux Catskills comme à l'un des grands moments de ma vie. Un moment qui m'appartient, à moi seul. Comment pouvais-je me sentir coupable de quelque chose qui m'avait transformé définitivement ?

Ce n'était pas pareil en 1955. Je voulais vivre avec Caroline. Travaillant tous deux dans une villégiature des monts Catskills, à des centaines de kilomètres de notre ville natale, nous en avions même parlé avant l'été. « Ce serait sympa, pensions-nous, et romantique. »

— Je veux venir avec toi, me demandait Caroline à l'époque.

Mais ce n'était qu'une façon de parler, une sorte de rêverie, de prélude à la séparation que nous pressentions chacun.

La séparation eut lieu le matin du 27 mai 1955. C'est l'une des rares dates de ma vie que je ne peux oublier. Nous étions à New York, premier arrêt du voyage de fin d'études que nous faisions. Mais je n'avais pas l'intention d'aller avec mes camarades de classe jusqu'à Washington et retourner à la maison. Je voulais leur dire au revoir à la gare de Penn, et regarder Caroline à la fenêtre du train, me faire des grands signes en pleurant, et en me disant « je t'aime ». Je devais alors revenir à l'hôtel où nous avions passé la nuit, attendre mon frère Raymond qui m'emmènerait à Pine Hill où je commençais à travailler.

C'était Raymond qui m'avait trouvé cet emploi à l'Auberge. Il faisait son doctorat à l'université de New York et il desservait un petit nombre de paroisses, dans la vallée de Shandaken pour l'Église méthodiste unie. L'une de ses paroissiennes se prénommait Nora Dowling. Son défunt mari, Maurice, était le propriétaire de l'hôtel. Maurice était juif, et Nora luthérienne. Mais comme il n'y avait pas d'église luthérienne dans la région, Nora venait à celle de mon frère. Elle l'aimait bien. Et quand il lui avait parlé de moi, elle lui avait proposé ce travail d'été.

Je ne me rappelle pas ce premier voyage aux Catskills avec Raymond, sinon qu'il y avait un troupeau de cerfs sur une colline. J'ai dû me redresser sur le siège avant de la voiture, comme un enfant excité. Je sais que Raymond a ralenti et m'a dit :

— Tu en verras beaucoup par ici. Tu sais, Bobo, ici tout est différent, ajouta-t-il.

Et il commença à me raconter des histoires sur les Catskills, depuis les premiers colons jusqu'à l'industrie du tourisme.

— On croyait autrefois que les Catskills seraient une nouvelle Jérusalem. Il y a là un grand trésor juif. Tu le verras toi-même, à l'Auberge.

J'ai repensé souvent à ce premier voyage et je me suis demandé pourquoi je n'avais gardé aucune impression du paysage. Peut-être étais-je trop jeune, ou trop fatigué. Nous étions restés deux jours à New York. La dernière nuit, j'avais passé une grande partie de la soirée avec Caroline. Puis j'avais rejoint un copain dans sa chambre et nous avions bavardé très tard. Je ne le savais pas à l'époque, mais j'étais en train de profiter de mes derniers instants avec eux, du mieux que je le pouvais.

— Bobo passe sa dernière soirée d'être humain, avait dit Coy Helms.

Coy! Ah! là! là! Encore quelqu'un dont je me souviens toujours lorsque je suis dans les Catskills.

— Fais attention à toi, Bobo. C'est bourré de Yankees par là.

C'était la dernière chose que Coy m'ait dite, ce 27 mai 1955.

Textuellement.

J'ai ri et j'ai serré la main qu'il m'offrait.

— D'accord, Coy.

Il y avait beaucoup de puissance dans sa poignée de main. Il a détourné son regard, et il a passé sa langue sur ses lèvres desséchées. Il a eu ce haussement d'épaules qu'il avait toujours, lorsqu'il voulait montrer une indifférence nonchalante, un gonflement visible de tous les muscles. Coy était grand et fort, c'était le garçon — non, l'homme — le plus costaud que j'aie jamais connu. Il avait été plaqueur dans une équipe de foot. Une nuit, parce qu'un adversaire m'avait menacé, il lui avait cassé la jambe. Coy était attentif. S'il vous aimait, il vous aimait vraiment. Avec toute son âme. Son : « Fais attention à toi, Bobo. C'est bourré de Yankees par là » signifiait : « Je t'aime, tu sais, Bobo. »

Et pendant que je le voyais s'éloigner tranquillement et monter dans le train, je me rappelle avoir pensé : « Moi aussi je t'aime, Coy. Et merci de casser les jambes des autres pour moi ! »

Le train a démarré. Je l'ai regardé partir au loin, et j'ai songé : « Ils vont dans une direction et moi dans une autre. »

Et, de cette matinée étourdissante, de Caroline qui s'accrochait à moi, de Mazie Herndon, la prof d'anglais, qui nous chaperonnait en nous expliquant que les gens de New York étaient méchants, c'est de Coy dont je me souviens le plus clairement.

J'arrivai à la maison de retraite de Highmount peu après dix heures. Ce nom, c'était du chiqué. Avrum l'avait appelé avec cynisme le Hilton de Highmount. C'était un ancien hôtel de vacances reconverti qui, de l'extérieur, paraissait très spacieux alors qu'en réalité il ne l'était pas du tout. Tout y était étriqué et avait sans cesse besoin de réparations. Le ménage n'était jamais fait à fond. Il y régnait une odeur de médicaments et d'urine mêlée au relent humide et froid de la mort.

Ce n'était pas du tout « une communauté d'aînés profitant ensemble des joies de la vie », comme le clamait la brochure. C'était un endroit où l'on gardait les gens qui n'avaient plus de chez-soi, qui avaient été abandonnés par leurs familles, comme des enfants confiés à une baby-sitter auxquels on déclare : « A demain matin ! » Mais à la maison de retraite de Highmount, il n'y avait jamais de lendemain.

— De vieux juifs, grommelait Avrum. Qui donc voudrait de nous ?

Pendant des années, j'ai essayé de le convaincre de déménager, mais il ne voulait rien entendre. Il habitait non loin de Sul Monte, la maison d'été qu'avait occupée autrefois Amélita Galli-Curci.

La réceptionniste me conduisit dans le bureau de Sol Walkman, un petit homme à l'air pincé et au teint blême. Sol s'efforçait de garder un ton professionnel et souhaitait en avoir fini au plus vite avec l'affaire d'Avrum, l'excentrique.

Il me fit asseoir sur une chaise au cuir râpé.

— Voyons donc le dossier de M. Feldman, dit-il en feuilletant des papiers sur son bureau.

Il leva les yeux :

— Excusez-moi, vous êtes... ?

— Lee Murphy.

Il eut un sourire forcé.

— Ah oui, le voici, fit-il en sortant une feuille d'un classeur. Nous nous occupons d'un grand nombre de personnes et, malheureusement, je n'ai pas la mémoire des noms. Je sais que nous avons parlé hier et que nous nous sommes rencontrés une fois ou l'autre, mais j'ai oublié.

— Ce n'est pas grave, rétorquai-je. Avrum peut m'avoir mentionné sous le nom de Bobo. C'est ainsi qu'il m'appelait.

Un sourire ironique passa sur le visage de Sol :

— Bobo ?

— C'était... enfin, c'est mon surnom, pour la plupart des gens qui me connaissent, lui expliquai-je.

— Je vois, répondit Sol.

Il retourna à sa feuille.

— Je l'ai ici sous la forme de Madison Lee Murphy.

— C'est mon nom. Officiel.

— Certes.

— Je suppose que les volontés d'Avrum ont été exécutées ? questionnai-je.

Sol hocha la tête.

— Exactement comme il le souhaitait. Les cendres seront disponibles un peu plus tard.

Je ne répondis pas. Sol se plongea dans une page de notes qu'il avait rédigées.

— Vous savez qu'il a été très malade, peu de temps avant sa mort, reprit-il au bout d'un moment.

— Non, je ne le savais pas. Mais, considérant son grand âge, ce n'est pas étonnant.

Sol secoua la tête une fois de plus, avec la même vigueur.

— C'était la personne la plus âgée dont nous nous soyons jamais occupés. Franchement, il a été remarquablement solide et alerte, presque jusqu'à la fin.

— Il m'a toujours surpris, constatai-je. Quand je l'ai rencontré, j'ai pensé qu'il n'avait plus que quelques années à vivre. Et c'était il y a trente-huit ans.

— Les médias se sont beaucoup intéressés à lui. Nous avons eu de nombreux appels à son sujet.

— C'est-à-dire ?

— Eh bien que vous devenez automatiquement une personne célèbre, si vous atteignez l'âge de cent ans. On aurait dit que chaque New-Yorkais avait envie de connaître quelque chose de lui.

— Et qu'est-ce que vous leur racontez ?

Sol eut l'air très surpris.

— Ce que je leur dis ? Mais qu'il avait cent six ans et qu'il vivait ici depuis trente ans.

— Et rien d'autre ? insistai-je d'une voix volontairement inexpressive.

— Que pourrais-je raconter d'autre ? C'est à peu près

tout ce que je sais, à part les comptes rendus habituels sur
ses emplois et adresses successives.

Sol s'enfonça dans son fauteuil.

— Comme je vous l'ai déjà dit, monsieur Murphy, nous
avons beaucoup de personnes à suivre. Il est impossible de
bien les connaître, surtout à leur âge. Il y en a tant qui ne
parlent pas du tout. Comme vous pouvez l'imaginer, elles
ont atteint ce stade de la vie où l'on oublie beaucoup de
choses, et elles le savent. Alors elles préfèrent ne pas parler.
Ou bien le fait d'avoir été placées ici par des personnes qui
leur étaient chères les plonge dans la confusion. Elles ne
savent plus quoi penser.

— Et Avrum était comme ça?

Il s'efforça de sourire à nouveau.

— M. Feldman était... voyons, différent, répondit-il lentement. Il pouvait être extrêmement difficile. Mais je suis sûr
que vous le savez. Par exemple, il souhaitait parfois écouter
son opéra à des heures incongrues, et à plein volume. Nous
étions obligés de lui confisquer ses disques, jusqu'à ce qu'il
nous promît d'être raisonnable. Il pouvait être terriblement
têtu, monsieur Murphy. Et, quand il le voulait, il savait aussi
être méchant.

Sol souleva le dossier pour que je constate qu'il était
rempli de feuillets.

— Vous pouvez juger du nombre de plaintes que nous
avons reçues au fil des années.

Je réprimai un sourire. Je savais que ce dossier était la
dernière forme de protestation d'Avrum contre la maison de
retraite de Highmount et qu'elle faisait sa fierté.

— Bien des gens pensaient qu'il avait perdu la raison,
précisai-je.

Dans son effort pour réfléchir, Sol plissa les yeux.

— La plupart des médecins qui se sont occupés de lui
pensent sans doute la même chose. Et vous, quel est votre
avis?

— Je crois que c'était un homme brillant. Cela peut passer parfois pour de la folie.

Sol fronça les sourcils.

— Je suppose que les médias sont repartis sans rien?
repris-je.

— Oui, pour la plupart. Il y a quelques chaînes, préparant des programmes spéciaux sur la gériatrie, qui ont appelé.

Sol jeta un coup d'œil circulaire dans la pièce.

— Nous avons dû faire beaucoup de rangements.

— Cela devrait vous donner une occasion de soulever le problème des personnes âgées, l'encourageai-je.

— Oui, je suppose.

— Je sais que cela préoccupait énormément Avrum, ajoutai-je pour le harceler un peu. Il en parlait beaucoup quand on venait le voir.

Sol feuilleta un moment les pages du dossier, repliant légèrement les bords avec le pouce, comme si c'était un jeu de cartes. Puis il leva les yeux vers moi.

— Vous savez, M. Feldman était très bien soigné.

— J'en suis convaincu. Ses affaires sont-elles en ordre ?

Sol remua sur sa chaise. Puis, il sortit une feuille du dossier et fit semblant de l'examiner.

— Il n'y a pas, que je sache, de factures importantes, si c'est ce que vous voulez dire. Apparemment, M. Feldman a réalisé de bons investissements dans sa jeunesse et, bien évidemment, si son patrimoine permet de faire une donation pour la maison, on lui en serait très reconnaissant.

— Peut-être, dis-je. Il faudra que j'étudie l'état de ses comptes. Nous discutions rarement finances. Je n'ai aucune idée de ses ressources, ni même s'il en avait.

— Hum, murmura Sol.

Il s'enfonça de nouveau dans son siège. Les traits de son visage exprimaient l'embarras.

— Vous comprenez bien, monsieur Murphy, que son incinération est tout à fait contraire à la loi juive. En fait, bien des gens penseraient que c'est un sacrilège.

— Oui, je sais. J'ai essayé de l'en dissuader, il y a quelques années, lorsqu'il m'en a parlé pour la première fois. Je n'étais pas d'accord avec lui mais il ne voulait rien entendre.

— Pourquoi a-t-il fait cela ? insista Sol. Je ne suis pas pratiquant, mais j'ai beaucoup de mal à comprendre cette décision.

Je me rappelai la colère et la passion d'Avrum, lorsqu'il m'avait expliqué son choix. Le seul parent qu'il avait eu, un cousin, avait péri dans un four crématoire de Dachau. Pour Avrum, l'incinération devenait un geste de deuil, une ultime cérémonie en l'honneur d'une famille disparue.

— Vous le savez, non? répéta Sol.

Je n'avais aucune envie de parler avec lui de cette célébration qui n'appartenait qu'à Avrum.

— Non, mentis-je. C'est ce qu'il souhaitait.

— Je vois, lança-t-il peu satisfait. Autre chose, monsieur Murphy. C'est un peu délicat. M. Feldman nous a stipulé que vous deviez diriger son kaddish. C'est interdit, vous le comprenez. Il n'y aura pas de kaddish, puisqu'il n'avait pas de famille.

Je me rappelle l'étincelle dans les yeux d'Avrum, lorsqu'il avait précisé que son kaddish n'appartiendrait pas au rituel juif ordinaire. Il avait eu le regard espiègle d'un plaisantin très content de lui.

— Je comprends bien que je ne peux pas accomplir un rituel juif, dis-je fermement. Mais pour Avrum, je crois que le mot kaddish était une façon de parler. Je pense que vous serez d'accord avec moi. Sa conception du kaddish pouvait aussi bien s'inspirer de mardi gras que de Dieu. Je sais qu'il m'a laissé des instructions. Lorsque je les aurai lues, je saurai quelles sont ses dernières volontés.

Je sentais la colère monter.

— Monsieur Walkman, Avrum Feldman comptait beaucoup pour moi. Il m'a énormément appris. Et même si je ne veux offenser personne, mon devoir est d'agir selon ses directives.

A mon grand étonnement, Sol ne discuta pas. A cet instant seulement, je réalisai qu'il avait déjà entendu des propos de ce genre et qu'il aimait vraiment les gens qui venaient mourir dans son établissement. Il prit sur le bureau une enveloppe cachetée.

— Vous voulez parler de ceci?

Il se leva et me la tendit.

— Je ne sais ce qu'elle contient. Mais je ne pourrais jamais violer la confiance des disparus.

Je le remerciai, précisai que je lirais le document aussitôt rentré, et que je reviendrais le voir avant de partir.

— Cela me ferait plaisir, répondit-il.

Lorsque je viens aux monts Catskills, je prends toujours une chambre à l'Auberge de Pine Hill. Non pas pour le confort, mais par fidélité.

Autrefois, c'était un hôtel au charme discret et à l'élégance désuète des anciennes auberges des montagnes d'Europe. Il était d'une propreté méticuleuse, son service était agréable et rigoureux. La nourriture préparée par Nora Dowling et ses sœurs, Greta et Olga, était considérée comme la meilleure de tous les établissements non kasher des Catskills.

C'était un endroit où chacun se sentait chez lui. La plupart de ceux qui y séjournaient étaient des réfugiés juifs des Première et Seconde Guerres mondiales. Pour eux, se sentir bien quelque part revêtait un caractère particulier d'autant plus appréciable.

Depuis 1983, l'Auberge appartient à Samuel Merritt qui la dirige d'une façon très négligente. Il se prend pour un sculpteur, mais n'en est pas un. Je pense parfois que c'est un psychopathe qui, avec un marteau et un ciseau dans les mains, pulvérise la pierre, mû par un besoin, ancestral et inné, de destruction. Il a fui New York, explique-t-il, parce qu'en ville il étouffait et sentait qu'il ne pouvait pas progresser. J'ai toujours imaginé qu'il avait dû être viré, un beau jour, par des marchands d'art excédés.

Pourtant, Sammy ne se laisse pas abattre. Il a toujours une œuvre récente à me montrer et il analyse avec un enthousiasme juvénile le sens profond de chaque pièce. Je lui renvoie des compliments exagérés qui décuplent son ardeur à manier le marteau. Ce n'est pas très correct de mentir si ouvertement, mais c'est le seul moyen d'empêcher Sammy de se décomposer et de devenir complètement idiot. Souvent, la nuit, après que j'ai examiné une nouvelle pièce, je l'entends travailler et je l'imagine soufflant sur des braises, pour garder vivante la flamme de son inspiration.

La femme de Sammy, Lila, est mince et jolie, avec une poitrine généreuse. Elle porte des vêtements près du corps, se maquille exagérément et son parfum est tellement capiteux qu'il en devient agressif. Je dirais que son éloquence est instinctive. Elle a une voix douce, mais profère facilement des insanités, du moins en ma présence, et je pense que son plus grand plaisir est de me provoquer.

— Juste une fois, Bobo, dit-elle souvent, j'aimerais tant baiser un vrai artiste, juste une fois.

A l'Auberge, il y a une cuisinière et une femme de chambre (jamais la même d'une année à l'autre). Si l'on a besoin d'autres services, Samuel et Lila acceptent, ou non, de les rendre.

Depuis des années, les lieux devaient être repeints et remis à neuf. L'hôtel est encombré d'objets récupérés à bon marché, ainsi que de sculptures de Sammy. Il y a une odeur de renfermé et de tabac froid dans toutes les chambres. Même lorsque les fenêtres sont ouvertes, l'air refuse d'y circuler.

Une année, il y avait eu à l'Auberge plus de cent pensionnaires durant la saison d'été.

— Maintenant, m'annonça Lila, pendant que je signais le registre, il y en a sept, toi compris. On commence à être un peu serrés, ajouta-t-elle d'un ton ironique. Mais nous sommes contents que tu sois revenu. Moi, en tout cas. Ça me fait une chance supplémentaire !

Je l'interrogeai sur la saison de ski.

— C'était merdique, me répondit-elle avec désinvolture. Sammy travaillait sur une nouvelle pièce — un sale truc énorme, il travaille toujours sur une nouvelle pièce — et il m'a laissée trimer comme d'habitude. J'ai fait venir deux gamins de la ville, comme serveurs. Mais vers la fin, on avait un boulot d'enfer.

— Je suis bien content pour vous. C'est pourtant étrange de ne voir personne en été. Autrefois, c'était plein.

Elle tendit la main pour prendre une clef suspendue derrière le comptoir.

— Ouais, mais ils étaient vieux, alors ils sont morts. Tout le monde est mort. C'est une ville fantôme, Bobo. Tu ne t'en es pas aperçu ? Trois hôtels ont encore fermé l'an dernier.

Et elle me donna ma clef.

— C'est triste, compatis-je.

— Écoute. Rappelle-toi où se trouve le dernier McDonald que tu as vu, en venant ici ? Juste après Kingston, n'est-ce pas? A plusieurs miles d'ici. Ça explique tout. Là où il n'y a pas de McDonald, tu as une ville fantôme. Les gens peuvent gueuler contre l'empire des fast-foods, il n'empêche que là où ils sont, là est la vie. Crois-moi. Si tu n'es pas plein aux as, les gens sont prêts à te mettre dans la merde jusqu'au cou.

— Je suppose que tu as raison. Je n'y avais jamais songé.

Elle me regarda avec tendresse.

— Tu sais, Bobo, chaque fois que tu viens ici, tu parles de ce qui existait avant comme si tout allait réapparaître. Mais ce temps est révolu.

J'étais mal à l'aise, car elle ne se trompait pas.

Pour changer de sujet, je lui demandai :

— Et comment va Sammy?

— Oh! Sammy c'est Sammy. Il est allé à Kingston ce matin chercher un bloc de marbre, ou de granit, ou de je ne sais quoi. Je crois qu'il a dépassé sa période Brancusi.

Je souris. L'année précédente, lors de ma dernière visite à Avrum, Sammy était convaincu que son médium était le bois. Il parlait sans cesse de Constantin Brancusi, le sculpteur roumain.

— Il sera heureux de te voir, ajouta Lila. Il a plusieurs tonnes de pièces nouvelles. Il a loué le vieux drugstore d'Ellis, au bout de la rue, pour les stocker. Tu te rappelles d'Ellis, Bobo? Archie Ellis? Il est mort au début de l'année.

— Ah bon? Je suis navré de l'apprendre. Je l'aimais beaucoup.

— Ouais, moi aussi. De toute façon, maintenant, Sammy travaille comme un fou là-dedans, avec sa collection de cailloux, reprit Lila.

Elle se pencha par-dessus le comptoir. Je sentais son parfum trop sucré. Elle me demanda à voix basse :

— Dis-moi, Bobo, est-ce que Sammy vaut quelque chose? Je veux dire, ce qu'il fait a-t-il une quelconque valeur?

Je ravalai ma salive, comme toujours lorsque je dois mentir.

— Oui, pas mal. Un peu trop pressé peut-être.

Lila eut un petit rire sec.

— C'est un malade, et nous le savons tous les deux. Tu déjeunes avec nous?

— Pourquoi pas ? Merci.

— J'aime les gens courageux, dit-elle, ça me remonte.

Dans la chambre, j'ai rangé mes affaires, je me suis assis sur le lit et j'ai ouvert l'enveloppe qu'Avrum avait laissée pour moi.

Elle contenait une seule feuille de papier pliée en deux et une seconde enveloppe, plus petite. Avrum y avait écrit, de sa main tremblante :

Kaddish d'Avrum Feldman. A ouvrir six jours après sa mort. A.F.

Il avait noté la date sous ses initiales, le 6 novembre 1980. C'était l'année de ses quatre-vingt-treize ans.

Je dépliai la feuille, et je lus :

Cher Bobo,

Je suis mort.

Quand tu liras ceci, je serai face à face avec Dieu. Cette fois, il ne pourra pas se défiler.

Tu m'es aussi proche qu'un fils. Alors sois mon fils et débarrasse-toi de moi. Enterre mes cendres, le sixième jour, à l'endroit que je t'ai indiqué. Fais le service religieux que tu voudras. Fais-le trois jours après ma mort. Tu sais pourquoi. Pas de musique funèbre. Tu en connais aussi la raison.

Mon kaddish est dans l'autre enveloppe. N'écoute pas le rabbin. Fais ce que je te dis.

Distribue tout ce qui me reste.

Je t'aime, mon fils.

C'était signé Avrum Feldman. Sur l'autre enveloppe, la date était la même, le 6 novembre 1980.

3

Avant de quitter ma chambre pour aller déjeuner, j'ai appelé Caroline. Elle travaille dans une petite boutique d'ordinateurs, un emploi qu'elle a pris après que nos enfants, Rachel, Lydia et Jason, eurent quitté la maison. Elle n'aime pas ce travail, mais pas suffisamment pour en chercher un autre. Elle gagne bien plus que moi, elle peut facilement s'arranger, et elle le sait. Si elle veut prendre une journée pour aller faire des courses, ou rester à la maison, elle en parle à Derby Bailey, son employeur, qui la lui accorde sans discuter. Ça l'ennuie parfois que Derby soit si arrangeant. Elle croit qu'il n'a pas très envie de la voir dans les parages. Mais elle serait bien plus mécontente si, un jour, il lui refusait ce qu'elle demande.

C'est Derby qui répondit :

— Ouais, Bobo, elle est là. Une minute.

La voix de Derby est avenante, une voix que les gens aiment bien. Sans un bonjour, Caroline a, en revanche, tout de suite attaqué :

— Tu devais m'appeler hier soir.

— Ah ! bon ? Je pensais te téléphoner une fois arrivé ici. J'ai passé la nuit à Kingston. Je me suis couché tôt.

— Ça ne fait rien, coupa-t-elle. On a du travail. Où es-tu ? A l'Auberge ?

— Oui. Tu as le numéro ?

— Combien de temps vas-tu y rester ?

— Je ne sais pas, répondis-je. Sans doute une semaine. Il y a quelques affaires à régler, et ça peut prendre du temps.

— Une semaine ?

— Peut-être moins. Je ne sais pas.

— Mais qu'est-ce qu'il y a à faire ? Il est mort ! Tu m'as dit qu'il allait être incinéré. Combien de temps est-ce que ça prend ?

— Pour autant que je sache, c'est déjà fait. Mais il y a d'autres choses. Un service funèbre. Des papiers. Tu te rappelles quand ton père est mort ? Ce n'est pas si simple.

Sa voix se radoucit. J'ai compris qu'elle pensait à son père.

— C'est vrai.

— Je vais m'occuper de tout ça le plus vite que je pourrai. Je te le promets.

— Tu sais où me trouver.

— Je suis désolé, Caroline.

— Au moins, c'est complètement fini maintenant. Il n'y aura plus de raisons aux virées dans les monts Catskills.

— Écoute, Caroline !

— Pardonne-moi. Je ne voulais pas le dire comme ça. Bon, il faut que j'y aille.

— Mais tu n'en as pas parlé aux enfants ?

— Bien sûr que si. Ils sont désolés. Jason va sans doute essayer de t'appeler ce soir.

— Téléphone-moi si tu as besoin de quelque chose.

— Mais non. Je ne le ferai pas.

Chaque fois que je pénètre dans la salle à manger de l'Auberge, se déroule un rituel qui a débuté la première année où Sammy et Lila sont devenus propriétaires. Lila me prend par la main et, d'une voix forte et enjouée, elle annonce à la cantonade que je suis un ancien serveur et qu'avant de m'attabler j'aime faire un tour dans la cuisine, en souvenir. Les gens sourient, ne sachant trop quoi faire d'autre. Puis Lila me pousse dans la cuisine.

La cuisine est exactement telle qu'elle était lorsque je l'ai vue pour la première fois — en plus défraîchie. Les fours et les cuisinières sont les mêmes, le lave-vaisselle est celui que j'ai utilisé le 27 mai 1955, les assiettes sont celles que j'ai lavées...

— Alors? demande Lila, comme toujours.

— Tout est encore là, n'est-ce pas? réponds-je imman-
quablement.

Puis, me tenant toujours par la main, Lila m'emmène
vers une table dans la salle.

Ce jour-là, lorsque je suis entré, il n'y avait qu'un couple
dans la salle à manger. Lila leur servait du vin. Elle s'est
retournée et, avec un large sourire, m'a tendu la main. Elle
s'est alors écriée :

— C'est Bobo Murphy, le célèbre artiste-peintre de
Géorgie. Il a été serveur chez nous et je sais ce qu'il a envie
de faire : jeter un coup d'œil dans la cuisine avant de dîner.
C'est un nostalgique.

Le couple a souri.

Nous avons accompli notre rituel et Lila m'a conduit à
une table, dans le fond, à une certaine distance du couple.

— Veux-tu du vin? me demanda-t-elle.

— Non, fis-je. Qu'est-ce que c'était que cette odeur allé-
chante dans la cuisine? Des escalopes viennoises?

— Du poulet rôti. En tout cas, il y a intérêt à ce que ça
en soit. Prends du vin.

— Non, non, répétai-je.

Elle se pencha, ses gros seins touchaient presque mon
visage. Elle murmura :

— Tu en auras besoin. Le poulet est toujours très dur.
De toute façon, c'est de leur bouteille.

Elle jeta un regard rapide vers le couple :

— Du bon. Ils en ont apporté une caisse; ils ne s'en
apercevront pas. Tout ce qu'ils font, c'est baiser. Ils
n'arrêtent pas.

Je me sentis rougir :

— Ton éloquence, Lila! C'est parfois incroyable.

— Prends du vin, Bobo!

— Bon. D'accord.

Elle s'apprêtait à me quitter, quand elle se retourna pour
me lancer :

— Oh! A propos, j'ai oublié de te faire mes condo-
léances, pour ton ami qui est mort. Je suis désolée. Il était
vraiment très vieux, n'est-ce pas?

— Oh oui, très vieux. Merci de te souvenir de lui.

— Est-ce que cela signifie que tu ne reviendras plus par ici ?

— Je ne sais pas. Peut-être que non.

Elle me regarda longuement.

— Tu me manqueras beaucoup, chuchota-t-elle doucement.

Puis elle partit.

Aucun endroit ne m'émeut plus que l'Auberge de Pine Hill. Lorsque je m'y trouve, je vis des instants aussi fulgurants que des éclairs et dont chaque minute aurait la puissance de l'hypnose.

Lorsque je suis arrivé aux monts Catskills, j'avais dix-sept ans. Je venais de Géorgie où mes voisins s'appelaient Ginn, ou Skelton et Carey, ou Winn et Dove. Je n'avais jamais entendu parler une langue étrangère. Je ne connaissais qu'une seule famille juive — les Blumenthal, qui tenaient un magasin de vêtements. C'était là que j'avais acheté mon premier costume en gabardine bleue, à double boutonnage. A Pine Hill, j'ai rencontré des gens qui se nommaient Rosenberg, Kraus, Reishmann, Mendelson, Berenstein. Ils parlaient l'allemand ou le yiddish. Leur religion était mystérieuse et embarrassante. Ils mangeaient des mets qui m'étaient inconnus.

Ah ! La nourriture. Lorsque je suis dans la salle à manger de l'Auberge, ce sont les premiers souvenirs qui affleurent à ma mémoire.

Raymond m'avait conduit directement du centre de New York à l'Auberge. Il était une heure passée, lorsque nous étions arrivés. On servait le dessert. C'était le week-end du Jour des Morts, en mai, et Nora Dowling profitait de cette journée pour s'exercer au rythme de la saison d'été qui commençait officiellement à la mi-juin.

J'ai suivi Raymond dans la cuisine jusqu'à une porte de côté qui donnait sur le palier, avec un auvent, où l'on plaçait les poubelles. Raymond attendait que Nora Dowling s'aperçût de notre présence. Je me souviens de son sourire crispé lorsqu'elle a traversé la cuisine et s'est dirigée vers nous.

Nora Dowling me faisait peur. Elle était grande et large d'épaules. Et très forte, supposais-je. Ses cheveux étaient rouge sang et donnaient l'impression que quelqu'un les avait fixés de force sur son crâne. Ses yeux d'un vert profond louchaient. Elle me jeta un regard menaçant. Je devinai sa déception, au frémissement qui remua ses mâchoires carrées.

— Voici mon frère, Bobo, annonça gentiment Raymond. Bobo, c'est Mme Dowling, la propriétaire de l'Auberge.

J'avançai timidement :

— Bonjour.

Ses yeux me dévisagèrent des pieds à la tête. Au bout d'un moment, elle répondit d'une voix hésitante :

— Mais, c'est un vrai bébé. Un vrai bébé, répéta-t-elle en soupirant.

Je sais que Raymond a été surpris. Il eut un rire bon enfant en précisant :

— Oh! Ne vous laissez pas tromper par son apparence. Il a beau avoir des fossettes, elles dissimulent un garçon solide.

Il se tourna vers moi et toucha mes épaules, en partie pour me rassurer et se rassurer lui-même.

— Chez nous, il a fait marcher la ferme tout seul l'an dernier, quand mon père était malade.

Le mépris que l'on pouvait lire sur le visage de Nora Dowling s'accentua encore. Elle pencha la tête pour m'inspecter. Ses sourcils étaient froncés, lui donnant un air chagrin. Je savais ce qu'elle pensait : « Voilà ce que m'amène mon propre pasteur : un bébé! »

— Vous allez voir que c'est un bon travailleur, confia Raymond. Il sait très bien pourquoi il est venu. Ou bien il gagne un peu d'argent pour payer ses études, ou bien il retourne à la ferme. Il a déjà vu l'an dernier que ce n'était pas drôle.

J'entendais les bruits étrangers de la cuisine, des murmures de voix, le claquement des portes qui menaient à la salle à manger, le tintement triste de casseroles, de plats et de verres qui s'entrechoquaient doucement. Je sentais la chaleur des fours et des cuisinières. Une odeur de nourriture grasse flottait dans l'air confiné.

Nora Dowling croisa les bras sur sa poitrine, tout en continuant à me dévisager, sans masquer sa déception. Un garçon de mon âge, ou à peu près, la frôla presque, portant un plateau d'assiettes et elle le suivit d'un regard irrité. Ensuite elle se tourna vers moi et me demanda :

— Et à quoi ça sert ces études ? Pour être aussi un homme de robe, comme ton frère ?

— On a le temps de prendre des décisions, rétorqua vivement Raymond. C'est un peintre de grand talent. C'est peut-être sa vocation.

Il me serra les épaules très fort et j'étais heureux qu'il me touchât.

Nora Dowling soupira à nouveau et roula les yeux d'un air dramatique. Son expression changea. De menaçante, elle devint résignée. Elle avait fait une promesse. Elle allait la tenir.

— Bon. Eh bien, il y a du travail, dit-elle.

Elle renvoya Raymond du regard.

— Revenez le chercher vers huit heures.

— D'accord.

Ses mains me frottaient les épaules pour m'assurer que tout irait bien et qu'il reviendrait bientôt.

— Travaille bien, m'enjoignit-il. Il faut leur montrer que les Sudistes savent travailler.

Puis se tournant vers Nora Dowling :

— Nous vous sommes très reconnaissants.

Nora Dowling s'efforça de sourire sans grand résultat.

Raymond s'en fut par la porte de côté. En un éclair, j'ai pensé : « Il ne s'est pas retourné. »

— As-tu déjeuné ? me demanda Nora Dowling.

Je ravalai ma salive et je mentis.

— J'ai mangé un sandwich chez mon frère. Nous nous y sommes arrêtés pour voir ma belle-sœur, Linda.

Elle haussa ses épaules imposantes et je me rappelai les paroles de Coy Helms qui m'avait prévenu : « C'est bourré de Yankees par là. » Il ne se doutait pas combien il avait raison.

— Un sandwich, ce n'est pas un déjeuner, déclara Nora Dowling. Tu as besoin de manger. Viens.

Elle me conduisit à une table, près de la petite porte. Elle ne me présenta à personne et personne ne s'approcha de moi. Mais je savais qu'ils m'observaient. Je sentais leurs yeux sur moi, aussi foudroyants que des balles de pistolet.

Quelques instants plus tard, Nora Dowling revint avec un bol.

— *Kartoffel Suppe*, dit-elle.

— Merci m'dame.

Elle m'encouragea d'un signe de tête et s'en alla. Elle donnait des directives et sa voix fusait à travers la cuisine. Tous retournèrent à leurs tâches.

Je goûtai à la soupe. Elle était délicieuse. Je ne savais pas ce que c'était que la *Kartoffel Suppe* et je me demandai si ma mère, qui dans notre communauté avait une réputation de fine cuisinière, l'apprécierait. J'en pensé que oui. J'avais faim et l'avalai très vite.

— Alors, c'est bon ? demanda Nora Dowling.

— Oui m'dame, répondis-je poliment. Qu'est-ce que c'était ?

Elle me regarda avec étonnement.

— C'est de la soupe de pommes de terre. C'est ce que ça veut dire.

— Ah bon, dis-je. Je ne savais pas qu'on faisait de la soupe avec des pommes de terre. Dans ma famille, on n'en faisait pas. Les pommes de terre, on les mangeait. C'est l'un des meilleurs repas que j'aie fait depuis longtemps.

La figure boudeuse de Nora Dowling s'éclaira, amusée. Un rire en cascade s'échappa de son énorme poitrine.

— *Ach, du liebe Gott !* s'exclama-t-elle. Un repas ! Ce n'est pas un repas. C'est de la soupe.

A cet instant, je vécus ma première grande surprise culturelle. A la ferme, la soupe faisait office de repas, accompagnée de pain de maïs. Ma mère la préparait avec des légumes, de la viande et un bouillon de bœuf qui laissait un délicieux arrière-goût de satiété dans la bouche. Nous adorions ses repas.

— Le repas, c'est maintenant, annonça Nora Dowling avec force.

Elle se tourna vers les gens dans la cuisine et s'esclaffa bruyamment :

— Il pense que la soupe est un repas. *Ach, du liebe Gott!*

Le repas que Nora Dowling me proposa était extra-ordinaire, plus somptueux que ce que j'avais jamais mangé ailleurs; le genre de festin que j'imaginais en lisant des histoires de banquets dans des pays étrangers. Je pensai à ma mère en mangeant. J'aurais tellement voulu qu'elle soit là.

Le poulet rôti était comme Lila me l'avait annoncé, dur et trop cuit, mais meilleur que les asperges et les carottes. J'étais content de l'accompagner de vin.

Lila s'assit à ma table et, de temps à autre, elle jetait des regards sur le couple, blotti l'un contre l'autre. Ils semblaient la fasciner. La femme était jeune et jolie, éclatante, l'homme était visiblement plus âgé. Il avait les cheveux grisonnants, mais il était mince et avait l'air athlétique de celui qui joue au tennis au moins trois fois par semaine.

— Ah! là! là! Bobo, me dit Lila en mettant sa main devant la bouche. Si tu voyais leur lit le matin. On dirait que des éléphants se sont vautrés dedans.

— Tu ne crois pas que ça les regarde? lui demandai-je.

Lila balaya mon honnêteté d'un geste.

— Je ne me plains pas, chuchota-t-elle. Pour te dire la vérité, ça m'excite. Ça sent le sexe là-dedans, même après qu'ils sont partis. Dans la chambre, l'air est âcre.

— Peut-être sont-ils en voyage de noce?

Lila pouffa.

— Tu parles! A quoi tu penses, Bobo? A tes affaires ou à tes fesses? Ils viennent ici une fois par mois. Lui, c'est un courtier en bourse de haut niveau. Elle prétend être une femme du grand monde. Ils sont tous deux mariés. Sa femme est une camée, son mari un juge de la Cour suprême. Ils ne soupçonnent pas du tout que je connais leur identité et je n'ai pas l'intention de le leur dire. Ils laissent de gros pourboires. Ils couchent ensemble depuis des années.

Elle fit une pause et poussa un grand soupir.

— A vrai dire, Bobo, je les envie. La plupart du temps, je me dis que je ferais la même chose, si je trouvais avec qui.

Je fronçai les sourcils d'un air désapprobateur, et elle roula de gros yeux en réponse.

— Eh! Rappelle-toi que je suis mariée à Sammy. La chose la plus dure chez lui, c'est son marteau.

Je pris un morceau de poulet et commençai à le mastiquer.

— Et alors? Comment vont ta femme et les gosses? demanda Lila.

Je lui fis signe que tout allait bien. Le poulet semblait gonfler dans ma bouche.

— C'est bien. Et le poulet, il est comment?

Je refis le même signe.

— Si mauvais que ça? Il va falloir que je renvoie cette salope. Elle est soûle la moitié du temps et essaie de dessoûler l'autre moitié. Je pense que je vais engager un Chinois et lui acheter une poêle cantonaise. On ne se fait pas baiser avec ce genre de cuisson.

J'avalai enfin le morceau de poulet et pris du vin.

— Combien de temps vas-tu rester, Bobo?

— Une semaine. J'espère que ça ne sera pas plus long.

Lila balaya une poussière invisible sur sa blouse. Je vis ses seins frissonner.

— C'est notre compagnie qui ne te convient pas? Hein?

— Non, ce n'est pas ça et tu le sais bien. J'ai des choses à régler au sujet de la mort de mon ami. Et ensuite je dois retourner à mes cours.

Lila ajusta la bretelle de son soutien-gorge dans un brusque mouvement d'épaules.

— Comment s'appelait-il? Je l'ai lu dans le journal, mais j'ai oublié.

— Avrum Feldman.

— Ah oui, c'est ça, acquiesça-t-elle. J'ai toujours entendu dire qu'il était dingue.

— Je suppose que cela dépend de ce que tu entends par dingue.

— Quelqu'un a déclaré qu'il entendait des voix, me précisa Lila.

— C'est vrai.

— Je pense que ça, c'est dingue.

— Et moi que c'est miraculeux.

Lila me sourit avec sympathie.

— Tu sais, Bobo, c'est ce que j'aime chez toi. Tu pourrais sentir l'odeur des roses dans les chiottes. Ah merde! Ce que j'aimerais t'avoir dans mon lit.

— Dans une autre vie peut-être.

— Alors, ce soir, je meurs, soupira-t-elle. Espèce de petit merdeux.

— Désolé, dis-je.

— Oh, ce n'est pas une affaire, rétorqua-t-elle avec légèreté.

Elle regarda à nouveau le couple, à l'autre bout de la salle.

— Tout ce que je voudrais, c'est avoir une fois encore cette tête-là.

— Quelle tête?

— Celle qu'elle a. Qu'en déduis-tu, Bobo?

Je regardai la femme. Elle était penchée en avant et elle fixait l'homme. Un rayon de lumière du néon du plafond se déposait sur ses cheveux blonds. Elle avait les doigts sur le bord de son verre à vin. Elle semblait hypnotisée.

— Je pense qu'elle est...

— Quoi, Bobo?

— C'est très commun.

— Dis toujours.

— Rayonnante.

Lila soupira doucement.

— Oui. C'est ça. Rayonnante. C'est ce que je voudrais, Bobo.

— J'espère que tu le seras un jour.

— Si ça doit m'arriver, alors il faut que je me mette en chasse pour trouver un courtier en bourse de haut niveau. Vous autres, artistes, vous êtes tous pareils, quelque part entre un coup de pompe et une cigarette. Je n'arrive pas à comprendre, merde de merde, ce que je te trouve.

— On a besoin d'être maternés, répondis-je.

— Ça, c'est de la merde.

Après le déjeuner, je suis sorti de l'Auberge, j'ai traversé la rue et je me suis assis sur ce que j'ai pensé être le banc d'Avrum. C'était un après-midi ensoleillé, où une brise légère agitait doucement les branches des grands sapins, des pins, des chênes et des bouleaux. J'ai repensé à la première fois où j'ai découvert ce village, son charme et sa simplicité. Une rue étroite, qui avait été autrefois la route nationale, descendait en pente douce de la montagne, puis remontait un peu sur le pont, au-dessus d'un petit torrent, appelé la crique Mosier. Elle traversait le village tout entier et disparaissait derrière un tournant, vers la vallée de Shandaken.

Lorsque j'avais découvert la rue et les quelques boutiques du village, blotties contre la vallée, il y avait encore beaucoup de personnes qui marchaient à petits pas dans les contre-allées, traînant les pieds, ou qui se chauffaient au soleil, ou encore s'installaient sous les tilleuls. Ils avaient l'air endormis, fragiles, comme des jouets mécaniques qui cliquettent lentement avant de s'arrêter. Maintenant, comme Lila l'avait justement remarqué, ils étaient tous morts. Avrum était le dernier d'entre eux.

Je me rappelai aussi la première fois où j'ai vu Avrum, la voix amusée d'Henri Burger lorsqu'il me l'avait désigné en pointant vers lui le bout de son cigare. Il m'avait dit alors qu'il était en train d'écouter Amélita Galli-Curci.

Henri m'avait expliqué qu'Amélita Galli-Curci avait autrefois possédé une maison d'été dans les Catskills, à Sul Monte. Elle avait l'habitude de chanter sous le porche en fin d'après-midi. On entendait sa voix à des kilomètres à la ronde. Lorsqu'elle chantait, tout le monde s'arrêtait de travailler, pour l'écouter. Henri admettait qu'elle avait la voix d'un ange.

— Il y a sur elle une histoire. On raconte qu'un jour où elle avait fini de chanter, quelqu'un frappa à sa porte. C'était un chef de chantier qui voulait l'entretenir de sa voix. « Est-ce que je vous dérange ? » lui demanda-t-elle. « Non, lui répondit le patron, mais la prochaine fois, si vous pouviez ne pas tenir la dernière note aussi longtemps. Mes ouvriers quittent leur travail à ce moment-là et ne reviennent plus de la journée. »

Henri eut un petit ricanement au sujet de cette histoire, puis il contempla Avrum avec tristesse.

— Avrum était amoureux d'elle. Un pauvre vieil imbécile. Il la suivait jusqu'ici, tous les étés, juste pour demeurer assis à l'écouter. Maintenant il reste là. Et il est le seul à l'entendre encore.

Il fit claquer sa langue.

— Regarde-le, ajouta-t-il doucement.

Et je le regardai. Attentivement.

Le visage d'Avrum Feldman était transformé, émerveillé par la splendeur d'une voix qu'il était seul à entendre.

— Allons, dit Henri. Laissons-le tranquille. Tu feras sa connaissance plus tard.

Nous avons fait quelques pas.

— Le pauv' con, marmonna Henri.

Je ne suis pas sûr que j'aurais fait la connaissance d'Avrum sans l'aide d'Henri. Je serais peut-être resté tout l'été à passer et repasser devant lui, comme le faisaient les autres avec des regards méfiants, comme s'ils le croyaient capable d'un acte inattendu et complètement absurde.

Mais, à leur manière, Henri et Avrum étaient amis. Ils discutaient sans cesse, surtout de Dieu. Avrum prétendait que Dieu avait causé autant de mal à l'humanité qu'il avait souffert lui-même pour elle. Henri accusait Avrum de blasphème et prétendait être très offensé par son manque de considération pour la tradition. Je me demandais toujours si Henri croyait ce qu'il disait, ou s'il faisait semblant d'y croire. Ce n'était pas facile de savoir avec lui. Il aimait bien que l'on fît attention à lui et que l'on discutât avec lui, mais il aimait aussi provoquer. Lorsqu'il voulait vraiment agacer Avrum, il s'asseyait à son côté, pendant qu'Avrum écoutait la voix d'Amélita Galli-Curci, et il se mettait à chanter de joyeuses chansons populaires allemandes, d'une voix fausse de baryton. Le visage d'Avrum grimaçait de douleur.

J'ai fait la connaissance d'Henri le jour de mon arrivée à l'Auberge de Pine Hill. Hormis Nora Dowling, c'était la personne qui m'épouvantait le plus.

C'était au milieu de l'après-midi. Nora Dowling m'avait emmené à l'arrière de la cuisine et m'avait fait une brève démonstration de mise en route du lave-vaisselle, une étrange machine au couvercle rond qui s'ouvrait comme la gueule d'un rhinocéros. A l'avant, sur un large plateau d'aluminium, étaient posés les assiettes, les verres et les couverts du déjeuner. Les énormes éviers étaient remplis de plats et de casseroles.

— Il faut que tu aies fini avec tout ça à cinq heures, m'ordonna Nora Dowling. Nous en avons besoin pour le dîner.

Les trois heures qui suivirent furent les plus horribles de ma vie. J'étais trempé. Mes mains se couvraient de plis et de rides, la peau de mes bras pendait lamentablement, j'avais la figure irritée par le produit que la machine recrachait dans l'évier. Le sol était glissant, au point de ne plus pouvoir tenir debout.

Et surtout, j'étais seul, complètement abandonné.

Je savais qu'à Washington mes camarades de classe étaient en train de visiter le monument de Lincoln. Leurs éclats de rire me parvenaient, jusque dans les monts Catskills, par-dessus le roulement de tonnerre de la machine et le cliquetis des verres, en train d'être lavés dans un flot de vapeur d'eau chaude et sifflante. Je pensais à Caroline et me demandais si je lui manquais autant, à cet instant, qu'à la gare de New York. Ses larmes avaient-elles vite séché ? Avait-elle trouvé l'épaule accueillante de Gary Reeder qui lui offrait un réconfort surfait ? Elle était sortie avec Gary, avant moi, et il s'était glissé sur le siège à côté d'elle dans le train, pendant qu'elle me faisait ses adieux. J'avais vu son sourire triomphant. Il avait lancé sa main en avant, en conquérant, l'air de dire « Bon débarras ».

Le souvenir du corps de Caroline contre le mien, ses bras serrés autour de moi, ses mains caressant mes épaules, la chaleur de son haleine sur mon visage, tout cela me faisait frissonner. Je lâchai un verre et il se brisa en mille morceaux.

Une voix m'arrêta :

— *Was ist los ?*

Je me retournai et je vis un homme debout, devant la porte battante. Il portait un pantalon trop grand, une chemise fripée et un pull qui descendait au-dessous de la ceinture. Il avait les épaules étroites, le torse mince et le ventre flasque. Ses cheveux grisonnants étaient rares et il les lissait en arrière avec du gel, ne laissant que quelques bouclettes au-dessus des oreilles. Il avait une expression dure et accusatrice. Un long cigare éteint se balançait dans sa main.

— *Was ist los*, répéta-t-il.

— Pardon ?

— *Mein Gott*, grogna-t-il.

— Je... je ne parle pas l'allemand, dis-je.

— *Dummkopf*, marmonna-t-il.

Il pointa son cigare vers le sol, désignant le verre cassé.

— *Kehr das auf.*

— Oui, monsieur ?

Il fit semblant de balayer le sol.

— *Kehr das auf.*

— Il faut balayer ?

Son mouvement se fit plus violent et il se dirigea vers moi en répétant :

— *Dummkopf.*

Je fis un signe de tête rapide.

— Oui, m'sieur. *Dummkopf*. Il faut le balayer.

J'imitai son geste.

Un éclair passa dans ses yeux.

— *Ja, ja, ja. Das ist gut.*

Je savais que *ja* voulait dire oui. C'était évident vu la façon dont l'homme bougeait sa tête.

— *Ja*, dis-je.

Je crus qu'il réprimait un sourire. A la place, il mordit son cigare et me regarda avec pitié.

— *Dummkopf*, murmura-t-il.

Puis il se tourna et passa la porte. Elle battit doucement trois fois sur ses gonds, et s'arrêta. Il me sembla entendre un rire étouffé derrière la porte, mais je savais que je me trompais. Les fous ne rient pas. Je me dépêchai de trouver un balai et j'enlevai les débris de verre.

Il était presque cinq heures lorsque je finis de laver et de ranger les assiettes, les verres, les couverts, les plats et les casseroles, et d'éponger la mousse par terre. J'étais couvert de savon et en nage. J'avais les mains et les bras complètement gourds.

Je pressai mon oreille contre l'un des battants de la porte. Je n'entendis rien. J'entrouvris alors la porte et regardai dans la salle. Je n'y vis personne. Chaque table était recouverte d'une nappe blanche nette et bien repassée, et garnie de serviettes, finement bordées de rose, pliées en forme de voile de navire. Il flottait dans l'air une délicieuse odeur de linge propre.

Tout était calme.

Je sortis sous le porche encombré d'une grande quantité de poubelles, et je m'assis sur les marches, épuisé. J'avais mal à tous les muscles. Je sentais le détergent, collé en plaques à ma chemise. Je m'adossai à la balustrade et contemplai les montagnes, derrière l'Auberge. J'aperçus un cerf, couronné de bois majestueux, près d'un bouleau blanc. Il était magnifique et je sus instantanément que je ne l'oublierais jamais. Il était comme un tableau que j'aurais peint dans une autre vie. Il semblait me dévisager, m'interrogeant avec ses yeux de cerf : « Qui es-tu ? »

Une violente tristesse m'envahit. Je pensais : « Je suis Madison Lee Murphy, dit Bobo Murphy. Je viens de Géorgie, je suis le fils de William et Coretta Murphy. Je suis un Sudiste. Là où j'habite, les gens parlent anglais. Ils ne sont pas méchants comme ces Yankees. »

Le cerf leva la tête, comme s'il m'avait entendu. Le vent caressait sa tête frêle.

Je fermai les yeux. Le chaud soleil de cette fin d'après-midi atteignait maintenant les marches où j'étais assis et effleurait doucement mes épaules et mon visage. C'était comme le soleil sur les champs de Géorgie. Mon corps commença à céder au besoin intense de se reposer. J'entendais les rires de mes camarades de classe à Washington. Et une voix qui pleurait : celle de Caroline. J'avais envie d'être avec elle, d'entrelacer ses doigts dans les miens. Cette dernière nuit à New York, je lui avais avoué que je voulais l'épouser et elle s'était serrée contre moi en murmurant : « Oh oui ! Oui ! » Le souvenir de cet instant était aussi chaud et doux que le soleil qui me baignait. Je m'endormis.

Un choc brutal me réveilla, je me redressai aussitôt.

Il y avait là un imposant camion garé contre la plate-forme du porche. Je ne l'avais pas entendu arriver. Je vis un homme en sortir et allumer une cigarette. Il était grand, mince et musclé. Une cicatrice lui barrait la joue depuis la tempe. Il portait un jean, une chemise de flanelle et une casquette de camionneur. Sur la grosse boucle en bronze de sa ceinture était gravée la gueule d'un ours. Il avait un air menaçant.

Il tira sur sa cigarette et laissa la fumée filtrer entre ses lèvres. Il me dévisageait froidement. Derrière lui, je vis un groupe de gens très jeunes qui s'approchait en traversant la cour. Ils s'arrêtèrent à quelques mètres de moi. Je reconnus l'un d'entre eux : c'était le garçon de salle de l'Auberge.

L'homme du camion dit :

— C'est toi, le pauv' péquenot du Sud ?

— Pardon ? articulai-je.

— Le péquenot du Sud, le gars de Géorgie, c'est toi ?

— Oui, m'sieur, c'est moi.

Il tira sur sa cigarette, et grimpa dans son camion.

— Pourquoi t'es ici ? demanda-t-il brutalement.

— Pour travailler.

— Les gens d'ici manquent de travail, déclara-t-il calmement.

Je ne répondis rien et regardai le groupe des jeunes hommes. Ils s'amusaient bien. Je me tournai pour rentrer dans la cuisine.

— Où vas-tu ? m'interrogea l'homme.

— Je retourne travailler.

— T'as du boulot ici.

— Ici ?

— Oui, justement, rétorqua-t-il. Passe-moi les poubelles.

Je restai là à me demander comment il me connaissait.

— C'est toi, le laveur de vaisselle ? questionna-t-il.

J'acquiesçai d'un signe de tête.

— Le laveur de vaisselle doit aider à charger le camion d'ordures.

Un sourire passa sur son visage.

— N'est-ce pas, les gars ? lança-t-il aux autres.

Le garçon de salle de l'Auberge opina :

— Oui, oui, Ben.

Je fis un pas vers la poubelle la plus proche et la saisis par la poignée, pour la tirer. J'avais l'impression d'entendre des pierres rouler dedans.

— Tu ferais peut-être mieux de demander à un de ces gars de t'aider, suggéra le camionneur. Tu n'as pas l'air d'avoir assez de tripes pour les porter tout seul.

— Ça ira.

— Alors, active!

A ce moment-là, la porte s'ouvrit et l'homme de la cuisine qui m'avait engueulé en allemand sortit sur le palier.

— Salut, Ben, dit-il dans un anglais parfait.

L'homme du camion marmonna :

— Bonjour, Henri.

— Justement, je cherchais ce jeune garçon, déclara Henri d'une voix forte.

Il s'approcha de moi et sortit de sa poche un billet de dix dollars.

— Je voulais être le premier à lui donner un pourboire, dans son nouvel emploi. Je suis content de le faire devant témoins.

Il me tendit le billet et s'adressa à moi doucement, mais d'un ton ferme :

— Je crois que tu devrais passer ces poubelles à M. Benton.

— Oui, m'sieur.

Je fis basculer la poubelle que je tenais et l'attrapai par le fond pour la soulever. J'ai pensé à Coy Helms et je me suis persuadé que j'étais aussi fort que lui. Mes muscles me brûlaient à cause du poids et je savais que je forçais trop. Mais en soulevant la poubelle, j'ai vu l'expression de l'homme changer. Il l'a prise et l'a vidée. Les cailloux roulèrent sur le fond en acier du camion.

— Ces déchets de nourriture et ces restes, ça devient tous les ans plus lourd. Hein Ben? dit Henri joyeusement. *Ja, ja*.

Il retourna dans la cuisine.

— Je vais t'aider pour le reste, annonça Ben doucement.

Je tremblais de colère et de fierté. Je lui rétorquai :

— Je vais le faire tout seul.

Je soulevai les poubelles, une à une, et je les tendis à l'homme qui s'appelait Ben. Il les vidait sans rien dire. Le groupe de jeunes gens qui nous observait commença à se disperser. Je voyais le visage d'Henri dans l'ombre, à travers l'une des fenêtres de la cuisine.

Une fois la dernière poubelle vidée, Ben s'extirpa du camion. Il tira une longue bouffée de cigarette et expira lentement. Il me fixa un moment, puis glissa ses pouces dans sa ceinture et fit travailler les muscles de ses bras.

— Je m'appelle Ben Benton, et tu es vraiment fort, petit salaud !

Sa voix enfla.

— Si quelqu'un ici veut te faire des histoires, tu n'as qu'à dire que tu es le copain de Ben Benton. Et alors, y peut rien t'arriver !

— Excusez-moi, mais quel genre d'histoires ?

— Va pas m'emmerder à poser des questions, répondit Ben tranquillement. Faut qu'j'y aille. On prendra une bière une autre fois. Préviens Henri que j'irai le voir.

— Qui est-ce, Henri ?

Ben me regarda avec étonnement.

— Mais l'homme qui vient de te donner dix dollars pour la vaisselle. Henri Burger.

Il jeta un coup d'œil par la fenêtre et sourit, ajoutant à voix basse :

— Regarde un peu ce vieux péteux. Personne ne donne jamais de pourboire à un laveur de vaisselle. Il va te reprendre ses dix dollars avant le coucher du soleil.

Henri Burger est mort en 1958. Il a été enterré à Pine Hill, parce qu'il pensait que c'était son pays. Avrum m'a parlé de la mort d'Henri au cours de l'un des trois coups de téléphone qu'il m'a donnés pendant les trente-huit ans où je l'ai connu. Il sanglotait en prononçant son nom.

Il m'a appelé une seconde fois, un an plus tard. Il était inquiet, disait-il. C'était la veille de mon mariage avec Caroline. Il me suppliait d'attendre. Il pensait que j'avais cédé trop facilement.

— Ce n'est pas la bonne, affirmait-il. Écoute-moi. Moi, je sais.

Il me parlait encore de cette terrible souffrance d'aimer quelqu'un et savoir que l'on ne pourra jamais être avec lui.

— Ce n'est pas toujours vrai, déclarait-il. Pourquoi ne veux-tu pas m'écouter ?

Je lui affirmai que tout allait bien pour moi, que je faisais ce que j'avais toujours voulu faire. Il n'ajouta rien. La troisième fois, il a appelé en 1963. Il me dit simplement :

— Elle est partie.

Le lendemain, je lisais dans les journaux qu'Amélita Galli-Curci était morte en Californie.

Était-ce une ironie du sort, ou était-ce le pouvoir du banc d'Avrum ; mais pendant que j'étais assis à me remémorer les coups de fil d'Avrum, j'ai entendu Lila me héler depuis le porche devant l'Auberge :

— Bobo, on t'appelle au téléphone. Une femme de la télévision.

Le temps d'un éclair, j'ai cru qu'elle disait que c'était Avrum.

En un sens, c'était bien lui.

4

La journaliste était pigiste pour CNN, une jeune femme agressive mais sympathique, qui s'appelait Dee Richardson. Elle me téléphonait de Margaretville, à quelques kilomètres au nord de Pine Hill pour prendre rendez-vous avec moi.

— J'ai contacté des dizaines d'endroits pour vous trouver, dit-elle. On m'a signalé à la maison de retraite que vous vous occupiez des affaires de M. Feldman.

— En quelque sorte. C'est ce qu'il m'avait demandé de faire, il y a des années, mais je ne saurais pas vous expliquer pourquoi. Nous n'étions pas parents.

— Le pourquoi ne m'intéresse pas, me répondit Dee Richardson. Je voudrais parler avec vous de son âge et de son obsession d'Amélita Galli-Curci. Nous avons fait quelques prises de vues au théâtre Amélita Galli-Curci.

Je me rappelais le théâtre. Il avait été dédié à Amélita Galli-Curci au début des années vingt, tandis qu'elle prenait ses vacances dans les monts Catskills. On racontait qu'elle était venue pour l'inauguration, qu'elle avait chanté deux ou trois airs, accompagnée de son mari, le pianiste Homer Samuels. Elle n'y était jamais retournée.

— Il fonctionne toujours ? demandai-je.

— Cela fait partie de ce que j'appellerais une antiquité, mais il est toujours debout. Aurez-vous le temps de me voir ?

— Eh bien oui, répondis-je. Puis-je vous poser une question ?

— Allez-y.

— Comment avez-vous su pour Amélita Galli-Curci ?

— J'étais à la maison de retraite, il y a une heure environ. J'ai vu tout ce bazar dans sa chambre, ces disques cassés. Ils étaient tous d'Amélita Galli-Curci. Le directeur, comment s'appelle-t-il ?... Walkman. Sol Walkman. Il m'a raconté toute l'histoire. Que Feldman était amoureux d'elle.

— Quels disques cassés ? questionnai-je.

— Vous n'êtes pas au courant ?

Dee Richardson parut étonnée.

— Les vieux ont saccagé sa chambre.

— Quoi ?

— Oui, oui. Ils l'ont saccagée. Elle ressemble à un champ de bataille.

— Je n'arrive pas à y croire.

— Vous le pouvez pourtant. J'ai travaillé dans une grande ville. Je sais ce que c'est que le vandalisme.

— Je pense qu'il faut que j'y aille, lui dis-je. Rencontrons-nous vers trois heures et demie. Ici, à l'Auberge de Pine Hill.

— D'accord. J'y serai, promit-elle.

Je raccrochai. J'appelai la maison de retraite de Highmount et demandai à parler à Sol Walkman.

— Je viens d'avoir une journaliste de la télévision, lui annonçai-je. Que s'est-il passé avec la chambre d'Avrum ?

— Vous devriez venir voir vous-même, dit Sol avec indignation. Je voulais vous téléphoner, mais je ne savais pas où vous logiez et j'ai été très occupé à essayer de débrouiller cette affaire.

— J'arrive.

La chambre d'Avrum était en pagaille. Les rideaux de dentelle bon marché avaient été arrachés et mis en pièces, son couvre-lit et son matelas déchiquetés avec ses propres ciseaux. La bourre synthétique sortait d'un oreiller, telles les entrailles d'un animal poignardé. Son phonographe ancien, qui n'avait pas de prix, avait été brisé. Ses vêtements étaient jetés hors du placard et des tiroirs de la commode. Des lambeaux de papier — mes lettres, des coupures de journaux qu'il avait conservées — jonchaient le sol comme des confettis. Les disques de sa précieuse collection d'enregistrements d'Amélita Galli-Curci n'étaient plus que de petits éclats noirs et brillants.

— Mais que s'est-il passé ici, bon sang? demandai-je à Sol.

— Je ne sais pas. Pas encore.

Sa voix tremblait. Je compris qu'il était furieux, ou qu'il luttait désespérément pour cacher sa peine et sa stupeur.

— Mon Dieu, murmurai-je. Ces gens ne peuvent pas avoir fait ça. Ils sont trop vieux. C'est du vandalisme.

— Vous ne travaillez pas avec eux. C'est faux de penser qu'ils sont trop vieux. Ils ne sont jamais trop vieux.

— Mais pourquoi auraient-ils fait cela?

— Ils le craignaient, dit Sol doucement. C'est la seule chose à laquelle je puisse penser. Ils trouvaient qu'il était méchant. Beaucoup maugréaient à son sujet. Je peux le comprendre, il était différent, mais je ne peux pas l'expliquer.

— Mais ils ont tout démoli? Vraiment tout?

— Je suis sûr qu'il y a eu aussi des vols. Certains de nos résidents possèdent très peu de chose et ils volent quand ils sont sûrs de ne pas être pris, répondit Sol. Mais le reste, oui, ils ont tout détruit.

Il regarda la commode, fit une pause et reprit :

— Non, pas tout à fait.

Il ouvrit le premier tiroir de la commode et en sortit la boîte contenant les chandeliers d'Avrum.

— Ils n'auraient jamais touché à cela, affirma-t-il.

— Pourquoi?

— Je ne peux pas vous répondre. Je pense que M. Feldman leur a fait croire que cette boîte contenait quelque chose, eh bien... quelque chose d'une puissance surnaturelle.

Il contempla la boîte puis admit :

— Un jour, je l'ai inspectée après une plainte. Elle ne contenait rien d'autre que des chandeliers, des chandelles et quelques autres objets.

— Une photographie? Y avait-il une photographie? répétai-je.

— Oui. J'ai supposé que c'était une photographie d'elle.

— Vous voulez dire d'Amélita Galli-Curci?

— Oui.

— C'est vrai, acquiesçai-je. Cela vous paraît-il étrange?

Sol hésita un instant.

— Non. Pas s'il tenait à elle comme on le raconte.

— Mais oui, il tenait à elle, insistai-je. Je vous le jure. Vous pouvez en être certain.

— Voulez-vous l'examiner? me demanda Sol.

— Oui, bien sûr. A propos, quand vous l'avez inspectée, y avait-il des cassettes enregistrées?

— Je ne me rappelle plus. C'était il y a quelques années. Pourquoi?

— J'avais fait faire des copies des disques d'Avrum. Je pensais qu'il lui serait plus facile d'utiliser un lecteur de cassettes, plutôt que son tourne-disque. Mais il n'aimait pas l'appareil et il avait rangé ces cassettes dans la boîte.

— Alors elles y sont peut-être encore, répondit Sol. J'ai la clef. Je l'ai trouvée par terre.

Il plaça la boîte sur le matelas éventré, me tendit la clef. Je l'ouvris. Tout était là, les chandeliers enveloppés dans leur velours pourpre, les chandelles blanches, la page de partition, le collier de théâtre, la photographie d'Amélita Galli-Curci et les six cassettes que je lui avais données.

— Je pense que vous devriez récupérer ces objets, dit Sol.

Il contemplait la chambre en hochant la tête.

— Je suis vraiment désolé, monsieur Murphy. C'est un sacrilège. Si son corps avait été là, ils l'auraient aussi mutilé.

— Vous avez sans doute raison.

Sol ramassa un morceau de disque, le retourna dans sa main avant de le jeter sur le lit. Il hésita :

— Je suis peut-être indiscret, mais je voudrais vous demander une faveur.

— Oui?

— Lorsque je suis arrivé, trois personnes se trouvaient encore dans la chambre. Elles sont dans mon bureau. Voudriez-vous leur parler?

— Moi? Mais pourquoi?

— Je ne suis pas sûr de le savoir. Quelque chose me dit que cela pourrait nous éclairer. Peut-être vous avoueront-ils ce qu'ils ne me diraient pas.

— Qui sont-ils?

Sol me donna leurs noms : Carl Gershon, Léo Gutschenritter, Morris Mekel. Ils avaient dans les quatre-vingt-cinq ans.

— Ils habitent ici depuis longtemps, m'expliqua Sol. Il n'y a jamais eu aucun problème avec eux.

— Dans quel état d'esprit sont-ils maintenant?

— Ils ont peur, répliqua Sol. Léo pleurait quand j'ai quitté le bureau. Il craignait que j'appelle son fils et qu'il se mette à crier.

Il soupira et se mordit la lèvre. Je le vis frissonner.

— Et le salaud aurait effectivement gueulé si je l'avais appelé. Il serait arrivé ici rapidement et aurait vociféré au sujet de sa dignité, une chose dont il n'a pas idée.

Il soupira à nouveau puis eut un rire un peu moqueur :

— Je suis désolé. Je n'aime pas ce genre de personnes. Alors? Acceptez-vous de leur parler?

— Oui. Si vous pensez que cela peut servir à quelque chose.

Sol haussa les épaules.

Il me conduisit jusqu'à son bureau. Les portes des autres chambres étaient fermées, le seul bruit que l'on entendît était celui de nos pas sur le parquet. Un jeune homme musclé, vêtu d'une tenue blanche d'hôpital, se tenait au bout du couloir avec un air martial.

— Tout va bien? s'enquit Sol.

— Oui, monsieur, répondit l'employé.

Il ajouta :

— Mme Fisher a dû prendre un médicament, l'infirmière est avec elle.

Sol se dirigea vers l'une des chambres, hésita, puis retourna dans le couloir pour rejoindre son bureau. Je le suivais avec la boîte d'Avrum.

Les trois hommes avaient rapproché leurs chaises et ils se serraient l'un contre l'autre, attendant la punition qu'ils étaient certains de recevoir. Je reconnus Léo Gutschenritter aussitôt. Il était assis entre les deux autres. Il avait les yeux rouges et humides. Il tremblait. J'entendais sa respiration rauque et laborieuse qui sortait de sa poitrine étroite. Il semblait trop fragile pour être encore vivant et je pensais à mon grand-père qui était mort, alors que j'avais douze ans. Il avait lutté jusqu'à ce que ses forces l'abandonnent et, un jour, il avait simplement déclaré : « Je ne peux plus. » Il avait fermé les yeux et il était mort.

Les hommes levèrent les yeux, nous regardant tour à tour. « Si vieux, pensai-je, si terriblement vieux. » Et je me rappelai le tableau d'une exposition : des dames vieillissantes, ressemblant à des loirs, assistaient à un spectacle de marionnettes, leurs minces épaules penchées en avant, enveloppées d'un châle. Sans aucune expression, elles regardaient les marionnettes aux sourires peints qui dansaient devant elles, au bout de leurs fils. J'avais demandé au peintre pourquoi il avait donné à ses personnages de telles expressions de souffrance et de lassitude. Il m'avait répondu :

— Comment ? Vous ne voyez pas ? On les traite comme des enfants. Mais ce ne sont pas des enfants. Que représente pour elles un spectacle de marionnettes ? Une illusion bon marché, de rien du tout. Pourquoi s'y intéresseraient-elles ? Elles ont vécu l'illusion de la vie.

Je n'avais jamais entendu d'explication plus profonde à une œuvre d'art.

Sol se tenait debout, fixant les trois hommes. Puis il dit, d'une voix étonnamment douce :

— Messieurs, je voudrais vous présenter quelqu'un.

Léo ouvrit grand la bouche, comme pour crier. Puis, il se fit tout petit sur sa chaise et ferma les yeux. Il avait porté les mains à sa gorge.

— N'ayez pas peur, monsieur Gutschenritter, reprit Sol. Ce n'est pas un agent de police. Je ne vais appeler ni la police ni vos familles.

L'un des hommes assis à côté de M. Gutschenritter lui tapota le bras :

— Ne t'inquiète pas, Léo, prononça-t-il d'une voix énergique. Il n'y a pas à s'inquiéter.

Il jeta ensuite à Sol un regard fier.

— C'est juste, monsieur Mekel.

Sol me regarda, puis se retourna vers les trois hommes.

— Messieurs, voici Lee Murphy. Monsieur Murphy, je vous présente Morris Mekel, Léo Gutschenritter et Carl Gershon.

Les hommes me dévisagèrent, puis observèrent la boîte aux chandeliers d'Avrum. Ils ne dirent mot.

— Très heureux de vous connaître, dis-je.

— J'ai demandé à M. Murphy de bavarder quelques ins-

tants avec vous, expliqua Sol. C'était un ami de M. Feldman.
Il est arrivé ce matin de Géorgie pour régler ses affaires.

— Il était fou, gronda Morris Mekel, avec de la colère
dans la voix. Fou.

Penché en avant sur sa chaise, il agitait la tête au rythme
de ses paroles.

— Un *meshuggener*? questionnai-je.

Les yeux de Morris Mekel clignèrent de surprise.

— Je comprends très bien pourquoi vous pensez cela,
monsieur Mekel, lui assurai-je. C'est pour cela que je connais
ce mot. Avrum l'utilisait, pour parler de lui-même.

Je brandis la boîte aux chandeliers devant eux.

— Savez-vous ce que c'est?

Les trois hommes fixèrent la boîte.

— La boîte du diable, murmura Carl Gershon.

Morris Mekel fit un signe de tête approbateur.

— C'est comme ça que vous l'appelez? La boîte du
diable? demandai-je.

Je déposai alors la boîte d'Avrum sur le bureau de Sol et
l'ouvris. Je retirai les chandeliers, les leur montrai en les
tournant dans mes mains. La lumière se réfléchissait sur le
verre en douces flèches étoilées.

— Savez-vous d'où Avrum Feldman tenait ces chandeliers? demandai-je alors. D'Allemagne. Il les avait comman-
dés, parce qu'il se souvenait que sa mère avait des chandeliers comme ceux-là, et il voulait posséder quelque chose qui
lui rappellerait sa mère et sa patrie.

Les hommes échangeaient des regards rapides.

— Vous croyez qu'il les utilisait pour de la magie noire,
n'est-ce pas? Un truc de *meshuggener*? Eh bien non.

Je fis une pause et je plaçai les chandeliers sur le bureau
de Sol.

— Laissez-moi vous expliquer ce qu'il en faisait. Il possédait une photographie, attendez, je vais vous montrer.

Je pris la photo d'Amélita Galli-Curci dans la boîte et la
leur présentai.

— Vous savez qui c'est, n'est-ce pas? Vous avez entendu
parler d'Avrum Feldman et Amélita Galli-Curci? Vous avez
entendu dire qu'il était amoureux d'elle?

— Le chant, ricana Léo Gutschenritter. Il le mettait sur

son phono sans arrêt. Nuit et jour. Personne ne pouvait dormir ni réfléchir. Toujours ce chant.

— C'est vrai, hein? acquiesçai-je. Je lui disais souvent qu'il était comme un adolescent qui écoute du rock, le genre qui vous donne mal à la tête. Mais la vérité, c'est qu'Avrum Feldman était vraiment amoureux d'Amélita Galli-Curci. A sa façon, bien sûr, mais il l'était.

Je posai la photo contre les chandeliers, comme Avrum.

— Voilà ce qu'il faisait avec les chandeliers. Et avec la photographie. Seulement cela. Il plaçait aussi des chandelles et il mettait une partition et ce collier devant la photographie — un peu comme une offrande. Il contemplait la photographie et les chandeliers, qui lui rappelaient les deux femmes qu'il aimait le plus au monde — sa mère et Amélita Galli-Curci. Il demeurait ainsi, plongé dans ses souvenirs et ses espérances.

Morris Mekel ouvrit de grands yeux sur la photo posée contre les chandeliers.

— Monsieur Mekel, avez-vous un portefeuille sur vous? lui demandai-je.

Il me regarda en affirmant :

— *Ja.*

— Peut-on le voir?

Il fit une moue insolente. Ses yeux lançaient des éclairs sur nous d'abord, puis sur Amélita Galli-Curci. Il sortit enfin son portefeuille de sa poche.

— Avez-vous des photos à l'intérieur? le questionnai-je.

Il l'ouvrit lentement.

— Ma fille, mes petits-enfants.

Il me le tendit. Une photo, aux couleurs passées, d'une femme au visage ordinaire avec deux enfants, un petit garçon et une petite fille, était glissée dans une pochette en plastique.

— Lorsque vous regardez cette photo, que ressentez-vous? demandai-je en lui rendant son portefeuille.

Il répondit doucement :

— C'est ma famille.

— Quand je regardais Avrum contempler la photo d'Amélita Galli-Curci, je lisais de l'amour sur son visage et j'aimais cela. Je pense que c'est vrai aussi pour vous, monsieur Mekel, lorsque vous regardez cette photo. N'est-ce pas ce que nous ressentons tous, devant le portrait des personnes que nous aimons?

Après un dernier regard sur la photo, Morris Mekel referma son portefeuille.

Je m'adressai aux trois hommes :

— Avrum Feldman était mon ami. Je l'aimais. Il m'a appris beaucoup de choses, ou il a essayé, mais ce n'était pas facile. C'était un émigré qui connaissait le monde. Il parlait cinq langues, comme chacun de vous sans doute. Moi, j'étais un garçon venu du Sud. Je ne connaissais que peu de choses — et encore, seulement sur la Géorgie. Je parlais à peine un anglais qu'Avrum avait du mal à comprendre, à cause de mon accent du Sud.

Je vis Carl Gershon sourire.

— Mais ce que j'ai appris d'Avrum, et des gens comme vous, m'a aidé à gagner assez d'argent, en travaillant comme serveur, pour faire des études supérieures. J'y suis parvenu en essayant de parler l'allemand et le yiddish avec l'accent du Sud, avec des phrases telles que : « *Guten Morgen*, vous autres. » C'était un truc qu'un homme, Henri Burger, m'avait enseigné.

Le sourire éclairait de plus en plus le visage de Carl Gershon.

— Je voulais aussi vous dire quelque chose que j'ai toujours su, à propos d'Avrum Feldman. Il pouvait être très têtu. Il l'était souvent avec moi et je lui répétais que j'étais content de ne pas être obligé de vivre avec lui.

Je fis encore une pause en regardant les trois hommes. Je repensais au tableau des vieilles dames-loirs et me demandais si j'étais autre chose, pour eux, qu'un spectacle de marionnettes, une illusion bon marché.

— Je vais vous avouer la vérité. Ce qui est arrivé dans la chambre d'Avrum me met en fureur, repris-je. Je pense que c'est mal de détruire un homme, après sa mort, mais c'est ce qui est arrivé. Et je ne peux rien y changer. La seule chose que je puisse faire, c'est vous dire qu'Avrum Feldman était mon ami. Je ne pense pas qu'il était *meshuggener*. C'était un homme différent des autres et qui en était fier.

J'étudiais les visages des hommes assis devant moi. Ils baissaient les yeux de honte.

— Y a-t-il quelque chose que vous voudriez me demander?

Personne ne dit mot.

— Peut-être voudraient-ils savoir si vous allez porter plainte, suggéra Sol.

— Bien sûr que non, répliquai-je. Mais je souhaiterais qu'ils fassent une chose.

— Laquelle? demanda Sol.

— A cause de nos religions différentes, Avrum aimait bien me taquiner sur ce qu'il fallait faire pour ses funérailles. J'ai fait l'erreur un jour de lui demander s'il aimerait avoir un service funèbre, comme beaucoup de gens. Il a estimé que c'était plutôt drôle, pensant que c'était une idée de mon Église. Il m'a demandé de le faire, pour mon plaisir et non le sien, et il l'a noté dans ses instructions posthumes. Je vais donc organiser un service funèbre dans deux jours et je voudrais qu'ils s'y rendent.

— Où se tiendra-t-il? demanda Sol.

— Je n'ai pas encore décidé de l'endroit.

— Alors, faites-le ici, dans la salle à manger.

— Vous n'y voyez pas d'inconvénient?

— Au contraire. J'insiste, répondit Sol.

Il considéra les trois hommes.

— On ne fera pas trop mauvaise figure, hein?

Les hommes ne disaient toujours rien.

— Maintenant, messieurs, vous pourriez peut-être retourner à vos occupations? conseilla Sol.

Les hommes partirent en silence. Je les ai regardés au moment où ils passaient devant les chandeliers et la photographie d'Amélita Galli-Curci. J'ai vu leurs yeux chercher un indice qu'ils n'avaient jamais aperçu auparavant.

Sol me remercia d'avoir parlé aux hommes — les meneurs du ring, comme il les appelait. Il m'assura que mes paroles feraient le tour de la maison dans l'heure suivante. Nous nous sommes mis d'accord pour le service funèbre. Onze heures jeudi matin.

— Je m'occupe de tout, promit Sol. Si vous pensez à quelque chose qui vous manque, n'hésitez pas à m'appeler.

Il s'excusa encore pour l'état de la chambre d'Avrum.

— Vous ne pouviez pas l'empêcher, répondis-je. Et en un sens, je crois que je le comprends.

— Savez-vous ce qui m'a le plus surpris? me confia Sol. C'est cette jeune femme de la télévision. Elle n'a pas pris une seule photo dans la chambre. Et pourtant, elle est rigoureuse. Ça se sentait à ses questions.

— Je dois la rencontrer dans quelques minutes.

— J'espère que cela se passera bien.

— Moi aussi.

En repartant, je vis encore Carl Gershon. Il était devant la porte d'entrée, appuyé sur une canne d'aluminium. Il leva lentement la tête, comme l'aurait fait une tortue :

— *Guten Morgen*, vous autres! prononça-t-il d'une voix tendue.

Et il rit gentiment. Moi aussi.

J'ai été surpris quand Nora Dowling avait demandé à me voir, le dimanche après-midi du 28 mai 1955. C'était mon deuxième jour de travail à l'Auberge de Pine Hill.

— Viens dans la salle à manger, m'ordonna-t-elle d'un ton las, en sortant de la cuisine.

— Oui, m'dame, lui répondis-je, mais la porte s'était déjà refermée.

— Oh merde, murmura Carter Fielding.

Carter était près de l'égouttoir à vaisselle avec un plateau d'assiettes à dessert. C'était un garçon de salle et il était le seul dans l'Auberge à m'avoir parlé. Ce matin-là, après le petit déjeuner, il m'avait aidé à ranger la vaisselle. Il avait un sourire vif et des yeux brillants. Il parlait sans arrêt. Je ne le savais pas à l'époque, mais Carter allait devenir le meilleur ami que j'aie jamais eu.

— Est-ce que cela signifie des problèmes pour moi?

— Ça merde alors! Qui sait? dit Carter.

Il haussa les épaules en réfléchissant et ajouta :

— Non-on. Elle serait déjà là, à gueuler. Mais tu ferais mieux de te remuer le cul. Elle a horreur d'attendre.

Nora Dowling était plutôt calme. Elle m'informa qu'elle avait su pour l'incident des poubelles et qu'elle avait découvert un complot entre Ben Burton et le garçon de salle de l'Auberge. C'était une tentative pour me renvoyer dans le Sud.

— Ben, je le comprends, soupira-t-elle. Il est comme ça, brutal. Mais c'est un brave homme. Personne ne veut le croire, mais il est au conseil municipal.

Elle m'a parlé du garçon de salle, un jeune appelé Al.

— Il ne voudra plus jamais travailler pour moi, mais toi tu vas le faire. A sa place. Je te relève de la vaisselle et te nomme garçon de salle.

— Mais m'dame, je ne peux pas.

— Et pourquoi?

Sa voix était dure, exigeante.

— Je ne parle pas l'allemand.

— On va t'apprendre, objecta-t-elle.

— Mais comment?

— Tu vas voir.

C'était une promesse.

Très tôt le lendemain matin, Nora m'a aidé à enfiler l'uniforme de garçon de salle. Elle a déclaré que j'étais très élégant et prêt à commencer l'entraînement.

— Mais nous n'avons pas de visiteurs, m'étonnai-je. Ils sont tous partis, je crois? Carter a dit que...

— Pas tous, répondit-elle. Viens.

Elle m'a conduit dans la salle à manger. Il y avait là Henri Burger, assis tout seul, un cigare éteint aux lèvres. Il lisait un journal.

— Tu connais M. Burger? demanda Nora.

— Oui, m'dame.

— Il ne rentre pas chez lui. Il va rester tout l'été.

— J'ai trop de fric pour me sauver, dit Henri.

Nora se mit à rire :

— Personne ne veut le garder.

Puis se tournant vers Henri :

— Il est à toi. Montre-lui.

— *Ja*. Il sera maître d'hôtel, avant que j'aie le temps de lui apprendre quelque chose.

— Fais-en d'abord un garçon de salle, lui conseilla Nora.

Elle me regarda d'un air dubitatif et sortit.

— Alors, d'où viens-tu? dit-il au bout d'un moment.

— De Géorgie.

Je me sentais nerveux.

Henri fit un signe de tête. Il roulait son cigare entre le pouce et l'index.

— C'est en Amérique?

— Oui, m'sieur, murmurai-je.

— Et ça y est toujours?

— Oh oui, m'sieur!

— Je croyais que tout avait été emporté par le vent, remarqua-t-il, bourru.

— Oh non, m'sieur!

— Connais-tu des juifs en Géorgie?

Je lui parlai des Blumenthal qui tenaient le magasin de vêtements.

— Tous les bons vêtements viennent de chez les juifs, déclara-t-il avec fierté. Mon ancêtre était tailleur pendant l'exode d'Égypte. Quel *Mensch*! Il taillait les habits de Moïse. Son nom était Haber. Chaque fois que Moïse faisait un accroc à son vêtement, il appelait mon ancêtre, Haber, qui filait chez lui à toute vitesse. La famille d'Haber l'appelait le « tailleur-mercier ». C'est de là que vient le mot « tailleur ».

— Vous dites, m'sieur?

— Tailleur? Mercerie? Tu connais ces mots?

— Non, m'sieur.

— Un tailleur s'occupe de vêtir les hommes. C'est ce que je faisais en ville. Le tailleur Henri, c'était moi. Je vendais des habits à tous les juifs fortunés et aux goyim aussi, parce qu'ils voulaient leur ressembler.

Je ne savais pas quoi dire. Je hochais nerveusement la tête.

— Est-ce que tu y crois à cette histoire de mon ancêtre le « tailleur-mercier »? me demanda Henri.

— Oh oui, bien sûr, m'sieur!

Henri roula des yeux.

— *Oy! Mein Gott*, murmura-t-il. Bon. Maintenant, je vais t'apprendre.

Il l'a vraiment fait. Il m'a enseigné les noms des aliments en allemand et en yiddish. Il m'a appris des expressions simples : *guten Morgen, danke schön, bitte schön*. Il m'a expliqué les tours de service, comment dresser les tables, comment verser la soupe dans les bols, avec le coup de main qui permet d'éviter les salissures sur le plat de service. Il m'a fait plier des serviettes à toute vitesse, en chronométrant le temps que je mettais à les faire ressembler à des voiles de navire. Il m'a fait marcher sur toute la longueur de la salle à manger, avec un chargement d'assiettes pleines le long du bras, ou avec une haute pile de tasses remplies de café, posées sur une seule main, les doigts en éventail.

J'étais son projet et Henri était infatigable. Rien ne lui plaisait autant que de me voir me bagarrer avec l'allemand ou le yiddish. Je ne savais jamais lequel j'étais en train de parler. Henri ne me le disait pas. Il pointait un objet et me demandait son nom, qu'il me faisait répéter. Puis il prononçait le mot dans une phrase. « Dis-le! criait-il. Dis-le, *Dummkopf*. » Dans ma bouche, ces mots paraissaient impossibles à articuler. Ils collaient à ma langue et je les recrachais avec ma salive. Henri s'amusait tant qu'il gémissait de rire. Il se remettait à tonitruer « *Dummkopf!* ». Et le *Dummkopf* essayait encore. Ce n'était pas la peine de discuter avec lui.

Mais c'est grâce à l'enthousiasme d'Henri et à son espièglerie que j'ai fini par rencontrer Avrum.

Un après-midi, nous allions de l'Auberge à la piscine, en traversant la rue. Nora Dowling m'avait demandé de nettoyer le bassin et Henri avait décidé qu'il s'assiérait au bord, pour me surveiller, tout en m'apprenant de nouveaux mots : « Des mots d'esclave », clamait-il joyeusement.

Henri aperçut Avrum qui lisait assis sur son banc. Il me chuchota :

— Tu vois ce vieil homme dont je t'ai parlé, celui qui entend des voix ?

— Oui, m'sieur.

— Je veux que tu t'approches de lui et que tu lui dises : *Guten Morgen, Herr Feldman, wo ist dein Arsch?*

— Bien, m'sieur.

Je me suis rappelé les mises en garde de Ben Benton au sujet d'Henri et je protestai :

— Je ne sais pas, m'sieur. Je pense que je ne devrais pas le faire.

— Explique-moi donc pourquoi? Il n'est pas dingue tout le temps. Il ne te fera pas de mal. En plus, il faut que tu t'exerces à parler avec d'autres gens que moi.

— Qu'est-ce que ça veut dire?

Henri fit semblant d'être fâché.

— Tu sais ce que signifie *Guten Morgen*. Alors, *Guten Morgen, ja*?

— Oui, m'sieur, ça je sais, mais le reste?

— *Herr Feldman*, c'est M. Feldman. *Wo ist dein Arsch?* veut dire : « Qu'est-ce que vous lisez? » répondit Henri. Répète-le.

Je répétai lentement la phrase, en hésitant.

— *Gut, gut*, dit Henri avec fierté. Maintenant, va lui parler. Il sera content. Je le connais bien. Nous sommes de grands amis. Il aime les jeunes. Il te donnera peut-être un bon pourboire pour ta gentillesse. Dis-lui : « Vous autres! » Il aimera ça!

Et il me poussa vers Avrum.

— Et s'il me répond quelque chose en allemand? demandai-je.

— Mais ne te fais pas tant de soucis. Je suis là. Je te reprendrai. De toute façon, il parle anglais.

Je m'approchai d'Avrum. Il m'a regardé en fronçant les sourcils. Je prononçai avec peine *Guten Morgen, Herr Feldman, wo ist dein Arsch?* et je souris nerveusement.

Le visage d'Avrum s'empourpra. Je voyais une violente colère dans ses yeux. Ses lèvres tremblaient. J'entendis le rire d'Henri derrière moi. Les yeux d'Avrum passèrent sur Henri, puis revinrent se poser sur moi. Il ferma son livre et, tapotant le banc, il me dit posément :

— Assieds-toi là.

Je m'assis.

Il reprit :

— Cet homme, Henri Burger, c'est un salaud.

Sa voix monta soudain et il se mit à cracher ses mots vers Henri :

— Il est vieux, méchant et quand il mourra, j'irai pisser sur sa tombe, en plein sur sa sale figure.

— Oui, m'sieur? hasardai-je.

Henri riait aux éclats, reprenant son souffle avec peine.

Avrum me fit un signe :

— Ce que tu m'as dit, c'était : « Bonjour monsieur Feldman. Où est ton cul? »

— C'est vrai? hésitai-je.

— Qu'est-ce que ce vieux salaud t'a raconté? demanda calmement Avrum.

— Que cela voulait dire « Qu'est-ce que vous lisez? ».

— Ah oui! murmura Avrum.

Il fit encore un large mouvement, son front se plissait sous les pensées.

— Et t'a-t-il dit qui j'étais?

— Oui, m'sieur. Bien avant, j'entends.

Avrum s'avança jusqu'au bord du banc et fixa Henri droit dans les yeux. Il s'écria dans un rugissement de colère :

— Mon nom est Avrum Feldman et je suis le vieux dingue! Je suis *messhuggener*!

Henri était appuyé contre un chêne, les bras croisés sur la poitrine. Il riait aux larmes, sans pouvoir s'arrêter.

J'étais terrorisé. Je me levai.

Avrum tapota à nouveau le banc, à côté de lui.

— Viens, viens, répéta-t-il gentiment, assieds-toi.

Je me suis rassis.

— Tu es le garçon du Sud, de Géorgie?

— Oui, m'sieur. Mon nom est Bobo Murphy.

— Irlandais?

— Oui..., sans doute, balbutiai-je.

— Tu dois le savoir, rétorqua-t-il avec autorité. Ce soir, tu écriras à ta famille et tu leur demanderas. Tu dois savoir qui tu es.

— Oui, m'sieur.

Henri se dirigea vers nous. Il s'assit lourdement près de moi. Il se frottait le visage avec les mains. Des rires lui échappaient encore.

— Je t'ai eu, Avrum, plaisanta Henri. Un bon *vitz, ja*?

— *Schmuck*, répondit Avrum d'une voix méprisante.

Ben Benton passa dans son camion de poubelles. Il ralentit et sortit la tête de la cabine, nous regardant avec stupeur. Il nous salua en agitant la main. Je me demandais de quoi nous avions l'air à ses yeux, tous les trois.

— Le livre que je suis en train de lire, Bobo Murphy, concerne le grand chanteur d'opéra Enrico Caruso, dit calmement Avrum.

Le livre fermé reposait sur ses genoux.

— Un homme dont ce vieil imbécile d'Henri Burger ne sait rien du tout, parce qu'il ne connaît rien à la musique. Il peut péter, c'est sûr, mais pas chanter. Il connaît des blagues cochonnes, et c'est bien tout.

— *Mein Gott*, s'exclama Henri, tu ferais mieux d'aller travailler au bassin, Bobo. Ce vieux fou parle plus vite qu'il ne pense.

— Comment ? dis-je.

Henri me poussa gentiment.

— Vas-y. Je vois Nora qui te surveille par la fenêtre. Elle va sortir avec son hachoir à viande à la main dans une minute, et s'en servir sur notre dos à tous les deux.

Je me levai et m'adressai à Avrum :

— Je suis heureux d'avoir fait votre connaissance, monsieur Feldman.

Il me regarda et cligna des yeux lentement.

— Je te parlerai du grand chanteur d'opéra Caruso une autre fois, quand ce cochon d'Henri Burger ne sera pas là, offrit-il.

— Oui, m'sieur.

Je m'éloignai. J'entendais Henri rire. Il dit à Avrum :

— Je ne te l'ai jamais avoué ? Je couchais avec Amélita Galli-Curci autrefois. Quelle femme !

Puis je ne perçus plus que leur dispute en allemand ou en yiddish.

Ce soir-là, Henri me confia :

— Tu sais, Bobo, je l'aime bien, le vieux.

— Je ne pense pas que ce que j'ai fait lui ait plu.

— Avrum ? Oh ! je crois que ça a été le meilleur moment de sa journée, insista Henri. Il va en parler pendant des semaines.

Lorsque Dee Richardson m'a interrogé sur la passion d'Avrum pour Amélita Galli-Curci, j'ai eu envie de lui parler de la blague d'Henri, mais je ne l'ai pas fait. Je lui ai raconté la nuit où Avrum était allé à la représentation de *Dinorah*. Elle a trouvé que c'était une histoire d'amour émouvante.

L'interview a été rapidement menée. Elle l'a commencée

en regardant dans l'œil de la caméra, en déclarant lentement : « Amélita Galli-Curci ne chante plus aux monts Catskills. » Dans les jours qui ont suivi j'ai souvent repensé à son
émission. C'était un résumé parfait de la vie d'Avrum. Après
m'avoir présenté, elle ne m'a interrogé que sur la fascination
d'Avrum pour Amélita Galli-Curci. Je voulais lui donner des
informations sur le service funèbre.

— Ce n'est pas une coutume juive? m'interrogea-t-elle.

— Je ne suis pas juif, répondis-je, mais je ne crois pas. Il
ne s'agit pas d'une affaire religieuse. C'est seulement une
chose que je souhaitais faire. Nous l'évoquions, sous forme
de plaisanterie essentiellement, lorsque nous discutions de
la mort. Plus tard, il m'a écrit en insistant pour que je fasse
le service, non pas pour lui, mais parce qu'il pensait que cela
me toucherait. Il en parle aussi dans ses instructions posthumes.

— J'ai cru comprendre qu'il a été incinéré? demanda
Dee. Ce n'est pas une pratique juive non plus?

— Pas ordinairement, mais cela arrive parfois, je crois.

— Et les cendres? Qu'allez-vous en faire?

— Je vais les enterrer.

— Où ça?

Je ravalai ma salive. Je n'étais pas prêt à informer qui-
conque de l'endroit où j'allais enterrer les cendres d'Avrum.
Hormis à lui et moi, la réponse aurait semblé absurde. Je
dus lui mentir.

— Je ne sais pas encore. En tout cas pas très loin d'ici.

— Intéressant, dit-elle. L'ensemble.

Et l'interview se termina. J'étais étonné qu'elle ne men-
tionnât pas le saccage de la chambre. Je lui demandai pourquoi.

Elle me prit par le bras et m'éloigna du banc d'Avrum,
où s'était déroulé l'enregistrement.

— Écoutez, fit-elle. Ne parlez de cela à personne. Je me
ferais sacquer, si on apprenait que je n'en fais pas cas. Je
pense que c'est une belle histoire et, parfois, je trouve que ce
qui est beau se noie dans le désordre. Il avait tout de même
cent six ans, bon sang! Il savait ce qu'était l'amour. Pourquoi
gâcher cela? De plus, je n'entendrai pas une histoire comme
celle-ci dans les cinq ans qui viennent, tandis que des

affaires de vandalisme, je suis sûre d'en avoir une douzaine avant la fin de la semaine.

— Vous savez, Dee Richardson, vous m'avez presque redonné confiance dans les journalistes.

— Et vous dans l'amitié, répondit-elle. J'espère que vous verrez mon émission.

— Je l'espère aussi.

En la regardant partir, je me demandai combien de gens allaient s'intéresser à l'histoire d'amour d'un vieillard, racontée par Dee Richardson, et pour combien d'entre eux elle allait compter.

5

Il était quatre heures et demie lorsque Dee Richardson partit. Un souffle d'air frais traversait le village, avant de s'engouffrer dans la vallée. Trois maisons plus bas, j'aperçus une petite fille qui sautait à la corde. J'entendais la corde frappant le trottoir à intervalles réguliers, aussi rythmés que le battement du pouls. Je me demandai si elle prenait quelque plaisir à cette danse solitaire.

J'ai traversé la rue et je suis entré dans le café-pâtisserie de Dan Wilder. Cela fait aussi partie du rituel de mon retour dans les Catskills. La boutique de Dan s'appelait autrefois l'Antre. Ou du moins est-ce ainsi que nous l'appelions. C'est là que j'ai habité en 1955, avec trois autres jeunes gens — Carter, Joe Ly et Eddie Grimes. Nous dormions tous les quatre sur deux lits superposés, dans la grande pièce confinée.

Dan a racheté l'Antre à Sammy et Lila, et l'a rénovée : il l'a agrandie et y a installé une cuisine et une vitrine de pâtisseries. Il a aussi placé plusieurs petites tables le long des murs. En hiver, durant la saison de ski de Belleayre, c'est l'endroit le plus fréquenté de Pine Hill. L'atmosphère de la pâtisserie de Dan est aussi sucrée et légère que ses gâteaux. Il prétend savoir à l'avance ce qu'un client va lui commander. Dan le devine au mouvement de ses lèvres lorsqu'il regarde la pâtisserie qu'il s'apprête à choisir.

— C'est comme le commencement d'un baiser. C'est un réflexe, explique-t-il avec philosophie.

Il a peut-être raison. Je n'ai jamais essayé de le détromper, mais je suis un client prévisible, je demande toujours le gâteau saupoudré de sucre cristallisé, parce que c'est une recette qui lui vient de Nora Dowling.

J'aime bien Dan. Tout le monde l'aime. C'est un homme trapu, à la panse rebondie par des années de dégustation. Le tablier qu'il porte couvre sa poitrine et son estomac, comme un drap bien tiré. Il est toujours souriant. Il a une voix profonde, émaillée de rires. Lorsqu'il est content et satisfait, et que la boutique est pleine de satisfaits, sa voix devient tonitruante. Parfois, il entonne une joyeuse chanson à boire bavaroise et tout le monde se met à chanter avec lui.

Dan connaît la table que je préfère. Il sait pourquoi et le respecte. C'est celle à côté du mur où se trouvait mon lit. Une nuit, en 1955, j'ai tué une mouche contre le mur et elle y est restée collée. J'ai alors dessiné un cercle autour et j'ai écrit : *A cet endroit, Bobo Murphy a tué une mouche, le 10 juillet 1955.*

Dan jure avoir vu le cercle et ma déclaration, lorsqu'il a repeint les murs en 1985. Il jure aussi que le squelette de la mouche y était encore.

La boutique était déserte, lorsque je suis entré. Dan m'a fait un café, un mélange spécial de Kilimandjaro, accompagné de mon gâteau au sucre, puis il s'est assis à ma table. Nous étions en train de parler de la mort d'Avrum, lorsque Sammy Merritt a poussé la porte en s'écriant :

— Bobo, merde alors, qu'est-ce que tu fous dans ce trou de cochon ?

— Il prend son café, enculé ! dit simplement Dan. Du bon café.

— Il peut en avoir à l'Auberge, rétorqua Sammy.

— C'est du café, Sammy, pas de la chicorée, répondit Dan.

Sammy me serra la main.

— Il ment, Bobo. Tu le sais, n'est-ce pas ?

— Comment cela, Sammy ?

— Il me rachète ce qui reste de ma moulure, il fait couler de l'eau chaude dessus et il lui donne ces noms exotiques de merde en le faisant payer plus cher.

Sammy rit à sa propre plaisanterie, puis il ajouta :

— Alors, comment ça va, Bobo ?

— Ça va bien, et toi?

— Mieux que jamais, répondit Sammy avec entrain.

Il tira une chaise vers lui et s'assit avec nous.

— Veux-tu une tasse de tes restes de moulure, Sammy? lui demanda Dan.

— Pourquoi pas? Et donne-moi la note de Bobo, c'est moi qui paie.

Je ne voulais pas profiter de la générosité de Sammy.

— Non, non, Sammy, c'est pour moi. Tu veux manger quelque chose?

— Manger? Ici? Nom de Dieu, Bobo. Tu n'as aucun respect pour mon estomac!

— C'est vrai, merde alors, plaisanta Dan.

Il se leva lourdement et s'en alla préparer un café pour Sammy.

Je sentais Sammy survolté. Son visage fin était traversé de tics nerveux. Ses yeux étincelaient comme la surface d'un lac striée par le vent. Des gouttes de sueur perlaient à la racine de ses cheveux et ses longues mèches, tirées en arrière, étaient pleines de poussière. Il avait un vrai sourire d'enfant.

— Lila m'a dit que tu avais été très occupé? commençai-je.

— Comme un vrai bandit manchot. Oh! là! là! comme je suis content de te voir, Bobo, me répondit joyeusement Sammy. Tiens, j'ai pensé à toi, il y a quinze jours environ. Je voulais prendre quelques photos des pièces sur lesquelles j'ai travaillé et te les envoyer. Mais comme ça, c'est beaucoup mieux. Tu seras le premier à les voir.

Je ravalai ma salive.

— J'ai hâte de les admirer, Sammy.

— Est-ce que Lila t'a aussi dit que j'avais loué le vieux drugstore d'Ellis?

— Oui. C'est une bonne idée, tu avais besoin d'espace. La petite pièce à l'arrière de l'Auberge était vraiment trop encombrée.

— Encombrée? Bobo! Je ne pouvais même plus penser là-dedans, reprit Sammy d'un air profond. C'était le problème. L'art, c'est de la réflexion, Bobo. Toutes ces histoires d'attendre l'inspiration, c'est du bidon. Il faut bien réfléchir à tout et j'étais trop à l'étroit pour le faire. Il faut avoir l'espace qui convient. Mais tu sais ça, toi. Dans cette arrière-boutique, j'en étais arrivé à trébucher sur mes pièces et je savais qu'il fallait tout vendre pour en faire du gravier ou bien déménager. J'ai fait une bonne affaire avec la boutique d'Arch. J'ai pris mes roches et mes outils et j'ai tout recommencé, mais, cette fois, je peux réfléchir, c'est ça la clef. Je te garantis que vous autres, les Michel-Ange et les Norman Rockwell, vous avez tous commencé par être des penseurs.

— Ça a l'air bien, tout ça, répliquai-je.

— C'est la meilleure chose que j'ai faite, jusqu'à présent, à part déménager du centre-ville. Je pense organiser une petite exposition à Woodstock, cet automne. On en parle.

— Une expo? C'est extra.

Dan a tendu sa tasse à Sammy et a rempli à nouveau la mienne. Il me fit un clin d'œil.

— J'ai dit à Sammy qu'il devrait ouvrir son propre studio. Refaire ce vieux drugstore. Trouver la bonne personne pour le gérer et l'endroit pourrait en quelques années devenir un nouveau Woodstock. Nous sommes juste à côté de la nationale.

Sammy rougit un peu.

— Je ne crois pas être la personne qu'il faut pour cela.

— Cela me paraît une bonne idée, déclarai-je. Autrefois on allait à Woodstock tout le temps.

A ce moment, j'ai pensé à Lila. Elle nous tuerait, Dan et moi, si elle savait que nous encouragions Sammy à réaliser ses rêves.

Sammy a goûté le café. Il a penché sa tête en arrière, étirant les muscles de son cou.

— Je ne sais pas, fit-il.

— Penses-y, lui suggérai-je.

— Je pourrais en profiter, ajouta Dan. Et l'Auberge aussi.

— Ouais, tout ça a l'air très bien, mais comme je l'ai dit, je ne sais pas vraiment.

Sammy était perplexe. Il réfléchit puis, se tournant vers moi :

— Désolé au sujet de ton ami, Bobo. Nous avons bien pensé que tu viendrais quand nous avons appris sa mort par le journal.

— Merci, répondis-je.

— Tu te rappelles ce vieux bonhomme, Dan? demanda Sammy.

— Nous en parlions juste avant que tu n'arrives, dit Dan. Je l'ai vu quelquefois. Carla Juvis travaillait à la maison de retraite. Elle l'amenait parfois ici, même après qu'il eut dépassé cent ans. Il venait, mais il ne faisait rien d'autre que rester assis sur ce banc. Carla entrait, apportait le café, puis elle demeurait dans l'embrasure de la porte à le regarder. Elle affirmait qu'elle ne savait jamais ce qu'il allait faire, dans la minute suivante.

— C'était tout à fait Avrum, surtout dans ses dernières années, approuvai-je.

— Lila m'a dit qu'il y aurait un service funèbre pour lui, s'enquit Sammy.

— Oui, jeudi, répondis-je.

Sammy s'est tout à coup redressé sur sa chaise. Avec une expression de joie inspirée.

— Tu sais, Bobo, j'ai une pièce que j'ai terminée il y a un mois environ. Cela m'a pris du temps pour la concevoir et la réaliser. Je l'ai appelée *Le Vieil Homme*. Je serai très honoré de la dédier à ton ami pour le service.

Dan me sourit affectueusement en remportant la cafetière. J'ai pris un air qui signifiait que je réfléchissais à sa proposition.

— C'est très gentil de ta part, Sammy, dis-je.

Sammy eut un geste de modestie.

— Si, si, je t'assure, mais, à vrai dire, je ne sais pas du tout quel genre de service cela va être. Pas pour l'instant du moins. Je vais m'en occuper ce soir.

Sammy répliqua avec enthousiasme :

— Si tu la veux, elle est à toi.

— Je vais y songer, je te le promets.

— C'est ça, acquiesça-t-il d'un mouvement de tête.

Il fit une petite pause pour prendre une gorgée de café.

— Alors, quand peux-tu venir voir mon travail?

Je n'avais aucune raison de différer la chose.

— Lorsqu'on aura fini notre café, si tu veux ?

— Super, balbutia Sammy.

Il se balança sur sa chaise avec une impatience inquiète.

— Tu sais, Bobo, lorsque j'ai débarrassé le local chez Arch, j'ai trouvé une vieille boîte à mouches pour la pêche, des trucs qu'il a dû fixer lui-même. Peut-être voudrais-tu en récupérer, en souvenir ?

— Je veux bien, je me suis souvent bien marré chez Arch.

— D'accord. Ça marchait toujours très fort, quand je suis arrivé ici, soupira Sammy. C'est encore très dur de penser qu'Arch est mort.

Le drugstore d'Arch Ellis était un de ces endroits à l'ancienne mode. Arch vendait des médicaments sous le comptoir, quelques objets pour faire des cadeaux, des cartes postales, de la papeterie, des cartes géographiques, et, parce qu'il était lui-même un pêcheur passionné, une impressionnante collection de matériel de pêche, y compris des mouches attrapées et fixées sur des bouts de carton par ses soins. Cependant, pour les gens de Pine Hill et ceux qui travaillaient dans les hôtels, le magasin était plutôt considéré comme un lieu de rencontre que comme un drugstore. Arch servait du café et des rafraîchissements, des sandwichs, des paquets de biscuits et des milk-shakes au malt, les meilleurs de toute la vallée de Shandaken. En été, les petites tables d'Arch étaient toujours bondées, jusqu'à ce qu'il déclare que c'était l'heure de fermer.

Comme sa boutique, Arch avait une personnalité chaleureuse et agréable. Il était pharmacien de formation, et par ses origines familiales, mais ce qu'il aimait c'était raconter des histoires. Personne ne connaissait les légendes des Catskills aussi bien que lui et nul ne savait les rapporter aussi merveilleusement.

D'ordinaire, quelqu'un l'interpellait ainsi :

— Une histoire, Arch, une histoire !

Un tonnerre d'applaudissements le faisait alors sortir de derrière le comptoir.

— Peut-être connaissez-vous déjà celle-ci, mais j'y pensais justement ce matin...

Puis, il arpentait le magasin, comme un acteur qui déambule sur scène, en récitant un monologue passionné. On ne le quittait pas des yeux.

Il parlait des jours anciens, où des compagnies de tanneurs étaient venues arracher l'écorce des pins, pour tanner la peau des animaux et en faire du cuir, de la diligence pillée par des brigands qui avaient mis le feu à la route. Il racontait aussi l'histoire du meurtre du nain d'un cirque ambulant, de la façon dont un riche propriétaire avait été pendu par ses enfants, du fantôme d'une très jolie femme qui avait été noyée dans la crique d'Ésope.

Son histoire préférée — comme pour moi et tous ceux qui l'écoutaient, je pense — concernait un guerrier indien géant, du nom de Winnisook.

— Winnisook faisait plus de deux mètres cinquante, commentait Arch dans un murmure dramatique, en montrant de la main un espace bien au-dessus du sommet de son crâne, et il était fier. Mais, surtout, il était amoureux de Gertrude Molyneux, une Blanche, la fille d'un des premiers colons.

L'histoire de Winnisook et de Gertrude était une histoire d'amour classique, désespérée, une histoire vraiment romantique, avec sa part de sacrifice.

— Gertrude Molyneux l'aimait aussi, mais ses parents ne voulaient pas en entendre parler. Non, pas ça ! Impossible pour une Blanche d'épouser un Indien. Finalement, ils l'ont forcée à se marier avec un homme qui s'appelait Joe Bundy.

Arch faisait alors une pause et son visage se convulsait en une grimace ; un grognement sortait de sa gorge.

— C'était un homme méchant, disait-il en étirant le mot méchant à travers toute la boutique.

Nous, qui l'écoutions, savions que c'était notre tour et nous répliquions par un chœur de sifflements méprisants.

— Il la battait, ajoutait Arch. Il la traitait comme un chien. Pire que cela même.

Nouveaux sifflements de l'assemblée qu'Arch arrêtait d'un geste de la main.

— Mais un jour, Gertrude en eut assez et elle s'enfuit

avec Winnisook pour vivre dans la forêt avec son peuple, les Indiens ; ils se marièrent, selon le rite de la tribu et elle a été la mère de ses enfants.

Quelqu'un s'écriait toujours :

— Mais que faisait donc Joe Bundy ?

— Ah, Joe Bundy ! répondait Arch en prenant son temps. Joe Bundy traînait toujours, à détester Winnisook. Il le haïssait plus que tout au monde, car Joe Bundy était un homme qui avait fait de la haine sa véritable profession. Des années plus tard, il y eut une terrible bataille entre les Indiens et les colons. Joe Bundy aperçut Winnisook — on ne pouvait pas le manquer, il était si grand, deux mètres cinquante ! Il a alors tiré dans la large poitrine de Winnisook. Winnisook s'est échappé, perdant tout son sang, et il se cacha dans le creux d'un vieux pin.

Dans un souffle, telle une brise, animé de paroles, Arch ajoutait :

— C'est là que Winnisook est mort, debout, et que Gertrude l'a trouvé. Elle l'enterra à l'ombre de l'arbre, et vécut près de sa tombe, avec ses enfants, jusqu'à la fin de sa vie. Cet endroit porte maintenant le nom de Grand Indien.

Lorsque Arch racontait cette histoire, son instinct dramatique déchaînait l'enthousiasme : on l'acclamait et il s'en retournait derrière son comptoir avec un sourire satisfait, en déclarant :

— Allez, je fais maintenant tous les malts à moitié prix !

L'histoire de Winnisook finit par être connue comme « l'histoire des malts à moitié prix ». Nous l'encouragions à la raconter aussi souvent qu'il en avait envie.

La folie de Sammy était sans limites. Dans le bâtiment dévasté qui avait autrefois appartenu à Arch, il avait monté des douzaines de pièces, installées sur des piédestaux de bois et il avait inscrit le nom de chacune à la main, sur des fiches spéciales. Certaines de ces œuvres ressemblaient à des blocs de béton, démolis par des ouvriers de voirie, arc-boutés sur des marteaux-piqueurs. De toute sa collection pas une seule pièce ne présentait une quelconque valeur, même avec un peu d'indulgence et de générosité artistique.

— Alors ? me demanda Sammy, anxieux.

— Ça alors ! murmurai-je.

— Que dis-tu ?

Je repris mes esprits et je ravalai ma salive.

— C'est, comment dire, c'est incroyable.

Sammy rayonnait.

— Ça te plaît ce que tu vois, Bobo ? Ça te plaît vraiment ?

J'acquiesçai d'un air docte, puis je me dirigeai vers une pièce dont je touchai la surface rugueuse. J'en lus le titre : *Souffrance*. En effet ! Il sonnait juste.

— Comme je te l'ai déjà dit, Sammy, la sculpture, ce n'est pas ce que je préfère, mais ça, c'est vraiment...

— Différent, n'est-ce pas ? suggéra Sammy avec ardeur. En tout cas, pour moi. J'en ai eu l'idée en écoutant un cul pincé de poète, là-bas, à Woodstock. Il récitait je ne sais quel poème en vers libres, tu sais, le genre de truc où tu notes n'importe quoi de ce qui te vient à l'esprit, et ça m'a frappé. Je me suis dit que je devrais essayer la sculpture libre. Mais ce n'est pas aussi simple que ça en a l'air, Bobo. Lorsque j'ai commencé, j'ai pris ma masse et j'ai frappé, pour sortir toute la merde qu'il y avait dans un bloc de pierre, jusqu'à ce qu'il ressemble à quelque chose, puis j'ai travaillé au burin pour le nettoyer un peu.

Il se tapa la tempe du doigt.

— Mais c'était avant que je commence à penser, dit-il avec emphase. Comme quoi il y a quelque chose d'enfoui, dans chaque petit caillou. Eh bien ! Il n'y a rien à faire pour le sortir. Il faut le *penser*. Il faut voir ce qu'il y a là-dedans avant de commencer. Et tu sais comment on fait, Bobo ? En découvrant les morceaux qui ne sont pas bons, le rebut à enlever. Ce qui reste, c'est précisément ce à quoi tu as songé. Bien sûr, je pourrais encore l'affiner un peu, comme les Italiens, mais j'aime bien cet aspect primitif, un peu brut. Qu'en penses-tu ? C'est nouveau, hein ?

— Oui, bien sûr, répondis-je.

Je n'arrivais pas à faire la différence, lorsque Sammy tapait et lorsqu'il pensait.

— Je vais te montrer la pièce dont je t'ai parlé.

Sammy insistait.

— Celle destinée au service funèbre de ton ami, si tu la veux.

Il m'emmena au fond de la boutique et me montra un morceau de granit de trois mètres de haut, qui avait la forme d'une tête monstrueuse, comme le symptôme pétrifié et symbolique d'une maladie.

— Tu vois, Bobo, fit Sammy avec fierté, tous ces nœuds de douleur. C'est le style qu'on obtient avec cette forme de pensée libre.

Il recula d'un pas et contempla sa pièce avec amour.

— Je me rappelle la nuit où je l'ai faite. Lila m'a emmerdé pour l'argent que je dépense, avec ce travail. Je lui ai dit d'aller se faire foutre. Elle n'a aucune idée de ce qu'est un artiste.

J'ai pensé alors à Caroline. Autrefois, elle aimait mes tableaux et elle m'observait avec respect, pendant que je peignais dans le petit studio, notre premier logement. A présent, elle se contentait de jeter un coup d'œil rapide. C'est l'impression que j'en avais. Elle m'en parlait rarement. Pourtant, elle décrivait aux autres mes œuvres avec fierté, et en détail, avec un enthousiasme que je ne partageais même pas. Je me demandais alors si elle ne les admirait pas lorsqu'elle était seule, y cherchant peut-être le sentiment de liberté et le bonheur de notre jeunesse.

— Je suppose que les femmes et les maris des artistes doivent se résigner à accepter beaucoup de choses, commentai-je.

— Ça marche dans les deux sens, m'objecta Sammy. Parfois, je pense que la seule chose qui intéresse Lila, c'est la baise.

Après une pause, il eut un petit rire forcé qui serrait le cœur.

— Elle a dû coucher avec certains clients, durant la saison de ski.

— Je suis désolé, dis-je.

Sammy effleura la tête grotesque du *Vieil Homme*. Il ajouta avec une aisance contenue :

— Tu sais, Bobo, elle te sauterait dessus sans doute dans la minute, si tu la laissais faire.

— Allez, Sammy !

Il sourit tristement.

— Oh, ne t'inquiète pas. Je sais bien que tu n'en as pas l'intention. Mais, avec toi, il me semble presque que ce ne serait pas grave.

Il me donna quelques grandes accolades dans le dos.

— Ah! là! là! Je t'aime bien, Bobo. Tu vas terriblement me manquer si tu ne reviens plus.

Je sentis sa main trembler.

— C'est que je ne trouve personne d'autre avec qui partager mon travail. Personne.

Je ne savais pas quoi lui répondre. Je repensai au silence de Caroline.

— Tu sais, tu n'es pas le seul dans ce cas, mon ami, lui dis-je. Il n'y en a pas beaucoup non plus qui me parlent de mon travail. Je crois que cela tient à ce que nous faisons.

Sammy se mit à rire et l'éternelle petite lueur optimiste se ralluma dans ses yeux. Il me tapa encore dans le dos :

— Eh bien, c'est ce que je pense aussi et je les emmerde tous. Viens, on va chercher ces mouches qu'Arch avait mises de côté.

Je le suivis à l'avant de la boutique où, sur l'un des murs, se trouvaient encore des rangées de boîtes. Je m'arrêtai pour les regarder.

— Ça rappelle le bon vieux temps, hein? déclara Sammy.

Il essuya sa main sur le dos d'une des boîtes, en faisant partir la fine couche de poussière qui s'était déposée partout.

— Ouais, c'est vrai. Je me suis bien marré ici autrefois.

— Je vais te montrer encore quelque chose.

Il s'est retourné pour aller vers un coin de la pièce, et a retiré une vieille bâche du juke-box qui appartenait à Arch.

— Il est nickel, annonça-t-il fièrement. Il y a un type d'un magasin d'antiquités qui m'en a offert quelques centaines, mais je lui ai répondu qu'il pouvait se brosser le cul. J'aime bien le faire jouer. J'ai acheté un lot de vieux 45 tours et je l'ai rechargé.

Il a plongé la main dans sa poche, en a sorti une pièce de vingt-cinq cents et l'a glissée dans la fente.

— Voyons voir, réfléchit-il, tu étais ici dans les années cinquante, n'est-ce pas?

— Oui, c'est ça, en cinquante-cinq.

Sammy étudia la liste des disques qu'il avait enregistrés. Un sourire malin passa sur son visage. Puis, il pressa un bouton.

— Que dis-tu de celui-ci?

Les Four Lads commencèrent à chanter *Moments to remember*.

— Tu dois avoir dansé quelques kilomètres sur celui-là, hein?

Je hochais la tête. La musique emplissait toute la pièce.

*...le jour où nous avons fait tomber les poteaux des buts
Il faut s'en souvenir...*

— C'est de la grande musique, Bobo, pas comme la merde qu'ils font maintenant.

*...les belles promenades, les rires, la joie...
le premier prix du bal presque gagné...*

— Ah, Bobo, comme j'aurais voulu y être, en ce temps-là. On aurait fait une sacrée paire, toi et moi.

*Cet été-là, dev'nu hiver,
et la présence qui s'en va.
Et partagés, nos rires
feront écho à notre avenir...*

— Écoute ça! Quel romantisme, merde! Ça donne envie de pleurer!

*Dans d'autres temps nous partirons,
par d'autres voies,
les cris de joies seront éteints
et il n'en restera qu'un souvenir...*

— Tu sais ce qu'on devrait faire, Bobo? Une fête ici, avant que tu ne repartes. Je pourrais passer un coup de balai et on boirait du bon vin, en dansant sur de la bonne musique. Qu'en penses-tu, hein?

— Ce serait chouette.

— Il faudra te trouver une fille.

Sammy réfléchissait.

— Ça ira. Je m'occuperai des disques, lui assurai-je.

— Je vais en parler à Lila. Elle va bien penser à quelqu'un.

— Je préférerais rester là, avec vous deux, répondis-je. Me complaire dans les souvenirs, tu comprends?

La dernière note de la chanson s'éteignit et le bras métallique du changeur attrapa le disque, le souleva et le rangea à sa place.

— Mais oui, je sais, dit Sammy doucement.

Il remit la bâche sur le juke-box.

— Merde alors, quel genre de souvenirs peut-on avoir, avec ce lot d'inconnus autour?

Il me sourit.

— Chaque fois que tu en as envie, n'hésite pas à venir écouter tes vieux airs préférés. Tu es ici chez toi.

— Merci, Sammy.

— J'ai l'impression que cet endroit est rempli de tes souvenirs personnels, Bobo, une longue histoire, ajouta-t-il.

— Eh oui, c'est vrai.

— J'aimerais bien que tu m'en parles un jour. J'adore les histoires du bon vieux temps.

6

Mon histoire chez Arch, c'est Amy Lourie.

C'est là que je l'ai rencontrée un soir, après dîner. La saison à l'Auberge était commencée depuis deux semaines. J'étais venu chez Arch acheter des enveloppes, pour envoyer une lettre à Caroline. Amy était assise dans un coin avec Carter. Carter m'a vu et m'a fait signe d'approcher.

— Bobo, voici Amy Lourie, annonça-t-il. Tu vas lui servir son petit déjeuner le matin. Amy, voici Bobo. C'est votre serveur et mon patron. Et si tu arrives à comprendre ce qu'il dit, tu seras l'une des rares. Il vient de Géorgie, loin, là-bas, vers Dixieland.

Amy Lourie me lança un bref sourire. C'était la plus belle jeune fille que j'aie jamais vue.

— Salut, fit-elle.

Je lui répondis d'un signe de tête et me forçai à sourire.

— Pourquoi vous appelle-t-on Bobo? me demanda-t-elle.

— C'est le nom que m'a donné une de mes sœurs. Elle ne savait pas prononcer mon nom. Alors, elle m'a appelé Bobo et c'est resté.

— Et vous êtes vraiment serveur?

— Je... je ne sais pas.

Je jetai un coup d'œil à Carter.

— Si, si, c'est vrai, dit Carter. Ils sont toujours placés dans la salle à manger du milieu.

Il se poussa sur la banquette du café et proposa :

— Viens, pose-toi un moment.

Je pris place à côté de Carter et j'évitai de regarder Amy Lourie. J'étais gêné.

— Ils viennent d'arriver, m'expliqua Carter. Amy vient tous les ans avec sa famille. Ils passent l'été ici.

— Mes parents adorent l'endroit, déclara gentiment Amy.

— Et toi, non? demanda Carter.

Elle avança la main pour prendre le milk-shake qui était devant elle. Ses doigts étaient aussi beaux que son visage. Elle jeta un regard dans la boutique et dit :

— Si, j'aime bien, mais on doit finir par s'y ennuyer.

Elle me regarda :

— Vous êtes déjà venu ici?

— Je n'étais jamais allé nulle part, jusqu'à il y a quelques semaines, répondis-je.

Je remarquai un éclair de plaisir dans ses yeux. Elle ajouta :

— C'est bien vrai que vous en êtes un, alors!

— Un quoi? demandai-je.

— Mais un gars du Sud.

— Je t'avais prévenue, interrompit Carter. Allez, Bobo, dis-nous : « Eh, vous autres! », pour Amy.

Je rougis à nouveau.

— Laisse-le tranquille, j'adore cet accent, rétorqua Amy.

— Il faudra bien t'y faire, lui dit Carter. Si tu voyais la tête de Mme Mendelson quand Bobo fait des efforts pour parler allemand.

— Carter, c'est méchant.

Elle me regardait toujours.

— Comment se fait-il que vous soyez notre serveur?

Carter ricana. Je savais que c'était un sujet délicat pour lui. Il était toujours garçon de salle, depuis deux ans qu'il travaillait à l'Auberge, tandis que moi, j'avais commencé comme laveur de vaisselle, puis j'avais été promu serveur au bout de trois semaines.

— Je n'en sais rien, répondis-je.

— Nom de Dieu, Bobo, ne sois pas si coincé! s'exclama Carter.

Puis se tournant vers Amy :

— Al Martin, peut-être te souviens-tu de lui, eh bien, il

s'est fait virer. Alors, Mme Dowling a donné son boulot de garçon de salle à Bobo. Puis, Connie Wells s'est aperçue qu'elle était enceinte et son mari ne voulait plus qu'elle travaille, ce qui a libéré un poste de serveur. Bobo l'a eu et moi, ça me convient très bien. Je n'ai rien contre le travail de garçon de salle. D'ailleurs, qui voudrait être serveur, c'est vrai, quoi ? merde ! Les gens passent leur temps à vous engueuler et à vous causer des embrouilles. De toute façon, Henri Burger lui a appris toutes les ficelles et tu le connais, il a du poids, surtout en dollars.

— M. Burger ? Il est revenu ? demanda Amy.

— Est-ce qu'il est jamais parti ? dit Carter. Il est comme tes parents qui ne peuvent vivre sans venir ici chaque été.

Amy sourit d'un air patient, sans écouter Carter. Elle s'adressa à moi :

— Je suis contente de faire votre connaissance, Bobo. Vous me garderez quelque chose au chaud, le matin ? Je me lève très tard quelquefois.

Carter se mit à rire.

— Je suis sûr de trouver quelque chose pour vous, répondis-je.

— Vous savez bien faire ça, « vous autres » ! ricana Carter en m'imitant.

Plus tard, Carter vint dans l'Antre en sortant de la salle de bains, après avoir pris sa douche. Il avait noué une serviette autour de sa taille, un sourire amusé fermement accroché à son visage un peu tordu. Il prit une cigarette sur sa table de nuit, puis il s'assit sur le bord de la couchette inférieure qui était la mienne et me dévisagea, à travers le voile de fumée qui sortait de ses narines.

— Bobo ?

— Ouais.

— De quelle couleur sont ses yeux ?

— Quels yeux ?

— Tu sais très bien, ceux d'Amy.

— Je ne sais pas.

— Déconne pas, dit-il avec mépris. Tu es un artiste,

Bobo. Un artiste remarque ce genre de choses. Alors ? quelle couleur, Bobo ?

— D'eau. Mauve. Quelque chose comme ça.

Carter s'esclaffa.

— Est-ce que ce ne sont pas les plus beaux yeux que tu aies jamais vus ?

— Je ne sais pas. Ils sont beaux, marmonnai-je.

— De quelle couleur sont ses cheveux ?

— Bruns, répondis-je.

— Non, Bobo, mordorés, chuchota Carter. Jamais tu n'as vu des cheveux de cette couleur, hein ?

— Mais si, j'en ai vu.

Un silence. Carter tira sur sa cigarette et forma avec ses lèvres un joli cercle de fumée. Le rond tourna autour de ma tête, puis alla s'évanouir sur le matelas de la couchette supérieure.

— Tu mens, dit Carter simplement. Tu n'as jamais vu ni des yeux, ni des cheveux, ni des lèvres, ni des bras, ni des mains, ni des jambes, ni des pieds, ni d'autres choses comparables à ceux d'Amy Lourie. Attends de la voir en maillot de bain. Tu vas tomber dans les pommes, Bobo. Arch sera obligé de te remettre droit sur ton petit cul de rebelle, avec des litres de sels. Tout ce que tu auras envie de faire, Bobo, c'est de fourrer ta tête entre ses gros nénés, et elle les a ronds, Bobo, je te le garantis. Élisabeth Taylor est une mocheté à côté d'elle. Et tu oses me dire que tu as rencontré des femmes comme elle ? Tu viens de Géorgie, bon sang, tout ce que tu as pu voir, ce sont des filles des champs.

— Et alors ? Certaines sont très jolies.

— Peut-être bien, rétorqua Carter en se penchant tout près de moi. Mais je te parle de vraie beauté, murmura-t-il avec un air conspirateur. Ça fait une différence.

— J'admets qu'elle est très jolie.

Carter fit tomber sa cendre par terre. Il inclina plusieurs fois la tête en réfléchissant.

— Je vois d'ici ce qui va arriver. Dans quelques semaines, tu vas essayer d'obtenir qu'elle se mette nue devant toi, pour te servir de modèle.

— Oh, écoute, Carter !

— Si tu y arrives, je te rachète tout ce que tu dessineras,

répondit Carter. Et tu peux prendre tous mes pourboires de l'été.

— Pourquoi tu me dis tout ça ? demandai-je.

— Parce que tu vas tomber amoureux d'elle, Bobo. Ça, je te l'assure. Tu vas fondre à l'intérieur de tes jeans, à cause d'elle. La nuit, quand tu fermeras les yeux, tu la verras en train de te regarder.

Il poussa un long soupir.

— Ouais, tu verras. Tu vas contempler ces petits soleils ronds bleu-mauve et tu auras envie de les couvrir de baisers, et de les dévorer. Tu vas tomber amoureux, Bobo, je suis un expert en la matière. Je t'ai observé ce soir, je connais bien les signes. Et pour cause. Je suis passé par là moi-même. Mais je suis un stratège dans l'âme, je sais quand il faut couper court et s'enfuir. Toi, tu es un artiste. Tu ne seras jamais raisonnable. Mais je t'aime bien, Bobo. Et je ne sais même pas pourquoi. Seulement, je dois te prévenir : elle a un copain dans la grande ville. Il s'appelle Adam. Il va probablement venir ici, avant la fin de l'été. Comme l'an dernier. Il vient d'une famille plus friquée que tout ce que tu peux imaginer. Mais sais-tu ce qui est le plus chiant, dans tout ça ? C'est qu'il a un physique de star. Lorsque je l'ai vu l'année dernière, j'ai ramassé mes billes : Amy et moi sommes devenus des amis. Si je ne pouvais l'avoir comme je voulais, au moins je pouvais rester auprès d'elle.

— Et alors ?

— Je voulais que tu sois au courant. Ne viens pas ensuite pleurnicher et dire que je ne t'avais pas prévenu. Tu seras surpris de voir à quel point j'ai eu raison.

Il se leva en s'étirant.

— Et là, maintenant, qu'est-ce que tu fais ?

J'ouvris mon bloc-notes.

— Je suis en train d'écrire à Caroline.

Carter éclata de rire et se hissa sur le lit, au-dessus du mien. Il parlait d'une voix tonitruante d'Amy Lourie, de sa beauté, de sa voix, de la façon dont elle s'essuyait les lèvres avec sa serviette dans la salle à manger. Et chaque fois qu'il prononçait son nom, je revoyais son visage.

— Eh oui, soupira-t-il. C'est le genre de femme qui te fiche une trouille à mort et pour toujours. Elle est trop belle, merde! Il suffit de la regarder et tu comprends tout de suite que tu n'as pas la moindre petite chance de merde! Pas avec elle.

Dans ma lettre à Caroline, j'écrivais :

Je ne suis pas sûr que je tiendrai le coup tout l'été, avec ce garçon dans la couchette du dessus. C'est mon garçon de salle. Il s'appelle Carter Fielding. Il habite dans une petite ville, pas très loin d'ici, qui s'appelle Phoenicia, mais il passe l'été ici. Il dit que c'est parce que Mme Dowling le veut, mais je soupçonne que c'est plutôt ses parents qui ne veulent pas le voir traîner autour d'eux. Il parle trop et je le trouve un peu porté sur les filles, mais dans la salle à manger, il m'aide pas mal! Il m'a empêché de me rendre ridicule, plusieurs fois. Peut-être qu'il est bien, après tout. Il est simplement différent de tous les gens que je connais. A propos, si tu vois Coy, dis-lui qu'il avait raison, c'est plein de Yankees par ici.

Un petit flocon de cendre de cigarette est descendu lentement, pour atterrir sur mon papier à lettres.

— Ouais, Bobo, c'est vrai. C'est le genre de fille qui te fout une trouille à mort et pour toujours.

Le lendemain matin, Nora Dowling a conduit Amy et ses parents, Joël et Édith Lourie, dans la salle à manger dont j'étais chargé. Elle les a placés à une table ronde, dans la rangée centrale. Elle m'a présenté, ainsi qu'elle le faisait pour tous les nouveaux clients, en leur disant que je venais du Sud, de Géorgie.

— Mais oui, nous le savons déjà, dit Joël Lourie gentiment, en me tendant la main. Notre Amy nous a confié que vous étiez un jeune homme charmant, un gentleman, et il faut la croire, sinon elle ne serait pas là pour le petit déjeuner. En vacances, elle aime se lever tard.

Amy n'a pas rougi. Elle m'a regardé avec confiance, de ses yeux bleu-mauve et m'a souri. Ses cheveux mordorés encadraient tendrement son visage. Et je compris que Carter avait raison : elle me fit peur à mort.

J'ai dîné avec Sammy et Lila. Le courtier et la femme du juge n'étaient pas dans la salle à manger. « Service en chambre », dit Lila avec un soupir exagéré, lorsque je lui ai demandé s'ils étaient partis. Les deux autres couples étaient assis à une table, près de la porte du hall. Ils étaient plus âgés, depuis peu à la retraite, et voyageant ensemble, d'après Sammy.

— Ils prennent la visite guidée de l'Amérique prix-réduit-spécial-troisième-âge, pour laquelle ils économisent depuis que Dieu est tout petit, expliqua-t-il. Ils sont pires que les Japonais. Ils photographient tout ce qui bouge. Tu parles, quel ennui ! Tu imagines leurs familles, quand ils rentrent !

Il y avait du foie pour le dîner, ce qui n'était qu'une piètre amélioration, comparée au poulet du déjeuner. Lila nous a coupé des tranches de pommes et nous avons encore bu du vin, tiré de la cachette du courtier. Lila nous confia qu'ils étaient passés au champagne frappé.

— C'est elle qui a choisi, c'est sa tournée. Tu lui donnes deux-trois bouteilles et elle va mettre sa braguette en pièces.

— Mais enfin, Lila, ne parle pas comme ça devant un client, c'est déplorable ! s'exclama Sammy.

— Quel client ? C'est Bobo.

— Et alors ? Il paie ?

— Bien sûr.

— Alors, c'est un client, merde !

— Mais les clients aussi ont besoin de s'amuser un peu, rétorqua Lila. Et avec les montagnes russes de là-haut...

— Quand tu en parles, on dirait un bordel, marmonna Sammy.

— Chéri, elle ne fait pas payer, elle s'offre en cadeau, ricana Lila. Pour moi, c'est ça la vie.

— Et pour moi, c'est une blague, contra Sammy.

Lila eut un rire sardonique.

— Cela ne m'étonne pas de toi, dit-elle d'un air triomphant.

Elle se tourna vers moi.

— Est-ce que je te choque ?

— Mais non, pas du tout, lui assurai-je.

— Bon.

Puis se penchant vers Sammy :

— Alors, tu peux me baiser le cul, lui chuchota-t-elle.

Après le dîner et cette discussion véhémente et grossière, je suis allé avec Lila et Sammy à l'entrée de l'Auberge. Nous nous sommes assis sous le porche, dans des balancelles rembourrées, à boire et à écouter Sammy qui nous parlait avec espoir de son exposition de Woodstock.

— Tout ce qu'il me faut, c'est pouvoir mettre mon pied dans la porte, dit-il. Bien sûr que j'aimerais vendre quelque chose. Enfin, quelque chose d'autre.

— As-tu déjà vendu une de tes pièces ? demandai-je.

— Oui, enfin, une ou deux, répondit-il avec un certain détachement. A un type du New Jersey, Vinnie Paulsen. Il a acheté un ou deux objets l'hiver dernier, pendant la saison de ski.

J'ai vu Sammy jeter un regard à Lila. Elle tirait sur sa cigarette en regardant la rue, déserte comme celle d'une ville fantôme. Je sentais qu'elle percevait le ton accusateur de Sammy.

— Il a dit qu'il avait un de ces appartements modernes, poursuivit-il, dans lequel ce que je faisais conviendrait parfaitement.

— C'est un bon début, lui garantis-je.

Sammy eut un sourire douloureux.

— J'ai vraiment besoin d'être encouragé.

Lila reprit son verre et avala une gorgée de vin. Je me suis demandé si elle avait conclu un marché avec Vinnie Paulsen, pour qu'il achète l'une des curieuses sculptures de Sammy, et, en ce cas, si c'était pour Sammy ou pour elle-même. Je savais qu'elle aimait Sammy, mais aussi qu'elle se sentait très seule.

— Tu me préviendras, si tu veux *Le Vieil Homme*, pour le service funèbre, s'enquit Sammy.

— Bien sûr, répondis-je, il faudrait du reste que j'y aille et que je m'y mette.

Sammy s'efforçait d'être joyeux, mais il avait un ton suppliant.

— Tu me diras, hein !

Dans sa balancelle, il avait l'air fatigué et malheureux.

— Écoute, pourquoi on ne réglerait pas cette affaire

tout de suite ? suggérai-je. Je pense que ce serait bien d'avoir la pièce. Avrum l'aurait aimée. Alors utilisons-la.

Sammy bougea sur son siège. Il fit un signe de tête soulagé.

— Tu es sûr, Bobo ? Je ne voudrais pas te l'imposer.

— Mais tu ne me l'imposes pas du tout. Je suis très heureux de l'avoir.

Je me suis levé et je les ai remerciés pour le vin et la compagnie pendant le dîner.

— La compagnie nous a fait plaisir, dit Lila. Pour le vin, c'est le courtier et sa compagne de jeux qu'il faut bénir.

— C'est une bonne cuvée. J'espère qu'ils resteront la semaine entière, plaisantai-je.

Lila a ri et m'a fait signe de me pencher, pour l'embrasser. Elle me glissa à l'oreille :

— Merci, Bobo. A propos, j'ai une petite surprise pour toi, là-haut.

J'ai compris ce qu'était la surprise lorsque j'ai vu les deux bouteilles de champagne vides, devant la porte à côté de ma chambre. Lila s'était arrangée pour que je sois obligé d'entendre les ébats amoureux du courtier et de la femme du juge. Je savais qu'en bas Lila était contente et que, demain matin, elle me ferait un clin d'œil au petit déjeuner.

J'ai sorti du papier et un stylo de mon cartable, afin de prendre quelques notes pour le service funèbre d'Avrum, bien que je sache qu'elles ne me serviraient à rien. Ce devait être une cérémonie courte et informelle. J'avais l'intention de remercier ceux qui viendraient — s'il y en avait. Je leur expliquerais comment j'avais fait la connaissance d'Avrum puis je leur raconterais une histoire sur Avrum que je n'avais jamais relatée à personne. Je ne savais pas ce que je pourrais dire sur *Le Vieil Homme* de Sammy.

J'ai commencé une lettre pour Caroline, mais les mots étaient lourds et maladroits. Je froissai alors le papier et le jetai dans la corbeille. En 1955, je lui avais écrit tous les jours, du moins au début, et elle aussi. Je me demandai si elle s'était jamais posé des questions sur les lettres de cet été-là et sur la confusion qui avait fini par s'y manifester, à travers mes discours embarrassés. Je ne pouvais pas parler d'Amy Lourie à Caroline. J'aurais voulu, mais je n'ai jamais pu, même des années plus tard... J'avais eu envie de lui expliquer : « Écoute, il y avait une fille aux Catskills, elle s'appelait Amy Lourie et... » Mais je savais déjà ce que Caroline répondrait. « Ah bon ? Et pourquoi me parles-tu de cet âge de pierre. Est-il vraiment arrivé quelque chose que je devrais savoir ? » Elle se serait efforcée d'ironiser, mais avec une nuance de défi dans sa voix.

C'est vraiment une constante du caractère de Caroline. Elle trouve toujours une réponse correspondant à mon humeur et elle peut être douce comme un baiser ou acérée comme la pointe d'une épée. Dans la vie, elle ne fait que très peu de bêtises et c'est peut-être pour cela que nos enfants ont toujours compté sur elle, lorsqu'ils avaient besoin de protection. Elle a toujours été, et elle est, leur défenseur, arme à la main. Cela ne fait aucune différence que l'ennemi soit son voisin ou bien l'arbitre de la petite équipe de base-ball locale. Face au monde, Caroline s'est toujours comportée en tigresse, si la famille est menacée, moi inclus. Je l'ai entendue maltraiter des marchands de tableaux qui exprimaient des réserves sur mon travail, même lorsque la toile ne lui plaisait pas vraiment.

Et pourtant, je pense que Caroline avait deviné qu'il se passait quelque chose ce fameux été. Dans une de ses lettres, elle me demandait : *Est-ce que tu sors avec quelqu'un ?*

J'ai répondu par un mensonge : *Non*. Je lui ai expliqué qu'il y avait un groupe de gens, avec lesquels j'allais parfois au cinéma, ou en promenade, ou encore boire un milk-shake chez Arch et bavarder. Je lui ai dit que le seul rendez-vous que j'aie jamais eu n'en était pas un, mais un service que j'avais rendu à Henri Burger, pour lequel il m'avait payé. Et c'était vrai. C'était aussi la raison pour laquelle j'ai commencé à sortir avec Amy.

Henri m'avait tanné au sujet de ses deux nièces, des adolescentes, qui devaient venir passer un week-end chez lui. Il m'assura qu'elles étaient très belles, que je le supplierais de me laisser les emmener au cinéma. Il me prédisait que je souffrirais le martyre, parce que je ne saurais laquelle choisir.

— Des anges, disait-il dans un soupir d'orgueil. On dirait des modèles pour des magazines de beauté.

Carter les connaissait. Il rit bêtement en me disant :

— Bobo, il te parle des deux filles les plus moches de tout l'État de New York et peut-être même de tout le nord-est des États-Unis. Elles sont déjà venues l'an dernier.

— Henri m'a dit qu'elles étaient très belles.

— Évidemment ! Ce sont ses nièces et il est juif.

— Mais ça n'a rien à voir ? l'interrogeai-je, surpris.

— Tu ne t'en es peut-être pas encore aperçu, mais les juifs ont tendance à avoir une petite fierté personnelle. Si ces filles n'étaient pas ses nièces, Henri jurerait que ce sont des monstres, sortis d'une attraction locale. Mais tu sais, le sang, c'est aveugle comme l'amour. Oui, aveugle. Henri pense sérieusement que ce sont Jane Russell et Betty Grable qui arrivent.

— Henri veut que je les sorte un peu. Il m'a demandé de trouver quelqu'un, pour venir avec moi, en précisant qu'il couvrirait les dépenses.

— Et tu as pensé à moi ? s'enquit Carter, soupçonneux.

— Non, répondis-je, sarcastique. J'ai songé à Ben Benton.

— Ben va t'égorger, dit Carter.

Il réfléchit un moment.

— Bon, d'accord, je vais le faire, mais préviens Henri : c'est vingt dollars chacun, plus les frais.

— Je ne peux pas faire ça à Henri. Pas après tout ce qu'il a fait pour moi, protestai-je.

Carter hocha la tête avec un rire sardonique.

— Crois-moi, il a préparé cette petite aventure depuis le premier jour où tu es arrivé. Les dix dollars qu'il t'a donnés pour avoir lavé la vaisselle, c'était juste un acompte. En t'apprenant le métier de serveur, il n'avait qu'un but : caser ses nièces. Rappelle-toi bien, Bobo, je les ai vues. Vingt dollars. C'est le prix. Ou alors, trouve quelqu'un d'autre. L'an dernier, tous les mâles qui pouvaient convenir, dans un rayon de trente kilomètres, ont pris le maquis durant le

week-end où elles étaient là. Vingt dollars chacun. Tu n'as
qu'à le lui présenter sous forme de plaisanterie. Il va marcher. Tu ne connais pas Henri. Il marche pour n'importe
quelle combine, comme une truite après les moucherons
d'Arch, et ça, crois-moi, c'est une affaire, je t'assure.

Carter avait raison, comme d'habitude. Le lendemain, je
vis Henri.

— Il faut que nous discutions de cette sortie avec tes
nièces.

— Mais qu'est-ce qu'il y a à discuter ? répondit-il, agacé.
Je t'offre une soirée avec deux jolies femmes et toi, tu veux
encore discuter ?

— J'estime que vingt dollars chacun, pour Carter et
moi, plus les frais, ce n'est pas de trop, répliquai-je avec un
large sourire.

Henri poussa son profond soupir, celui où il secouait sa
tête avec exaspération.

— *Ach du, liebe Gott*, marmonna-t-il.

Il agitait son cigare comme si c'était une canne de
dandy.

— Tu es un voleur, Bobo Murphy, un *nogoodnik* irlandais, mais bon, je suis d'accord. Si je ne tenais pas tellement
à toi, je trouverais quelqu'un d'autre, pour ces deux beautés.

Henri me donna l'argent sur-le-champ, prétextant qu'il
était un homme d'honneur. Carter m'expliqua que c'était
parce qu'il ne voulait pas que je revienne sur ma parole,
concernant notre arrangement.

Et une fois de plus, Carter avait raison.

Les nièces d'Henri étaient laides, au-delà de toute imagination. C'en était tragique. Maigres, des visages pincés, pas
de menton, des dents de rongeurs, des yeux minuscules, derrière de gros verres de myopes. Coy Helms aurait dit d'elles :
« Il faudrait leur accrocher de la viande autour du cou, pour
obtenir d'un chien qu'il vienne jouer avec elles ! »

Arrivées en avance, une heure après le dîner, elles attendaient avec Henri sous le porche.

— Tu choisis, murmura Carter, tandis qu'on s'approchait.

— Je prends Henri, lui chuchotai-je.

Carter s'esclaffa :

— Ça, c'est drôle, Bobo.

— Alors, les garçons, je vois que vous êtes de bonne humeur, dit Henri d'un ton joyeux.

— Super, confirma Carter.

— Très bien, très bien, gazouilla Henri.

Il souriait de bonheur.

— Les garçons, je voudrais vous présenter Charlotte et Erin, dit Henri en désignant les jeunes filles.

Puis se tournant vers elles :

— Voici Bobo Murphy, le garçon de Géorgie dont je vous ai parlé. Il ne savait pas reconnaître un *schnitzel* d'un *schnook*, quand nous nous sommes connus. Maintenant il est serveur. Vous connaissez déjà Carter. Carter, c'est l'imbécile qui t'a renversé la compote de fruit dans le dos, l'an dernier, Erin.

Les filles s'esclaffèrent.

J'ai pensé : « Mon Dieu ! »

— Salut, dit Carter avec entrain. Tu m'en veux toujours, Erin ?

Erin ploya son long cou, se penchant vers Carter, comme un oiseau examinerait un insecte. Elle secoua timidement la tête.

Je proférai un faible :

— Salut !

— Alors, les garçons, que proposez-vous ? demanda Henri d'une voix sonore. Le cinéma ? peut-être. Une promenade au clair de lune ? Non ? Pourquoi ne commencez-vous pas par Arch ? Je lui ai dit que vous viendriez et je lui ai demandé de mettre tout ce que vous voudriez prendre sur mon compte.

— Hum, je pense... que nous ferions mieux d'aller au cinéma, rétorquai-je.

— Mais on n'est pas pressés, objecta Henri d'une voix ferme. Non, non, Bobo. Les filles adorent aller chez Arch. On y va en premier.

— Moi, je suis d'accord, acquiesça Carter d'un ton léger. Allez, Erin, pourquoi ne viens-tu pas avec moi ? Après tout, je te le dois.

— C'est vrai, répondit-elle d'une petite voix.

Elle sortit de dessous le porche, pour se placer à côté de Carter.

Henri dit fièrement :

— Ce qui laisse la jolie Charlotte pour Bobo.

Il poussa un peu sa nièce. Elle se dirigea vers moi en hésitant.

— Amusez-vous bien, roucoula Henri.

Il pointa son doigt vers elles en le secouant d'un air menaçant.

— Et pas d'histoires, hein, les garçons !

Carter ravala un fou rire.

— Non, monsieur, répliquai-je avec emphase.

Nous avons commencé une marche, longue et tortueuse, pour arriver jusque chez Arch.

J'ai aperçu Avrum sur son banc. La tête penchée en arrière, les yeux clos, il ne nous voyait pas. Je me demandais s'il écoutait la voix fantôme d'Amélita Galli-Curci, ou s'il faisait semblant de dormir.

Ben Benton attendait dans son camion, pour entrer dans la petite cour de l'Auberge et prendre les poubelles. Il me regarda avec surprise, puis me cria par la fenêtre de sa cabine :

— Eh, Bobo, t'as fini par te trouver une femme, hein ?

Il joignit ses mains et les secoua en riant.

Mme Mendelson, qui marchait à petits pas dans la contre-allée, s'arrêta et sourit :

— *Gut, gut*, proféra-t-elle de sa voix aiguë.

Nous entrâmes chez Arch. Il était encore tôt et il n'y avait là que quelques personnes. L'une d'elles était Amy. Elle était assise, toute seule, dans une niche à l'arrière, et elle écrivait une lettre.

Carter la héla :

— Salut, Amy !

Elle leva la tête, regardant d'abord Carter, puis moi. Elle vit ensuite les filles et une grimace de surprise passa sur son visage. Elle s'efforça de sourire. Elle se leva, passa devant nous sans dire un mot et sortit de chez Arch.

— Écoutez, les filles, allez donc prendre cette niche, là-bas, nous allons vous apporter quelques Cokes.

Les filles acquiescèrent et s'éloignèrent. Et Carter chuchota :

— Bobo, je crois que tu viens de faire une gaffe.

— Quoi donc?

— Avec Amy. Elle était furax, je l'ai bien vu.

— Pourquoi?

Carter soupira :

— J'avais tort, Bobo. Ça m'embête bien de l'avouer, mais c'est vrai. Elle en pince pour toi.

— Moi?

Nous étions près de la fontaine à soda. Carter dit à Jeannie Ellis, la fille d'Arch qui de temps en temps tenait le comptoir :

— Quatre Coke, Jeannie, et un paquet de Marlboro que tu mets sur le compte d'Henri Burger.

— D'accord. Henri Burger est venu tout à l'heure. Il m'a dit de vous servir tout ce que vous voudrez.

— Alors, ce sera une cartouche de Marlboro, dit Carter. Mais sois gentille, Jeannie, note-la sur le compte comme des sandwichs ou autre.

Jeannie sourit. Elle prit des verres sur le présentoir.

— Qu'est-ce qui te fait dire qu'elle en pince pour moi? demandai-je alors à Carter.

Carter me jeta un regard affligé.

— Espèce d'imbécile, de rustaud, de péquenot du Sud. La plus belle fille du monde erre ici, comme un animal blessé à cause de toi; et toi, tu sors avec Miss Affreuse de Mille Neuf Cent Cinquante-Cinq.

— C'est toi qui as eu cette idée, pas moi, lui rappelai-je.

— Ça y est, c'est encore ma faute. Nom de Dieu, Bobo! Je te le jure, ça fait un an que je ne les ai pas vues. Je pensais qu'elles avaient un peu changé... en mieux.

Prenant la cartouche de cigarettes que lui tendait Jeannie, il la fourra sous son bras et attrapa deux Coke.

— Allez viens, qu'on en finisse.

Je ne me souviens que de choses douloureuses lors de cette soirée. Pendant que nous montions dans sa voiture, pour aller à Margaretville, Carter m'offrit vingt dollars si j'embrassais Charlotte, et cinquante, si je lui touchais les seins. Je lui rétorquai :

— S'il faut marcher à coups de baisers, alors tu n'as qu'à le faire, puisque tu sais si bien, espèce de faux-cul.

Il eut un petit rire de maniaque.

Après le cinéma, nous sommes allés jusqu'au remonte-pente de la station de ski de Belleayre et nous sommes promenés au clair de lune. Une lune pas claire du tout ; on aurait dit une faible veilleuse. Carter a raconté des stupidités à mon sujet : Henri m'avait presque convaincu de me convertir au judaïsme ; j'étais l'arrière-petit-fils d'un général de l'armée des confédérés qui avait fait la bataille de Gettysburg et perdu une jambe ; ma grande ambition était de devenir un musicien populaire, comme le célèbre Petit Jimmy Dickens. Il me supplia de leur chanter quelque chose. Je refusai.

— Il est timide, expliqua Carter aux filles. Il sait que personne ne le comprend, alors il parle peu.

Il me regarda, avec un clin d'œil.

— On dirait qu'il a la tête ailleurs, pas vrai ?

Carter savait.

Je pensais à Amy Lourie.

Amy ne parut pas au petit déjeuner, le lendemain matin. Ses parents déclarèrent qu'elle avait passé une mauvaise nuit. Je demandai si je pouvais lui préparer une assiette qu'ils lui monteraient, avec des petits pains, du fromage ou des fruits.

— Si elle souhaite quelque chose, elle descendra, répondit doucement Édith Lourie. Mais merci d'y avoir pensé, Bobo.

Je savais qu'Édith me surveillait attentivement.

Lorsque j'ai servi Henri et ses nièces, j'ai enduré les plaisanteries d'Henri, sur le fait qu'elles étaient amoureuses de moi. Je sentais à nouveau le regard d'Édith Lourie sur moi, elle avait d'aussi beaux yeux qu'Amy.

Vers le milieu de la matinée, je regardai dehors, par la fenêtre de la cuisine, et j'aperçus Amy. Elle marchait derrière l'Auberge, grimpant vers un bouleau où j'allais souvent le soir, lorsque je désirais être seul. J'avais découvert ce bouleau, sur les conseils d'Avrum, peu de temps après avoir fait sa connaissance. Il m'avait dit :

— Regarde vers le haut de la colline, trouve-toi un endroit et vas-y. Cherche un arbre. Fais-en ton arbre. C'est au pied d'un arbre que l'on est le mieux.

J'avais choisi ce bouleau, parce que je pouvais regarder en bas vers le village et, en levant les yeux au ciel, je voyais les étoiles. Pour une raison étrange, on n'était pas si seul ici, au pied de ce bouleau, entre le village et les étoiles.

— Il faut que je sorte quelques instants. Peux-tu me remplacer? demandai-je à Carter.

— Bien sûr, répondit-il.

Il regarda dans la cuisine. Nora Dowling n'était pas là.

— Je l'ai vue aussi, confia-t-il, je te comprends.

Amy était près du bouleau, sous le dais protecteur de ses branches. Je savais qu'elle m'avait vu arriver, mais elle regardait ailleurs, comme si quelque chose, au loin dans la vallée, avait capté son attention.

— Salut! fis-je.

Elle se tourna vers moi. Son visage était calme, avec une expression réservée.

— Bonjour.

— Tu as manqué le petit déjeuner?

— Je n'avais pas faim.

J'attendis qu'elle dise encore quelque chose, mais elle se tut.

— J'aime cet arbre, déclarai-je. Parfois, le soir, je viens ici pour contempler les étoiles.

— Je sais, répondit-elle.

— Mais comment? demandai-je surpris.

— Je t'ai observé.

— Ah bon!

Elle s'assit sur l'herbe fraîche, au pied de l'arbre.

— Cela ne te dérange pas que je reste près de toi quelques instants? lui demandai-je.

— C'est ton arbre, répondit-elle.

Je m'assis près d'elle, mais pas assez pour la toucher.

— C'est joli par ici, commençai-je.

— Oui, c'est vrai.

— Est-ce que tu es... bon, très en colère contre moi, ou je ne sais quoi encore? lui demandai-je.

— Non. Pourquoi le serais-je?

— Je ne sais pas. C'est l'effet que tu me fais. Je pensais que tu l'étais, hier soir, chez Arch.

Elle tourna la tête. Le vent, passant dans ses cheveux mordorés, attrapa une boucle qui flotta sur son épaule.

— Comment s'est passé votre rendez-vous? demanda-t-elle.

— Rendez-vous? m'exclamai-je. Ce n'était pas un rendez-vous. Nous étions avec les nièces de M. Burger. Tu le sais bien. Il voulait que nous les emmenions au cinéma.

— Pour moi, c'est un rendez-vous, rétorqua-t-elle avec fermeté.

— Et pour moi, non.

Je la contrai.

— Je considère plutôt cela comme un travail. Il nous a payés.

— Quoi?

— Oui, il nous a payés.

— Sais-tu ce que cela signifie?

— Non. Quoi?

— Que tu es un gigolo, dit-elle.

— Je ne connais pas ce mot, avouai-je. C'est de l'allemand?

— Mais non. C'est de l'anglais. Un gigolo, c'est quelqu'un qui est payé... pour accompagner des femmes, m'expliqua-t-elle.

— Alors, je suppose que j'en suis un, acquiesçai-je, conciliant.

Amy baissa la tête. Le soleil dorait ses cheveux. Ses lèvres s'entrouvrirent en un sourire. Elle prononça doucement :

— Bobo, ce n'est pas un compliment d'être un gigolo, alors ne dis à personne que tu en es un.

— Je ne savais pas ce que c'était. C'est vraiment la première fois que j'entends ce mot.

Elle m'a regardé. Ses yeux brillaient à nouveau. Elle me demanda :

— C'est vrai que tu es peintre?

— C'est Carter qui te l'a dit?

— Il m'a précisé que tu étais bon. Même très bon.

— Je dessine un peu. Cela me donne quelque chose à faire.

— Tu ferais mon portrait ?

Je me demandai si Carter, du fait de son irrespect total pour la vie privée des autres, avait cherché et trouvé les dessins que j'avais faits d'Amy — des esquisses rapides, crayonnées dans mes moments de solitude et soigneusement cachées dans mes affaires. Et s'il lui en avait parlé.

— Alors ? Tu veux bien ? insista-t-elle.

— Je vais essayer. Mais je ne suis pas très bon pour les visages. Surtout de mémoire.

— Je peux poser pour toi, proposa-t-elle.

J'ai pensé à Carter, aux horreurs qu'il allait déverser sur ma tête.

— Je ne pense pas que ce serait une bonne idée.

— Alors, une photo. Est-ce que ça irait ?

Je frissonnai, embarrassé.

— Je suppose que oui.

— Je vais t'en apporter une. Elle est récente. C'est une photo de classe.

— D'accord, dis-je, mais donne-la-moi chez Arch.

Amy se pencha vers moi, presque assez près pour me toucher.

— Tu ne veux pas que mes parents soient au courant ?

Je détournai mon regard vers l'Auberge. Je pouvais voir de vieilles personnes qui avançaient sur la pelouse, déambulant vers les tables, avec leurs ombrelles grandes ouvertes pour les protéger du soleil. Elles allaient s'asseoir et jouer aux cartes jusqu'au déjeuner.

— C'est ça, hein ? demanda de nouveau Amy.

— Pour moi, cela n'a pas d'importance.

— Ils pensent que tu m'aimes bien, tu sais, dit-elle doucement.

— Eh bien... je...

— Ils pensent aussi que c'est réciproque, ajouta-t-elle.

Je ne savais pas quoi lui répondre. Je voulais m'approcher d'elle et toucher sa main, la sentir vibrer dans la mienne. J'entendais le rythme régulier de sa respiration.

— Et c'est vrai, renchérit-elle doucement.

Je la regardai. Je la sentais entrer doucement en moi, s'y glisser mystérieusement, au-delà de toute réserve. Elle devait éprouver la même chose. Elle me sourit.

— M'emmènerais-tu au cinéma, si mon père te payait?

Mon cœur se mit soudain à battre la chamade.

— Je ne le ferais pas. Je t'y emmènerais, mais pas pour de l'argent.

— J'en suis heureuse, dit-elle.

Puis après une pause :

— Je me sens mieux. Merci.

Dans la chambre à côté de la mienne, le courtier et la femme du juge faisaient l'amour. Elle le suppliait, d'une voix étouffée par l'épaisseur du mur :

— Je t'en prie... s'il te plaît... maintenant... oh oui!

Il y eut des coups, rapides et très violents. La tête du lit cognait contre le mur. La femme du juge a crié une fois. Je l'entendais haleter, luttant contre le déferlement de son corps. Puis les coups s'arrêtèrent.

Je me demandai si, non loin d'ici, Lila n'était pas en train de sourire et de soupirer, en essayant de flairer l'odeur de sexe.

7

Je m'endormis enfin, sentant que j'étais plus épuisé que le courtier et la femme du juge. Je croyais que j'allais rêver d'eux, comme un voyeur qui regarde un film érotique dans une pièce obscure. Que je les espionnerais, pendant qu'ils se caresseraient et rouleraient l'un sur l'autre, tels de puissants fauves qui font l'amour. Que je verrais leur peau grasse briller à la lumière des chandelles, que j'observerais leurs bouches en fête.

A la place, j'ai rêvé d'Amy Lourie. Et en guise de rêves — des moments irréels et en même temps si nets que j'avais l'impression que c'était arrivé ou que cela allait se produire — j'étais assis avec elle dans le théâtre Galli-Curci, à Margaretville, et sa main était dans la mienne, mêlant ses doigts aux miens. Cela se passait deux jours après notre rencontre au pied du bouleau, dans la montagne.

Carter avait tout arrangé, avec la manière directe qui le caractérisait. En servant le déjeuner, il avait dit à Amy, devant ses parents, qu'un certain nombre d'entre nous allaient au cinéma mardi soir. Aimerait-elle se joindre à nous?

— Pourquoi pas? Vas-y, l'encouragea Joël Lourie. Quitte un peu les vieux, pour une soirée.

— Et qui doit y aller encore? demanda doucement Édith Lourie.

— Oh, un petit groupe.

Il me jeta un coup d'œil pendant que je servais le café.

— Moi, deux ou trois jeunes qui travaillent dans

d'autres boîtes, non loin d'ici, Bobo, je crois. Tu n'as pas changé d'avis, Bobo ?

— Je ne sais pas, répondis-je, peut-être.

— C'est toujours comme ça, ajouta Carter paisiblement, sans insister. Nous ne savons jamais qui va venir. Tous ceux qui se retrouvent chez Arch.

— Ah bon, dit Édith Lourie.

Elle me sourit. Son regard interrogateur s'attarda sur moi.

— J'aimerais bien y aller, s'enthousiasma Amy.

Elle ne me regardait pas, mais elle comprenait ce que Carter était en train d'arranger.

Ce soir-là, dans notre Antre, Carter se pencha depuis sa couchette et dit :

— Tu sais à quoi je pense, Bobo ? Tu es en compte avec moi, pour la soirée de demain.

— Je sais bien et je peux être tranquille que tu me le rappelleras, lui répondis-je.

— Non, tu ne le sais pas vraiment. Pas encore, dit Carter. J'ai l'intention de me trancher les poignets devant vous deux. Et quand je serai mort, vous aurez du chagrin.

Il s'est rallongé sur sa couchette. J'ai vu un nuage de fumée de sa Marlboro, qui roulait vers le plafond.

— Carter ?

— Ouais.

— Penses-tu que sa mère y a cru ?

— Cru à quoi ?

— A l'histoire que tu lui as servie, dis-je.

— Bien sûr que non. C'est une mère, répondit-il.

Je ne me rappelle rien, du film que nous avons vu et, même dans mes rêves, je n'arrivais pas à en reconstituer la moindre séquence. Nous étions dans la salle, nous tenant par la main, puis nous marchions et c'était la station de Bel-leayre, près du remonte-pente, là où nous étions allés avec les nièces d'Henri Burger. Il y avait Amy et moi, et une fille qui s'appelait Renée Wallace, avec Carter. Renée travaillait comme femme de chambre, au Logis de Greenleaf. Elle sortait avec Carter, depuis la première semaine d'été.

Je ne sais pas du tout ce qui est arrivé à Carter et à

Renée. Nous marchions tous ensemble et soudain ils avaient disparu.

— Il faudrait que j'aille les chercher? questionnai-je.

— Ce n'est pas grave, répondit Amy. Ils ne vont pas se perdre. Ils veulent simplement rester un peu tous les deux. Tu as peur de rester seul avec moi?

— Bien sûr que non. Je me demandais seulement...

— C'est O.K., Bobo, ne t'inquiète pas, insista-t-elle doucement.

Nous avons dépassé le portail, par lequel on entrait sur le terrain du remonte-pente. L'air était froid et vif, comme à la fin de l'automne en Géorgie. J'ai cru entendre une chouette, vers le bas de la colline. Au loin, je voyais la ligne découpée des montagnes et l'horizon foncé et pourpre, sous le clair de lune. Nous sommes passés sous un pin et Amy, prenant ma main, m'entraîna dans l'ombre de ses ramures.

— J'ai froid, tu peux me serrer un peu contre toi pour me réchauffer?

Elle s'est approchée et je l'ai enlacée. Elle s'est blottie contre moi, entourant ma taille de ses bras et laissant reposer son visage sur mon torse. Je sentais une odeur délicate de fleurs, dans ses cheveux mordorés. Ses seins pressaient doucement ma poitrine.

— C'est bien, affirma-t-elle. Tu es tout chaud.

— Toi aussi, répondis-je.

Au bout d'un moment, elle me demanda :

— As-tu une copine, chez toi, en Géorgie?

Je savais que c'était un test. Carter avait parlé à Amy de Caroline, de même qu'il m'avait parlé d'Adam. Dans les belles histoires, Carter adorait les embrouilles.

— Il y a une fille avec laquelle je sortais quand nous étions en classe ensemble.

— Comment s'appelle-t-elle?

— Caroline.

— Ah bon. Et tu lui écris?

— Oui. Quelquefois.

— Tu dois te sentir très seul, si loin de chez toi?

— Un peu, oui.

Je l'admis et j'ajoutai :

— Mais c'est devenu moins difficile qu'au début.

— Tu crois que ça me plairait, chez toi?

— Oh, ça m'étonnerait. C'est juste une grande ferme.

— Je n'ai jamais été dans une ferme, déclara-t-elle. Pas dans une vraie.

— Et toi, lui demandai-je. As-tu un copain?

Elle leva les yeux vers moi.

— Je ne sais pas.

J'essayai d'être superficiel, comme l'aurait été Carter, me semblait-il.

— Aurais-tu oublié?

Un semblant de sourire, comme une ombre fugitive, est passé sur ses lèvres.

— Nous nous sommes disputés, juste avant que je parte.

— Pourquoi?

— Il est très gâté. Il croit qu'il peut avoir tout ce qu'il veut, simplement parce qu'il a de l'argent.

— Je ne connais personne d'aussi riche, lui assurai-je.

Un sourire glissa à nouveau sur ses lèvres, puis éclaira tout son visage.

— Ce n'est rien de spécial, Bobo, c'est juste de l'argent.

Je ne dis plus rien et elle logea à nouveau son visage contre ma poitrine.

— Il ne ferait pas cela, énonça-t-elle doucement.

— Ne ferait pas quoi?

— Me tenir dans ses bras, pour me réchauffer. Il voudrait aller dans la voiture et mettre le chauffage. Ce n'est pas une personne chaleureuse.

— Il raterait une vue superbe, marmonnai-je.

J'ai senti sa bouche contre ma chemise.

— De quoi? demanda-t-elle désinvolte.

— Oh! d'un tas de chose, répondis-je. Des montagnes.

Elle a relevé son visage et sa main s'est déplacée de ma taille vers mon cou. Elle m'a attiré doucement vers elle et m'a embrassé. Je sentais la chaleur de sa langue au bord de mes lèvres et je me suis détourné.

— Carter a dit que je devrais t'embrasser la première, murmura-t-elle. Il m'a prévenue que tu aurais peur. Tu as peur, Bobo?

Je secouai la tête.

— Toi non peut-être, dit-elle, mais moi, je pense que j'ai eu peur... de moi.

Je la suppliai :
— N'aie pas peur, s'il te plaît.

Elle m'a embrassé à nouveau, sa langue cherchait ma bouche. Elle tremblait de tout son corps. Elle s'est écartée, puis a enfoui son visage contre moi. Je sentais son cœur battre follement.

— Est-ce que tu veux que, nous deux, on devienne des amoureux, Bobo ?

Je fis signe que oui.

— Ce ne sera pas facile, remarqua-t-elle.

— Je sais.

— Il y aura tant de choses contre nous.

— Quelles choses ?

Elle ne répondit pas. Elle était tout contre moi, me serrant dans ses bras. Puis, elle m'annonça.

— J'ai quelque chose pour toi.

— Quoi ?

— C'est dans la voiture, dans mon sac.

— Ta photo ?

Elle acquiesça.

— J'espère qu'elle te plaira.

— Je peux la garder ?

Je sentis sa tête bouger contre mon épaule.

— Je veux dire, quand tu seras partie.

Elle hocha à nouveau la tête.

Joël et Édith Lourie étaient assis, devant l'entrée de l'Auberge, sous le porche, avec Nora Dowling, lorsque nous sommes revenus. J'ai traversé la pelouse avec Amy, pour les rejoindre.

— Eh bien, les voici, dit Nora avec soulagement. Nous commencions à nous inquiéter.

— Nous avons bu un Coca à Margaretville et Carter devait ensuite conduire les autres à Greenleaf.

Amy mentait allégrement.

— Vous vous êtes bien amusés ? demanda son père.

— C'était super, dit Amy.

Puis se tournant vers moi :

— Merci de m'avoir emmenée avec les autres, Bobo.

J'étais nerveux et je savais que cela se voyait.

— Mais il n'y a pas de quoi. Tu peux venir quand tu veux.

Joël Lourie sortit son portefeuille.

— Laissez-moi payer les billets, proposa-t-il avec amabilité.

— Non, monsieur, répondis-je un peu vite. Je ne pourrais accepter.

— Mais si, vous devez.

— Non, monsieur. Je ne peux vraiment pas.

Je regardai furtivement Amy. Elle réprimait un fou rire.

— Range ton argent, Joël, dit Nora.

Elle me regardait avec tendresse.

— C'est un homme du Sud. Ce sont des gentlemen. Je pense que, l'an prochain, je ne prendrai que des gens du Sud, pour travailler ici.

Joël Lourie avait le rire facile. Il glissa son portefeuille dans sa poche.

— Excusez-moi, je ne voulais pas vous vexer.

— Vous ne m'avez pas vexé du tout, répondis-je.

J'ai jeté un nouveau coup d'œil à Amy.

— A demain matin.

— Bonne nuit, Bobo, dit Amy.

Pendant que je m'éloignais, j'entendis Nora.

— Ce qu'il est gentil, ce garçon, vraiment gentil!

Carter m'attendait de l'autre côté, devant notre Antre. Il fumait une cigarette et observait les volutes de fumée qui montaient, en rubans bleus dans le ciel brumeux.

— Viens, me commanda-t-il, on va faire un tour.

Je l'ai suivi, traversant la rue jusqu'à la piscine. Nous nous sommes installés dans des chaises longues. Carter était d'une humeur langoureuse et il ne dit rien avant d'avoir fini sa cigarette.

— Une sacrée soirée, hein! dit-il, en s'appuyant au dossier de sa chaise et en contemplant le ciel.

— Ouais, c'était bien, répondis-je.

Il a tourné la tête vers moi et m'a regardé.

— Alors, raconte, comment as-tu fait ?

— Que veux-tu dire ?

— Je veux savoir ce qui est arrivé, bon Dieu. Je t'ai laissé assez de temps, non ? J'ai failli me geler les couilles, à mort !

— Mais il n'est rien arrivé... Et vous ?

— Je lui ai mis la main dessus, gloussa Carter triomphant. Et là, Bobo, c'était doux et chaud.

Il fit une pause, souffla doucement et remua sa main de chanceux au-dessus de sa tête.

— Et tout humide. Je crois que je suis tombé amoureux, Bobo.

— J'en suis ravi, rétorquai-je. Écoute, il est tard...

Son visage se tordit en une méchante grimace.

— Ah ouais, j'allais oublier. Il te reste encore une lettre à écrire, n'est-ce pas ?

— Quelle lettre ?

— Mais ta lettre à Caroline.

— Arrête, Carter. Pas maintenant.

— C'était juste pour rire, Bobo, pour rire un peu, ne sois pas si sérieux. Confie-moi ce qui t'est arrivé, avec la plus belle fille que tu aies jamais vue.

— Nous avons marché et parlé, dis-je.

— Et c'est tout ?

— Je l'ai prise dans mes bras.

— Tu l'as embrassée ?

— Oui, répondis-je après un silence.

— Espèce de salaud. J'espère que ta langue va sécher dans ta bouche.

Carter soupira.

— Et c'était bon ?

— C'était bien, répondis-je avec un sourire.

— Bien ?

Je répétai :

— Oui. Bien.

— Et c'est tout ? C'était bien ? Tu embrasses cette femme et tu dis que c'était bien.

Il ricana.

— Mais avant que tu aies le temps de te retourner,

Bobo, je serai obligé de louer un habit et je me tiendrai debout, devant ton prêcheur de frère et un foutu rabbin de je ne sais où et toi, tu seras à sept mois de devenir papa.

— Oh! ne commence pas, Carter, lui dis-je.

— D'accord, d'accord, marmonna-t-il. C'est pour rire, Bobo.

Il entrelaça ses doigts et croisa ses jambes à la hauteur des chevilles, imitant les personnes âgées qui restaient dans les chaises longues, aux heures chaudes de la journée.

— Mais il y a un truc dont on doit discuter, ajouta-t-il au bout d'un moment.

— De quoi s'agit-il?

— C'est au sujet d'Amy.

— Quoi, au sujet d'Amy?

— Je ne t'en ai pas parlé jusqu'à présent, je ne pensais pas qu'il le faudrait. Mais vraiment, Bobo, parfois tu es tellement bouché que tu rates des choses.

— Et qu'est-ce que j'ai raté? lui demandai-je.

Carter se tourna à nouveau vers moi.

— Cette petite remarque, à propos de ton frère et le rabbin. Je crois que tu n'as pas compris.

— Qu'est-ce qu'il y avait à comprendre?

— Mais Bobo, Amy est juive!

Il avait un ton inhabituellement sérieux et ferme, à tel point qu'il me mit en colère.

— Je sais qu'elle est juive.

Il s'est assis sur le côté de la chaise longue, me faisant face. Il a posé ses coudes sur les genoux et laissa pendre ses mains entre ses jambes.

— Sais-tu seulement pourquoi je veux devenir un homme politique? demanda-t-il.

— Non, bien sûr.

— En partie parce que mon père est un juriste et que je veux monter un degré plus haut sur l'échelle, répondit-il. Mais la véritable raison, c'est que je suis capable de lire les pensées des gens. C'est un peu comme toi, quand tu fais le portrait de quelqu'un. Tu les vois de l'extérieur, mais moi, je les perçois de l'intérieur. Je crois que les gens qui ont cette faculté doivent être des hommes politiques ou des prêtres, l'un ou l'autre. Moi, je préfère la politique à la religion.

— Mais qu'est-ce que tout cela signifie ? demandai-je.

— En ce qui concerne Amy, cela veut dire que tu sais qu'elle est juive, mais que tu ne sais pas ce que signifie être juif. En tout cas, l'être par ici, dit-il sur un ton calme et sentencieux. Et je suis sûr que tu ne sais pas non plus ce que cela veut dire l'être chez toi, en Géorgie. Tu m'as demandé si je pensais que sa mère avait cru l'histoire que j'ai montée, au sujet de notre sortie au cinéma, et je t'ai répondu que non. Mais pourquoi crois-tu que sa mère est si inquiète à ton sujet ? Elle sait très bien ce qui se passe, Bobo. Je ne sais pas comment, mais elle le sait, tu peux en être certain. Amy le lui a peut-être dit. Mais après ce soir, elle va te surveiller comme une tigresse.

Carter a fouillé dans sa poche pour prendre une autre cigarette, et il l'a allumée. Il est retombé en arrière dans sa chaise longue et s'est mis à envoyer rapidement de petits cercles de fumée, dans la nuit. Puis il continua aimablement.

— Les soirées sont-elles aussi fraîches en Géorgie ?

— Non, pas en été.

— Alors, je pense que je vais déménager par là-bas, marmonna-t-il. Je déteste me geler le cul.

— Il se transformera en sueur, lui répondis-je. Carter, pour toi, qu'est-ce que cela signifie qu'Amy soit juive ?

— Que jamais rien ne se passera entre vous, Bobo. Rien de plus que ce soir. Oh, tu as pu fricoter un peu avec elle et ça t'a plu, mais c'est tout ce que tu pouvais espérer. Il y a des choses qui ne se font pas, tout simplement. Une juive de New York avec un péquenot de Géorgie — ça en fait partie.

J'ai repensé à l'avertissement d'Amy : « Il va y avoir tant de choses contre nous. »

Dans mon rêve, j'ai vu Caroline dans la chaise longue, celle ou Carter s'était assis la veille. Elle avait une expression contrariée. Elle m'a regardé.

— Tu m'as menti. Comment as-tu pu me mentir ?

Je me suis réveillé en sursaut, les paroles de Caroline résonnaient à mes oreilles.

Lila était sur le bord de mon lit, me caressant doucement le bras.

J'ai commencé à parler, mais Lila a mis sa main sur ma bouche.

— Ne fais pas de bruit, chuchota-t-elle, en me montrant de la tête le mur qui séparait ma chambre de celle occupée par le courtier et la femme du juge.

— Quelle heure est-il ? lui demandai-je.

— Une heure et demie, peut-être deux heures.

— Que fais-tu là ?

Elle sourit avec simplicité.

— Je suis venue te border. C'est un nouveau service que l'on offre aux clients préférés.

— Allons, Lila, arrête.

— J'ai dit *border*, Bobo, je ne fais rien d'autre. Je reste assise, c'est tout.

La lumière entrait par la fenêtre : c'était une aurore morne et sombre. Le visage et la silhouette de Lila se dessinaient en contre-jour.

— Où est Sammy ? demandai-je.

— Tu ne le sais pas ? Il est dans sa boutique.

— Tu ne devrais pas rester ici.

— Mais n'en fais pas un tel cas, répondit-elle. Je suis montée pour prendre les bouteilles et le plateau du dîner, devant la porte d'à côté et je suis venue voir si tu étais là. Je te regardais dormir, tout simplement. Est-ce que tu étais en train de rêver ?

— En effet.

— C'est ce qui m'a semblé. Ce devait être un beau rêve, parce que tu t'es mis à sourire.

— Je ne me rappelle plus. J'ai eu du mal à m'endormir. Le comité de distractions d'à côté est parfois un peu agité.

Lila sourit avec délices.

— Voilà des gens en or, hein ? D'ordinaire, quand ils sont là, je me glisse dans cette pièce et j'écoute. Cela m'excite d'entendre crier ; et elle, c'est une gueularde.

Elle a quitté doucement le lit et s'est approchée prudemment de la fenêtre, pour regarder dehors.

— Je crois sincèrement que tu devrais t'en aller, repris-je.

— Dans une minute, répondit-elle calmement.

Elle souleva les rideaux.

— Il travaille encore. Je vois son ombre sur la rue, quand il bouge. Il va encore y rester au moins une heure, je pense.

Elle laissa retomber le rideau et se tourna vers moi.

— Tu sais qu'il fait ça quand tu es là, n'est-ce pas, Bobo? Je ne crois pas qu'il pourrait l'encaisser, s'il ne pensait pas t'impressionner.

— Mais c'est vrai qu'il m'impressionne, dis-je, c'est une grande passion.

— Oui, mais sans talent, chuchota-t-elle.

Elle se rapprocha.

— C'est la passion qui compte, affirmai-je.

Son regard m'indiqua clairement que quelque chose m'échappait dans leur relation.

— Bien sûr que ça compte, dit-elle. C'est pour cela que je reste avec lui. Imagine-toi, Bobo, j'ai divorcé d'avec un juriste de Wall Street, pour épouser Sammy. C'était le salaud avec la plus belle gueule que j'aie jamais vue. Son visage semblait copié sur la couverture d'un numéro de mode de *Esquire*. Nous buvions du champagne qui ferait passer pour de la vraie piquette le truc qu'apporte la femme du juge. J'avais plus d'argent, caché dans une boîte de Tampax, que Sammy et moi en avons à la banque. Mais tu veux savoir la vérité, Bobo? Je préfère vivre une vie entière avec Sammy, même si c'est une chiffe molle, que de passer un quart d'heure avec mon ex-mari.

— Désolé, répliquai-je, je ne voulais pas.

Elle leva la main pour m'interrompre.

— Connais-tu le Playhouse de la Montagne?

Je secouai la tête.

— C'est une sorte de boîte pas chère, juste à côté de l'autoroute, près de la sortie de Shandaken. Sammy aime bien y aller. Il y a plusieurs orchestres : folk, rock, jazz. Et ils ont tous en commun de n'être pas assez bons pour réussir. Ils se donnent comme des fous, Bobo. Quand ils montent sur scène, ils bossent plus dur que Michael Jackson. Et, à la fin, tout le monde déplore qu'ils ne soient pas en train de faire des tournées à travers le monde. Sammy est toujours au milieu d'eux à diriger le chœur des louanges et des acclamations. Et sais-tu seulement pourquoi?

Je le savais bien. C'était l'histoire de sa vie, son propre rêve réalisé par d'autres. Pourtant, je mentis à Lila.

— Non.

— Tous de la même trempe !

— Écoute, je ne voulais pas...

Lila leva à nouveau la main pour m'empêcher de parler.

— Ce n'est pas grave, je sais ce que tu penses. Tu penses que si Sammy est tellement passionné, pourquoi est-ce que je me plains ? Tu penses que je suis une nymphomane, pour chercher sans cesse à me faire baiser, alors que mon compagnon est si passionné. Mais il y a différentes sortes de passion, Bobo. Sammy est comme toi. Sa passion, elle est dans son âme et honnêtement, j'aurais parfois envie qu'elle se manifeste au lit. Mais je préfère tout de même celle de l'âme.

Elle m'a fait un sourire triste.

— Je suis sûre, ajouta-t-elle, que Caroline et moi on se ressemble sur beaucoup de points, notamment celui de pouvoir supporter des gens comme vous...

Je n'avais jamais pensé que Caroline et Lila puissent avoir quelque chose de commun.

— Je ne sais pas, dis-je. Tu as peut-être raison.

Elle m'a regardé longuement. Puis elle continua :

— Non, je ne pense pas que ce soit vrai. Il faudrait que Sammy et toi vous vous ressembliez, et ce n'est pas le cas, sauf en ce qui concerne l'âme. Il voudrait être comme toi, Bobo, mais il n'y arrivera pas. Jamais. Il n'est tout simplement pas assez bon dans son art, mais il fait beaucoup d'efforts, Bobo, crois-moi. Oh, que d'efforts, bon sang de merde !

Dans un soupir elle se tourna vers la fenêtre, puis se retourna.

— Je voudrais te demander un service.

— Dis toujours.

— Sammy voudrait t'offrir la pièce que tu vas utiliser pour le service funèbre de ton ami. C'est à cela qu'il travaille. Il la prépare pour toi, il lui construit un autre socle.

— Il veut me l'offrir ?

— Oui.

Elle fit une pause, ferma lentement les yeux, comme si elle cherchait à réprimer quelque chose de douloureux, puis elle les rouvrit.

— Je voudrais que tu l'acceptes. Je t'en supplie. Je me fous pas mal que tu la jettes ensuite, au milieu de la route de Kingston, mais prends-la.

— Bien sûr que je la prendrai. Avec plaisir, même.

Elle s'approcha, se pencha vers moi et m'embrassa sur la bouche, doucement, comme en passant.

— Merci, murmura-t-elle. C'est drôle, tu ne trouves pas, Bobo ? Toi et moi, nous avons aimé des fous à Pine Hill.

Elle m'effleura le visage de ses doigts.

— Sammy m'a tout raconté, au sujet de toi et moi faisant l'amour, et comment il le comprendrait.

— C'étaient seulement des mots.

— Je sais. Mais j'y pense, parfois.

— Alors pour moi, c'est un compliment, lui dis-je.

— C'en est un. Bonne nuit, Bobo. Je t'aime.

— Moi aussi, je t'aime, Lila.

Je n'ai pas fait de nouveaux rêves, mais je n'ai pas assez bien dormi pour rêver. J'étais couché, éveillé, et je remuais des souvenirs. C'est peut-être cela rêver. Je le crois.

J'ai toujours passé des nuits de ce genre, chaque fois que je retourne aux monts Catskills. C'est comme si j'avais de nouveau dix-sept ans, je suis rempli de crainte, devant ce que je vois et mes nouvelles expériences. Chaque instant est une visite que je rends aux ombres que j'ai connues, et à celle que j'étais à l'époque.

Lorsque Lila parle de Pine Hill comme d'une ville fantôme, elle veut dire que c'est un endroit désert, un village qui était autrefois vivant ; un village désormais contourné par la route qui le traversait autrefois. Pour moi, c'est une ville fantôme parce qu'elle est peuplée de fantômes.

Je les vois. Ils avancent d'un pas mal assuré, le long des contre-allées et ils sont assis dans des chaises pliantes, au bord de la piscine, laissée à l'abandon. Ils me demandent de l'eau — *Wasser ! Wasser !* — dans la salle à manger de l'Auberge, tandis que je suis en train de prendre mon repas avec Sammy et Lila. Ils se glissent hâtivement dans la cuisine, par les portes battantes, balancent plateaux ou assiettes, comme des clowns pendant leur représentation. Les visages sont rouges de la chaleur des cuisinières, et les foulards noués autour des cous sont tachés de sueur.

Installé à la pâtisserie de Dan, à une table où était placé autrefois mon lit, je sens à nouveau l'odeur des Marlboro de Carter, sur la couchette au-dessus de la mienne. Je peux rester debout dans la contre-allée, en face de chez Arch, à l'endroit où maintenant Sammy broie des pierres au nom de son art, observant les ombres qui vont et viennent, avec des mouvements vagues, comme si elles flottaient dans les airs.

En secret, j'aime à penser que ces fantômes souhaitent mon retour aux Catskills — que je suis un médium pour eux. Lorsque je suis à Pine Hill, ils se promènent avec entrain, comme autrefois. Pour moi, car ils savent que je les vois faire.

J'ai demandé un jour à un psychologue ce qu'il pensait de ce genre de sensations. Nous étions à un cocktail et il s'efforçait peut-être de paraître simplement très intelligent, mais ce qu'il m'a répondu m'a satisfait.

— C'est une réactivation. Votre esprit vous force, pour une raison quelconque, à revivre des moments importants de votre vie.

Je m'apprêtais à lui raconter la théorie d'Avrum sur le grand et irréversible changement qui se produit une seule fois dans la vie d'un homme, mais je ne l'ai pas fait. La fête était trop joyeuse. Personne ne songeait à des bouleversements, on s'efforçait de suivre le rythme.

Cela n'avait pas d'importance. Réactivation était le mot que j'avais besoin de connaître. C'était le mot juste.

Cela m'arrive constamment.

Il y a un endroit précis, dans la contre-allée, en face de chez Arch, où un jeune homme, qui vivait dans les montagnes, a sorti un cran d'arrêt contre moi. On avait plaisanté — ou bien c'est ce que je croyais — sur la guerre civile, les Yankees et les Rebelles, et j'avais fait une remarque sur un éventuel nouveau soulèvement du Sud.

Je ne me rappelle plus ce que j'avais dit, mais le jeune homme s'était énervé. Sa main avait plongé dans sa poche, et j'avais entendu le claquement du cran d'arrêt d'une lame d'acier. Il grogna :

— Espèce de salaud.

Puis, il lança son bras en arrière. Ben Benton était là. Il me saisit par la chemise et me jeta sur le côté. Ensuite il fit un pas vers le jeune homme. J'entendis le frottement du cuir le long du tissu — on aurait dit les froissements d'ailes d'une volée d'oiseaux effrayés — et lorsque Ben étendit les bras, il tenait à la main sa ceinture à la boucle gravée d'un ours. Il la plaça sous le nez de l'homme.

— Tu veux vraiment mourir ? siffla-t-il menaçant.

L'homme était devenu pâle. Il avait refermé son couteau et il s'était enfui.

Chaque fois que je me retrouve à cet endroit, je revois le geste de Ben Benton et je sens sa présence au-delà de sa pierre tombale.

Il y a beaucoup d'endroits de ce genre, comme des décors de scène, placés là pour le théâtre de la mémoire.

En 1955, il y avait une cabine téléphonique payante, juste en face de chez Arch. La première semaine où j'ai travaillé comme serveur, avec très peu de clients, j'ai gagné cent dollars exactement. Après avoir fait de la monnaie chez Arch, je suis allé téléphoner à la maison. C'est mon père qui me répondit.

— Quelque chose qui ne va pas ? demanda-t-il.

— Rien. Je suis heureux, tout simplement. J'ai gagné cent dollars cette semaine.

Il y eut un silence, lourd et long comme la distance qui nous séparait, puis mon père reprit :

— C'est moi qui paie cet appel, ou c'est toi ?

Je répondis :

— C'est moi, papa. Je ne te ferais pas payer le plaisir de fêter l'événement.

Il eut à nouveau un silence, plus long encore et plus coûteux que le premier, et mon père déclara d'une voix éteinte :

— Eh bien, maintenant, tu n'as plus cent dollars, n'est-ce pas ?

Et il raccrocha.

J'ai mis du temps à comprendre, mais mon père m'avait appris une leçon importante : il m'avait mis en colère et m'avait déterminé à faire la démonstration de ma propre valeur. Mon père avait compris que je me sentais seul et que je me languissais de la maison. Il savait qu'il fallait me lancer un défi.

Lorsque je me retrouve devant cette cabine téléphonique, je me souviens de mon père. Et il me manque. Il n'est jamais venu aux Catskills, mais c'est pourtant un fantôme aussi.

Tant d'endroits, tant de décors pour le théâtre de ma mémoire.

Le banc d'Avrum.

Rester assis près de lui à l'écouter, ébloui par toutes les choses qu'il connaissait.

Le bouleau dans la montagne, où Amy et moi avions commencé nos rendez-vous.

La piscine, où Carter et moi allions bavarder, lorsque l'un de nous voulait se confier.

Les salles de cinéma de Margaretville et de Fleischmann.

La station du remonte-pente de Belleayre.

Woodstock. Le Grand Indien. Shandaken.

En chacun de ces endroits, un souvenir.

Et Amy Lourie, partout. Partout.

Je n'ai jamais été capable de parler à Caroline de ces fantômes, de mes ombres. C'est la raison pour laquelle je n'ai jamais voulu qu'elle vienne avec moi rendre visite à Avrum. Je pense que si elle avait été là, les ombres seraient restées cachées.

Pour Caroline, les ombres ne seraient sans doute que des illusions, perte de temps d'un rêveur.

8

Carter Fielding est un avocat qui a ses bureaux à Phoenicia. Il a été marié et divorcé deux fois, et la carrière politique, dont il rêvait quand il était garçon de salle à l'Auberge de Pine Hill, fut sacrifiée à ce qu'il appelle lui-même « un scandale durement gagné ».

Il a une attitude philosophique à ce sujet.

— Tout peut aller au diable, Bobo. J'aime l'amour et je n'y renoncerai pas, même si l'on me proposait de passer le reste de mes jours à la Maison Blanche ou de me faire couronner roi d'Angleterre.

Durant toutes ces années, lorsque je revenais aux monts Catskills, nous dînions ensemble et il racontait toujours à sa compagne du moment cet été où nous avions travaillé tous les deux, à l'Auberge de Pine Hill.

— Et il y avait cette fille, commençait-il.

Il fallait que j'endure l'histoire d'Amy Lourie, non pas telle que je la connaissais, mais telle que Carter avait choisi de se la rappeler.

Dans sa version, il avait été un héros. Selon la quantité d'alcool absorbé, il m'avait empêché de me suicider, ou encore il m'avait convaincu qu'une relation d'amour et l'éventualité d'un mariage avec une juive, dans les années cinquante — « les cinquante au cul pincé » comme il les appelait — auraient été un désastre.

— Elle était belle, disait-il. Ça, oui, elle était belle.

Je n'ai jamais rétabli la vérité, même lorsque sa version était absurde, comme elle le fut, le soir où il a déclaré à une blonde platine du nom de Billie, qu'il nous avait vus, Amy et moi, faire l'amour sous un pin, à la station du remonte-pente de Belleayre.

— Je ne savais pas que tu étais là, lui dis-je. Cela me gêne terriblement.

Carter m'a dit qu'il attendait mon appel téléphonique, après avoir lu dans le journal qu'Avrum était mort.

— Je suis arrivé hier, lui déclarai-je, mais j'ai eu beaucoup à faire.

— Pas de stress. Je savais que tu téléphonerais, répondit-il. Je croyais qu'il vivrait plus vieux que Dieu.

— Il a bien essayé, dis-je.

— Eh bien, désolé, Bobo. Je sais que tu l'aimais bien. Moi aussi d'ailleurs, même si je trouvais qu'il était fou à lier. On va se faire un dîner pendant que tu es là, n'est-ce pas? J'espère que tu n'es pas venu juste pour faire l'aller et retour, et que tu as un peu de temps?

— Bien sûr. Je vais rester au moins une semaine. Et pour le dîner, c'est quand tu voudras. Mais, en fait, il faut aussi que je règle quelques affaires avec toi.

— Tu veux parler d'affaires où l'un paie une tonne de dollars à l'autre?

— Si tu es un avocat de ce genre-là! Et je n'en connais pas qui ne soient pas comme ça.

Il rit.

— Qu'est-ce qu'il te faut, Bobo?

— Je dois régler les affaires d'Avrum, lui annonçai-je.

— Bon, ramène ton cul. C'est ma spécialité.

— Je pensais que tu étais spécialisé dans l'immobilier, dis-je.

— Aussi. Quand peux-tu venir?

— Après le déjeuner, vers une heure, lui proposai-je.

— Très bien. J'ai justement un créneau.

— Les affaires vont si mal, Carter?

— Bobo, je suis juriste, répondit-il en imitant l'accent du Sud, les affaires ne vont jamais si mal que ça.

J'ai passé la matinée à relire les papiers d'Avrum en les

interprétant : tout m'était légué et je devais en disposer immédiatement. Aux yeux des autres, cette clause confirmait qu'il était bien fou. Moi, je savais qu'il n'aimait pas prendre de décisions, car certaines lui auraient coûté. Il valait mieux laisser quelqu'un d'autre le faire. Pour Avrum, ce qui était mort était mort. Seuls l'esprit et l'imagination pouvaient garder quelqu'un en vie, comme il avait conservé vivante la voix d'Amélita Galli-Curci aux monts Catskills.

Sol Walkman m'a appelé au milieu de la matinée, pour me signaler qu'il avait fait nettoyer la chambre d'Avrum et que parmi les résidents de la maison régnait une atmosphère de regrets et de contrition.

— L'un d'entre eux est venu me voir ce matin, dit-il. Il savait que l'on avait dérobé des objets personnels dans la chambre d'Avrum et m'a donné des noms.

Je demandai s'il avait vérifié les faits.

— Oui. Il avait raison, me répondit Sol. Je le savais bien, mais ils disaient toujours tous la même chose. Chaque objet trouvé chez eux leur avait été donné par M. Feldman lui-même, en cadeau.

— Pas mal vu.

— Ils ont peur de ce qui pourrait leur arriver.

— Cela n'a pas d'importance. Laissez-les garder ce qu'ils ont. En un sens, je pense qu'Avrum aurait admiré leur courage.

J'entendais, au ton de sa voix, que Sol était très soulagé.

— De cette façon-là, ce sera plus facile.

Puis après un silence :

— Vous avez regardé la télévision, hier soir ?

— Non. Pourquoi ?

— Vous auriez dû. Vous passez très bien à l'écran.

— Ils ont utilisé des extraits de l'interview ? questionnai-je.

— En fait, c'était l'interview tout entière, rétorqua Sol. On a aussi eu plusieurs appels, au sujet du service funèbre.

— De qui ?

— Je ne sais pas vraiment, répondit Sol. C'est le bureau d'accueil qui les a pris. Surtout les médias, je suppose. C'était juste pour confirmer l'endroit et l'heure du service.

— J'espère qu'ils ne seront pas déçus. A propos, vous allez recevoir une livraison de Sammy Merritt. C'est une sculpture qu'il a voulu dédier à Avrum.

— Vraiment ?

Je perçus, au son de sa voix, qu'il connaissait les œuvres de Sammy.

— Disons que je suis obligé d'accepter mais que cela reste entre nous, lui confiai-je.

— Je comprends.

Carter est le genre d'homme qui a vieilli avec grâce, malgré les excès qu'il a imposés à son corps, dans sa jeunesse. Ses cheveux grisonnent, mais ils sont encore épais. Il a dix kilos de trop, mais reste musclé, grâce au tennis et au jogging. Il a cessé de fumer il y a vingt ans et pourtant, il jure qu'il languit pour une cigarette, à toute heure du jour. Il a eu une petite crise cardiaque, peu après quarante ans ; un souvenir qui le terrifie encore. Maintenant, son vice consiste à boire du bon vin et du whisky pur malt. Il est convaincu qu'ils conservent sa fluidité au sang.

Le bureau qu'occupe Carter — l'ancien cabinet juridique de son père — est trop prétentieux pour Phoenicia. Les murs sont capitonnés, les moquettes sont à poils doux et longs. Le mobilier, imposant et cher, est agencé avec un peu trop de recherche, et Carter sait que je trouve l'ensemble criard. C'est le genre de bureau d'un administrateur ou d'un homme politique qui dispose de bons appuis. C'est pour cela peut-être que Carter s'y sent bien. Puisqu'il ne peut être un homme politique, il peut néanmoins en adopter le style de vie. Alors qu'il travaillait plutôt à perte, j'ai toujours pensé que le bureau de Carter était une sorte de leurre. Afin que les honoraires demandés soient en conséquence. Mais, en vérité, sa première femme était fortunée et c'est elle qui avait aménagé le bureau. Elle a volontiers cédé le tout à Carter, au moment du divorce, lorsqu'il eut découvert qu'elle le trompait avec l'un de ses anciens associés.

— Bobo, ils baisaient sur mon bureau de merde, me déclara-t-il un jour. Je veux dire dessus ; au sens propre. Je m'étais toujours demandé pourquoi il était si grand. Pour communiquer d'un bout à l'autre, il fallait un interphone. Mais la roue tourne. Et elle a surpris ce salaud qui sautait sa sœur. Je l'ai fait rayer du barreau.

Carter m'attendait à la réception. Il discutait avec une jeune femme que je n'avais jamais vue auparavant. Il me l'a présentée. C'était Libby Blister, sa nouvelle secrétaire-réceptionniste. Je n'ai pas eu besoin de me demander s'il existait entre eux plus que des relations professionnelles. L'expression du visage de Libby Blister ne trompait pas.

Dans son bureau, Carter nous a servi du café dans un service en argent et m'a annoncé avec fierté qu'il avait enfin rencontré quelqu'un qu'il aimait vraiment.

— N'est-elle pas un peu jeune? hasardai-je.

— Merde alors, Bobo, tu pourrais être assez chic pour me laisser le temps de te faire deviner. Cela se voit donc tellement? répondit-il en me tendant ma tasse.

— Sur elle, oui, dis-je. Mais toi, tu n'as pas non plus l'air trop malheureux.

Il se laissa tomber dans un siège, près de moi.

— Ouais, je pense que tu as raison sur les deux tableaux.

— Et alors, c'est sérieux? demandai-je.

— C'est en train de le devenir. Au fait, avant que tu ne le demandes, elle a vingt ans de moins que moi, mais elle croit que c'est quinze. Je lui ai menti et tu ne vas pas me vendre, hein? Nous avons travaillé ensemble en 1960 et pas en 1955, d'accord?

Il leva sa tasse en guise de toast.

— A l'amour, Bobo, dans toute sa splendeur.

— A l'amour, répétai-je.

Nous avons bu notre café.

— Et toi, est-ce que tu apprends quelque chose sur l'amour à l'Auberge? ironisa Carter.

— Qu'est-ce que tu veux dire?

— Tout le monde le sait.

— Quoi?

— Le courtier et la femme du juge, répondit Carter. Ils sont revenus!

— Tu es au courant, pour eux? m'exclamai-je, surpris.

Carter se mit à rire.

— Nous sommes peut-être d'humbles montagnards, Bobo, mais nous avons aussi nos réseaux, nos sources de renseignements pour les ragots.

Il sourit triomphalement.

— Nous sommes un peu comme vous, les péquenots du Sud.

— J'ai toujours su que nous étions pareils, lui rétorquai-je. Alors, que devraient-ils donc m'apprendre, le courtier et la femme du juge?

— Plein de choses, fit Carter, sentencieux. D'abord, ce que c'est que d'avoir des couilles. Ensuite, comment être arrogant et ne pas avoir froid aux yeux. Je les ai vus une fois dans un restaurant. Ils étaient assis à une table, à côté de moi, et tu me connais, je suis d'un naturel curieux. Question de caractère, je suppose. Alors j'ai écouté. Ils parlaient d'une perte financière qu'il avait eue sur le marché. Elle lui en a demandé le montant et il lui a dit : « Soixante-dix mille. » Tu sais ce qu'elle a fait, Bobo? Elle a retiré sa montre et sa bague et elle les a posées sur la table devant lui : « Ça devrait suffire. » J'avais envie de me lever et lui faire sortir toute sa merde, à cette petite salope!

— On dirait qu'elle s'est bien débrouillée, dis-je.

— Ouais, répondit Carter.

Le souvenir de la femme du juge le fit rire, puis il reprit :

— Bon, débarrassons-nous d'abord de nos affaires. Qu'est-ce qu'il te faut?

— Je voudrais te laisser les papiers qui concernent Avrum, lui expliquai-je. Tout m'a été légué, mais je voudrais que tu fasses le micmac légal nécessaire, pour que l'ensemble soit transféré à la maison de retraite.

— Le tout?

— Tu prends tes honoraires, mais tu donnes tout le reste à la maison, lui répliquai-je.

Carter écarta cette dernière remarque d'un geste de la main.

— Les honoraires, la maison te les offre. J'aimais bien ce vieillard, Bobo, même s'il était fou à lier. En plus, s'il n'avait pas été là, tu ne serais pas revenu toutes ces années.

— Merci, Carter, dis-je. La maison saura bien utiliser ce qui lui reviendra. J'ai vraiment changé d'avis au sujet de l'endroit. Je croyais qu'ils s'en foutaient, mais j'avais tort. Ils s'en occupaient beaucoup.

— Combien y a-t-il à son actif?

— Je n'en ai aucune idée, lui répondis-je. Je n'ai même pas examiné ses finances, seulement ses instructions.

— Bon. Je vais voir. Peut-être faudrait-il qu'on cherche à obtenir quelque chose comme une « Salle Avrum Feldman ».

— Oh, non!

— C'est toi qui décides. Ne t'inquiète pas. Je vais m'en occuper. Mais tu es sûr qu'il n'y a pas quelque chose que tu voudrais pour toi?

J'ai pensé à la chambre d'Avrum, aux larcins des pauvres vieillards épouvantés par une boîte contenant des chandelles.

— Il y a une boîte en acajou dans laquelle il conservait quelques objets. J'aimerais bien la garder.

— Prends-la, me dit Carter, généreux. O.K.! C'est tout pour les affaires?

— Oui. En ce qui me concerne. Tu sais où me joindre, si tu as besoin de moi.

— Alors on y va, fit-il en se levant.

— Mais où allons-nous?

— Bobo, tu es beaucoup trop curieux. Tu l'as toujours été.

Il appuya sur une touche de son interphone:

— Libby, on sort pour une heure environ. Tu peux surveiller la boîte?

Une voix répondit avec beaucoup de douceur:

— Certainement. Sois prudent.

Carter me sourit et me fit un clin d'œil.

— C'est mon cul qu'elle apprécie, murmura-t-il.

Nous nous sommes rendus en voiture à Woodstock qui avait été, en 1955, une petite colonie d'artistes. Pendant des années, des touristes y étaient venus en masse, pour les ren-

contrer et acheter certaines de leurs réalisations. On continuait à parler du festival de rock devenu, depuis, une
légende.

— C'est extraordinaire, Bobo, disait Carter pendant que
nous traversions lentement la ville, ça a été un endroit
important, n'est-ce pas ? Maintenant, c'est aussi moche
qu'un bordel de La Nouvelle-Orléans. Ces foutus concerts de
rock l'ont complètement transformée. Ce qu'on pouvait
s'éclater ici !

— Tu y es allé ? demandai-je étonné. Je ne savais pas.
Tu ne m'en as jamais dit un mot.

Il haussa les épaules et tambourina de ses doigts sur le
volant.

— Je n'en ai jamais été vraiment très fier, confessa-t-il.

— Et pourquoi ?

— Tu sais, je suis beaucoup plus conformiste que tu ne
le crois, souffla-t-il.

— Bien sûr, je le sais. J'ai toujours pensé que c'était là ta
plus grande qualité, Carter. En fait, j'ai toujours cru que cet
aspect aurait pu suffire, à lui seul, pour te faire monter
jusqu'à Washington.

Carter éclata de rire et ralentit, pour laisser passer une
fille qui portait des jeans coupés au genou et un mini T-shirt.
Ses cheveux étaient rassemblés en une queue de cheval qui
se balançait dans le creux de son dos. Ses seins dansaient
librement sous le T-shirt.

— Merde alors, murmura Carter. T'as vu ces bouts de
seins, Bobo ? Est-ce que quelqu'un avait des bouts de seins
comme ça, quand on était jeunes ?

— Mais que fait-on ici ?

— Je voudrais te montrer quelque chose, mais ailleurs.
J'ai simplement pensé qu'une promenade dans le coin te
ferait plaisir, en souvenir du bon vieux temps.

— Mais il n'y a rien du bon vieux temps, rétorquai-je.
En tous cas, rien que je reconnaisse.

— Tu nous oublies, Bobo.

Il rit à nouveau.

En sortant de Woodstock, nous nous sommes dirigés
vers le nord-est, toujours plus haut dans la montagne. Carter
parlait avec insouciance, me racontait comment il avait

connu Libby Blister. Elle était en vacances d'été à Phoenicia, séparée de son mari. Carter l'avait rencontrée un après-midi, pendant qu'il faisait une cure. Elle avait demandé à le voir au sujet de son divorce. Il ne tarissait pas d'éloges sur elle : c'était la femme la plus fantastique au lit. Elle était aussi intelligente, sophistiquée, pleine d'humour, que patiente et belle.

— N'est-ce pas, Bobo ?

Je l'assurai que je la trouvais belle et que je me faisais une joie de dîner avec eux.

— Demain soir, proposa-t-il, ça te convient ? J'ai un rendez-vous avec un client ce soir. Une histoire de faillite.

— D'accord, acquiesçai-je.

Nous avons poursuivi notre lente promenade et Carter s'est mis à parler de la fermeture des hôtels de vacances, dans la vallée de Shandaken. Je croyais entendre Lila. Il disait que c'était un triste signe des temps. Il s'était personnellement occupé d'une demi-douzaine de dépôts de bilan, et il devait y avoir une faillite.

— De grandes et belles demeures, commenta-t-il.

Je reconnus deux ou trois noms qu'il cita.

— Si tu as envie de revenir dans la région et acheter pour pas cher, consulte-moi, conseilla-t-il. Ce serait le moment maintenant, mais qui sait si on peut vraiment faire remarcher le tourisme, merde alors ! Aujourd'hui, tout le monde va en Europe, vers l'ouest, ou en Floride. Il fut un temps où l'on venait aux Catskills, parce que c'était le paradis !

Il ralentit et quitta la route, là où se trouvait une boîte aux lettres sans nom, envahie par la vigne vierge florissante. Le chemin était couvert de gravier. Il tourna et retourna au milieu d'un bosquet de pins, jusqu'à une imposante ferme, en bois de cèdre, bien protégée.

— Alors ? Qu'en penses-tu ? demanda Carter.

— Impressionnant, commentai-je. Mais pourquoi sommes-nous ici ? Elle t'appartient ?

Carter ne répondit pas. Il sortit de la voiture et me fit signe de le suivre.

Devant la maison, Carter souleva une pierre, en extirpa un sac en plastique zippé, contenant des clefs. Il se dirigea vers la porte d'entrée, l'ouvrit et entra.

— Je suppose que tu as un droit légal pour entrer ici, dis-je.

— Mais bien sûr, Bobo, elle est sur le marché, de façon tacite, en quelque sorte. Un nouveau client à moi. Je garde les clefs cachées ici, parce que je ne veux pas que n'importe quel agent de la vallée aux couilles molles se permette de venir trafiquer la serrure. Mais une femme de ménage vient une fois par semaine et elle a besoin de pouvoir entrer.

Je pénétrai à l'intérieur. La maison était étonnante. Il y avait une grande salle que seul un artiste aurait pu concevoir, avec une cheminée de pierre, des étagères de livres. Toute une série de tableaux remarquables était exposée. Ils me parurent familiers, sachant pourtant que je ne les avais jamais vus.

Sur le côté, se trouvait un studio, inondé de lumière. Derrière moi, un large escalier montait en tournant et je savais qu'il conduisait à une chambre de maître, aussi extraordinaire que la grande salle. Je me retournai encore et j'aperçus la cuisine et un couloir qui menait aux autres chambres.

— Ça a l'air de te plaire, constata Carter joyeusement.

— Mais bon sang, Carter, à qui appartient cet endroit?

— A quelqu'un dont tu as peut-être entendu parler, répondit Carter. Jean Archer.

— L'artiste-peintre?

— Elle-même.

— Bien sûr que je sais qui c'est. Qui ne la connaît pas? C'est comme si quelqu'un fabriquait des voitures, sans savoir qui est Henry Ford.

J'avançais dans la grande salle, observant les tableaux. Je ressentis l'émotion et les frissons qui m'envahissent toujours, lorsque je contemple de puissantes œuvres d'art.

— C'est bon, hein! s'exclama Carter.

— Bien plus, c'est lumineux, répondis-je. Mais je n'ai jamais vu ces tableaux-là. Ni dans une exposition, ni dans une revue, ni ailleurs.

— Je suppose que tout cela est propriété privée, expliqua Carter. Tu es l'une des rares personnes à les avoir vus. Elle-même vit presque en recluse.

— Tu la connais? demandai-je, stupéfait.

— Eh bien, elle avait besoin d'un avocat, rétorqua Carter avec simplicité. Elle veut vendre et déménager à New Mexico.

— Ça alors! Et depuis combien de temps est-elle ici?

— Depuis trois ou quatre ans. Je crois qu'elle bouge pas mal, répondit Carter.

Je me dirigeai au hasard vers un tableau, près d'une des bibliothèques. Il représentait un jeune homme à genoux dans un champ, arrachant les mauvaises herbes autour d'un pied de tomates. Les toiles de Jean Archer me faisaient toujours penser aux œuvres des anciens maîtres, par leur lumière. Carter restait silencieux. Il observait.

— Je n'arrive pas à y croire, articulai-je enfin.

— Mais si, tu peux, murmura Carter. Mais tu auras du mal à croire ce que je vais te montrer maintenant. Viens.

Nous empruntâmes l'escalier vers la chambre de maître, au premier étage. La pièce était immense et impressionnante. Sur la gauche, en entrant, une cheminée dans une alcôve formait un salon. A droite, se trouvait un coin de toilette qui menait à une salle de bains. La seule chose étrange était l'absence de couleur et l'impression sinistre de solitude. De chaque angle, des spots dirigeaient leurs rais de lumière, sur un lit gigantesque.

Carter se tenait un peu à l'écart, pendant que j'examinais attentivement la pièce.

— Tu le vois? demanda-t-il.

— Quoi?

— Le tableau.

Je levai les yeux. Au-dessus du lit, était accroché un unique tableau, très grand. Il représentait une femme assise sur un banc, dans une gare. Elle portait des vêtements de paysanne, dans des tons gris et bruns. Les spots éclairaient le haut de sa tête. Je fis un pas en avant, vers le pied du lit. C'était un décor paysan, mais le visage n'était pas celui d'une paysanne.

— Est-ce que je me trompe, Bobo? Qui est-ce?

— Mon Dieu! murmurai-je.

— Je savais, dit Carter. Je le savais.

Le visage de la femme représentée sur la toile était celui d'Amy Lourie.

Sur la route du retour, Carter m'expliqua que sa découverte datait d'une semaine seulement, alors qu'il faisait un inventaire photographique pour l'assurance. Tout d'abord, il avait cru que la ressemblance entre Amy et la femme du portrait n'était qu'une coïncidence, une illusion de sa mémoire, mais le visage l'avait poursuivi. Il était revenu à deux reprises pour l'étudier de près.

— J'ai retrouvé de vieilles photos de cet été-là, Bobo. Il y en a une d'Amy à côté de la piscine, et une autre de vous deux chez Arch, et aussi une de nous trois, sous le porche de l'Auberge. C'était un jour ou deux avant qu'Amy ne parte. C'est Renée qui l'a prise. Comme nous étions jeunes! De vrais bébés, tu sais, Bobo! Et si naïfs. Je te jure, je ne crois pas avoir connu une génération de gens plus naïfs que la nôtre.

Il se tut un moment et hocha la tête, submergé par ses souvenirs.

— Après avoir vu ces photos, j'ai compris que ce devait être la même personne, mais c'était il y a si longtemps! Et pourtant — quand tu as regardé ce tableau —, tu aurais dû voir l'expression de ton visage, je savais que c'était bien ça. Il n'y avait pas de doute possible.

Je lui demandai pourquoi il ne m'avait pas appelé.

— J'y ai pensé, mais pour te dire quoi? « Hé, Bobo, j'ai retrouvé ta vieille copine! » Allons, je sais bien comment ces choses-là peuvent faire mal. Bon sang! tu sais, tu es pire que ne l'était le vieil Avrum, avec sa chanteuse d'opéra.

— Pourquoi crois-tu cela? objectai-je, agacé. Nous étions des enfants. C'était une aventure de vacances.

Carter rit, ironique. Il hocha lentement la tête et me jeta un rapide coup d'œil.

— J'étais là, Bobo, tu sais? Et tu reviens la chercher ici. J'en ai une vision rafraîchie, tous les deux ans ou presque.

— Mais c'est toi qui as commencé, pas moi!

— Seulement parce que tu n'en as pas eu le courage, mon vieux.

Nous avançâmes quelque temps en silence, dépassant Woodstock. Carter croyait que je pensais au tableau, mais ce n'était pas vrai. Je songeais à sa façon extraordinaire de me comprendre. Et c'était comme ça depuis la première fois où nous nous étions rencontrés. Il avait un certain don de divination, une capacité à lire dans les méandres des humeurs changeantes de l'autre. Nous ne nous rencontrions que lorsque je venais aux monts Catskills et pourtant, je me sentais plus à l'aise avec lui qu'avec mes propres frères.

— Comment ça va? demanda Carter au bout de quelques minutes.

— Ça va. Je suis curieux, je suppose. J'aimerais savoir pourquoi elle a posé pour ce tableau.

— Si j'arrive à prendre mon courage à deux mains, je demanderai à Archer, la prochaine fois que je la vois, si je la revois jamais.

— Tu ne peux pas lui téléphoner? questionnai-je.

Carter rit, d'un air insouciant. Un chevreuil bondit sur le côté de la route, sortant d'un bosquet de pommiers, et Carter freina et ralentit. Le chevreuil s'arrêta net, puis se tourna et repartit dans le fourré.

— Tu sais, Bobo, c'est une femme étrange. Tu ne peux pas lui parler comme ça. Il faut demander la permission. En fait, je ne sais même pas où la trouver. Je passe par son agent que je contacte, un geignard merdeux de New York. Et toi, que sais-tu d'elle au juste?

— Pas grand-chose — j'étais obligé de l'admettre. En tous cas, rien de sa vie privée. Elle a la soixantaine largement dépassée, je suppose. Je crois qu'elle a été dans l'un des ghettos juifs de Pologne, ou quelque part par là pendant la guerre. J'ai vu une rétrospective de certains dessins de cette période, elle n'était qu'une enfant à l'époque. Tout ce que je sais, c'est qu'elle a un talent fou.

— Et elle est riche, ajouta Carter. Elle tire un sacré paquet de fric de tous ses trucs.

— Dans son cas, c'est tout à fait mérité, assurai-je.

— Est-elle vraiment tellement extraordinaire? demanda Carter. Je veux dire, j'aime bien ses tableaux, mais je préfère les tiens, Bobo. C'est pourquoi je les garde chez moi, et pas au bureau.

Durant ces années, j'avais donné à Carter quatre ou cinq de mes tableaux préférés, en souvenir des grands moments de notre amitié. J'avais toujours eu l'impression qu'il les cachait dans un placard, et qu'il ne les ressortait que lorsque je venais.

— Et moi qui pensais que tu ne voulais pas t'embarrasser à les montrer en public, lui dis-je.

— Merde de merde ! marmonna Carter. Un jour, il y a un gars qui a voulu m'en acheter un, il y a cinq ou six ans. Il était venu dîner à la maison. Il est devenu complètement fou devant la scène pastorale. Il venait de l'Alabama ; ça lui rappelait l'endroit où il habitait.

— Et tu ne la lui as pas vendue ?

— Bien sûr que non, espèce de con. Puisque je te dis que je préfère tes tableaux aux siens.

— Carter, tu es un ami et je trouve très chouette ce que tu viens de me dire. Mais, comparé à Jean Archer, ce que je fais, sont des petits dessins tracés dans la boue.

— Mais bien sûr. Et Amy est une sorcière de mon cul, rétorqua Carter.

Nous sommes arrivés au pont qui traverse la crique de l'Ésope, dans le quartier est de Phoenicia. La crique était parsemée de flotteurs, des gens blottis dans de grandes chambres à air en caoutchouc, gonflées à bloc, qui descendaient comme des feuilles mortes, au gré du courant. Carter m'indiqua que c'était la seule industrie florissante de la région.

— Tu te rends compte, rouspéta-t-il, ils font fortune sur le dos de gens qui ne font rien d'autre que de se fourrer les fesses dans un pneu et qui s'amusent ensuite à les faire geler dans de l'eau glaciale.

Puis il ajouta, non sans plaisir :

— Mais c'est un endroit idéal pour draguer.

Nous étions dans la voiture de Carter, devant son bureau. Il se tourna vers moi.

— Eh bien mon vieux, j'espère que cela n'a pas produit de court-circuit dans ton système.

— Il n'y a rien à court-circuiter, Carter. Cela a été exactement comme je te l'ai dit — un été merveilleux, un souvenir magnifique, le genre d'histoire d'amour que chacun devrait vivre au moins une fois dans sa vie. Ça a beaucoup compté pour moi, je le sais. Ça m'a changé la vie — ou presque — et j'y repense plus souvent que je ne le devrais. Je suppose que je suis vraiment, comme Caroline me le répète assez souvent, un incorrigible et pitoyable romantique.

— Un pitoyable romantique? demanda Carter.

Il souleva les sourcils avec une expression de désapprobation feinte.

— Pas gentil, mon ami, pas très gentil.

— Cela ne veut rien dire, pour elle. C'est une sorte de phrase entre nous. Tu sais, le genre de plaisanterie complice qu'il y a entre mari et femme. En fait, j'aime bien ça, et elle le sait. De toute façon, c'est mieux que d'être traité de chiffe molle, je suppose.

— Pas beaucoup mieux, estima Carter.

Il jeta un coup d'œil à sa montre.

— Je te remercie du temps que tu m'as accordé, lui dis-je.

— Pas de problème, répondit-il.

Il ouvrit la portière, puis se ravisa un instant.

— Je vais m'assurer que c'est bien elle. Nous pourrions nous tromper. Ce pourrait être simplement un — comment dit-on déjà? — un *doppelgänger*, c'est bien le mot?

— Tu veux dire un sosie?

— Ouais. Je vais demander à son agent.

— Seulement si tu en as envie. Est-ce que tu vas venir au service funèbre demain?

— Bien sûr, répondit Carter. Il faut bien qu'il y ait quelqu'un pour écouter ton discours de merde.

Lorsque je me mis en route pour Pine Hill, c'était déjà le milieu de l'après-midi. Je me suis arrêté pour prendre un café. J'avais emporté mon porte-document et je l'ai ouvert pour en sortir la photo et la pierre bleue qu'Amy m'avait données. Je les avais cachées pendant trente-cinq ans : ni Caroline, ni les enfants, ni personne d'autre ne les avait jamais vues.

Le visage du tableau de Jean Archer et celui de la photo étaient identiques, exceptés les altérations de l'âge. Les yeux d'un mauve chatoyant étaient les mêmes. Comme les lèvres, légèrement humides et entrouvertes. Les joues étaient veloutées et tendres.

— Vous voulez de la crème? demanda la serveuse.

— Non merci.

— Si vous désirez encore un café, faites-moi signe.

— D'accord, opinai-je.

Je me rappelais mon propre dessin d'Amy. Elle m'avait complimenté, et ses parents aussi, mais il n'était pas bon. C'était l'effort excessif d'un jeune artiste inexpérimenté, trop anxieux pour créer l'image absolue d'un visage parfait. Seule une personne aussi douée que Jean Archer pouvait dessiner ou peindre Amy Lourie.

Je rangeai la photo et la pierre et je bus mon café. J'ai repensé à une soirée dans la montagne, vers la fin de l'été, quelques jours à peine avant l'issue de mon aventure avec Amy. Je la tenais dans mes bras sous le bouleau et elle me murmurait :

— Je t'aime, Bobo.

Puis, elle fit quelque chose qu'elle n'avait jamais fait auparavant. Elle a doucement pressé son corps contre le mien, jusqu'à ce qu'elle sentît la pression de mon érection, que je ne pouvais contrôler. Je l'ai entendue gémir et elle a serré ses bras autour de moi.

— Je t'aime, répéta-t-elle.

— Moi aussi, je t'aime, lui murmurai-je.

— Tu crois que ce n'est pas bien ? m'interrogea-t-elle.

— Je ne sais pas.

— Est-ce que tu te sens coupable ?

— Parfois, oui.

J'étais obligé de l'admettre.

— Moi aussi. Je pense... je pense aux autres.

Je n'ai pas répondu.

— Veux-tu que l'on parle d'eux ? me demanda Amy.

— Non, pas maintenant. Plus tard.

— D'accord, dit-elle. Plus tard.

Nous savions tous les deux que c'était quelque chose que nous souhaitions éviter, le plus longtemps possible.

9

Lila était dans ma chambre, lorsque je suis retourné à l'Auberge. Elle faisait le ménage, car, rouspétait-elle, la femme de chambre n'était pas venue travailler ce jour-là.

— Ça arrive une fois par mois. Si j'avais des règles aussi douloureuses que les siennes, j'aurais fait venir un plombier ou un ramoneur.

Le ménage n'était pas son truc. Le couvre-lit était tout froissé et les oreillers trop aplatis. Elle n'avait pas raccroché les serviettes, entassées derrière la commode. On voyait, d'après les traces sur la moquette, qu'elle n'avait fait qu'un aller et retour avec l'aspirateur. L'unique nouveauté était le vase qui contenait trois superbes jonquilles. Leurs corolles en trompette étaient comme une symphonie de couleurs chatoyantes.

— Très joli, dis-je, en posant mon porte-document.

Elle me fit un sourire mutin.

— J'ai pensé qu'elles éclaireraient un peu l'ensemble. Mais surtout, ne te fais pas d'idées, Bobo. Ce n'est pas une avance. Je les ai prises à côté. Ils en ont toujours. Il va régulièrement en acheter à Phoenicia, chez la fleuriste Dorrie Kincald's. Dorrie jure qu'il y a un sort avec ces fleurs. Les seules fois où il lui arrive de faire l'amour, c'est quand elle reçoit cette commande du juge. Cela fait tant d'années que c'est comme ça, qu'elle a été obligée de dire la vérité à son mari.

— Mais elles ne vont pas leur manquer?

— Ils sont partis, dit Lila. C'est toujours le même programme.

— Et comment se débrouillent-ils, alors?

Elle passa rapidement un chiffon à poussière sur le dessus de la table, puis frotta énergiquement la marque d'une brûlure de cigarette.

— Lui, il doit rencontrer des clients très friqués. Elle, un oncle de la maison de retraite. Mais, si tu veux mon avis, c'est cousu de fil blanc. L'oncle est un vrai légume. Elle y va, tapote gentiment son petit crâne osseux, fait venir quelqu'un pour prendre une ou deux photos, puis elle fout le camp ici, à fond la caisse, pour se mettre au lit avec Dow Jones.

Elle secoua le chiffon à poussière dans le casier à roulettes de ménage, rata le casier et ramassa le chiffon. Elle me regarda en déclarant :

— Je l'ai entendue plusieurs fois parler au téléphone, je suppose que c'était au juge. Elle prétendait qu'elle passait le plus clair de son temps à la maison de retraite, qu'elle y vivait presque. Elle disait que le vieux se sentait mieux quand elle était près de lui.

— Oh! Chacun son truc, dis-je.

— Bravo, Bobo! J'aime quand tu deviens profond.

— Ouais! Moi aussi.

Lila lâcha le chiffon.

— Je vais te montrer quelque chose, Bobo. Tu veux savoir ce qui les remonte comme ça?

— Pas particulièrement.

— Mais si! Moi, je suis sûre que ça t'intéresse.

Elle prit un magazine dans le casier et me le tendit.

— Je l'ai trouvé sous le lit. Ils en laissent toujours quelques-uns quand ils s'en vont. Je crois qu'ils essaient de me dire quelque chose.

Je feuilletai rapidement le magazine et le rendis à Lila. C'était, comme je l'avais deviné, un journal érotique.

— Ça te gêne? me demanda Lila.

— Non, lui répondis-je. Quoique si, un peu. Mais enfin, ce magazine n'est pas un de ceux auxquels je suis abonné.

Je m'assis sur le bord du lit. Lila fit un pas vers moi.

— Est-ce que tu le regarderais si je n'étais pas là?

— Sans doute, lui répondis-je honnêtement.

— Je suis bien sûre que oui, moi.

— Mais enfin, Lila! Je suis un homme. Je suis curieux, comme tout le monde.

— Tu n'as pas vraiment une vie sexuelle très chouette à la maison, hein? demanda-t-elle doucement.

— C'est...

— Presque inexistant? C'est ça, Bobo?

— Ce n'est pas ce que j'ai dit.

— Tu n'as pas besoin de parler. Je sais lire les signes.

Je me suis senti brusquement rougir, jusqu'aux oreilles. Lila laissa tomber le magazine sur le lit.

— Et l'encart du milieu? taquina-t-elle. Tu sais, Bobo, si tu ressemblais un tant soit peu à cet homme, on ne pourrait pas m'empêcher d'entrer dans cette chambre. Même avec la CIA montant la garde devant la porte, j'arracherais tous les gonds.

— Je suis content d'apprendre que l'Auberge offre maintenant de la lecture à ses clients, répondis-je. Surtout de la littérature aussi intéressante.

Lila éclata de rire. Elle ouvrit un tiroir du bureau.

— Si tu cherches de l'inspiration, Bobo, tu n'as qu'à lire ça.

Et elle me lança une brochure qui atterrit sur le lit. Je la ramassai pour l'examiner. Sur la couverture, on pouvait lire : LES JUIFS SONT POUR JÉSUS.

— Ils sont venus pour une réunion, il y a deux mois environ. Tout un groupe, m'expliqua-t-elle. Ils en ont laissé partout. Pas de pourboires, mais de l'inspiration.

— Je vais la lire avec grand intérêt, dis-je.

— Mais bien sûr, Bobo. A la minute où je vais quitter la chambre, tu vas attraper le magazine et tu vas t'enfermer avec dans les toilettes. Je connais bien les hommes.

Elle me fit un clin d'œil.

— Quel gâchis, mais quel gâchis, se lamenta-t-elle.

Elle sortit. J'attendis. La porte se rouvrit.

— Oui, Lila?

— Tu savais que j'allais le faire, hein?

— Mais oui.

— Allez, à plus tard, Bobo.

— A tout à l'heure, Lila.

Elle referma la porte. J'entendis le petit casier à ménage grincer sur ses roues, dans le couloir.

Je fis glisser mes chaussures par terre et je m'installai avec la brochure et le magazine, appuyé à la tête du lit.

Lila n'avait pas exagéré en parlant de l'encart. L'image représentait un homme avec un énorme pénis en érection, une couleur pourpre en recouvrant le bout. L'homme était gauchement affalé sur une fille habillée d'une courte blouse. Son bras gauche entourait le cou et l'épaule de la fille et le bras droit était sous sa cuisse gauche, de façon à tirer vers le haut de sa jambe, pour que l'on puisse voir son vagin et le tapis brillant de sa touffe foncée. Dans cette position, son pénis allait la pénétrer. Dans le fond on pouvait voir une image d'Elvis Presley, debout dans un jardin.

Je me suis mis à rire. Quelqu'un dans ce magazine, ou un photographe *free lance*, avait le sens de l'humour. La pose imitait celle d'un célèbre tableau japonais du xviiie siècle. Je l'avais vu au collège, dans un cours de peinture dont l'enseignant, Winfred Reed, était un homme timide et nerveux. Je me rappelle le fou rire envahissant les élèves lorsqu'il s'embarqua dans une discussion sérieuse sur la composition du tableau, tandis que nous fixions la diapositive dans une salle obscure. Il nous parlait de ses lignes et de son symbolisme, du message socio-historique. C'était, expliquait Winfred Reed, l'histoire d'une jeune fille — peut-être une étudiante — qui était prise par un homme plus âgé qu'elle, un cas d'abus sexuel permissif. Il y avait dans cette scène de la persuasion, de la tromperie, des promesses fausses. Pas une fois, il n'avait mentionné ce sur quoi tous avaient les yeux fixés : le pénis gros comme une bête féroce. Le tableau s'intitulait : *Les Amants dans un décor champêtre*.

Je pensais au courtier et à la femme du juge, s'imaginant être le couple de cet encart, jouant le jeu du pouvoir et de la soumission, jouissant du plaisir de conquérir et d'être conquis.

J'entendais Lila : « Tu ne pourrais pas m'empêcher d'entrer dans cette chambre, même avec la CIA montant la garde. » Et, en une seconde, je m'imaginais moi-même, dans cette pose avec Lila. Elle avait été si près de la vérité, lorsqu'elle avait parlé de ma vie sexuelle. Ce n'était pas mort, mais ça avait vraiment besoin d'un peu plus de passion que n'en procure l'habitude.

Je refermai le magazine et le mis de côté, puis je pris Les juifs sont pour Jésus. La brochure définissait soigneusement la base rationnelle de son message — les cultures anciennes, raccrochées entre elles par quelques éléments choisis des Écritures. Dans les mots mêmes, il y avait la joie et l'urgence, la supplication et la fête.

En 1955, j'avais eu entre les mains un autre pamphlet religieux. Je n'ai jamais su qui l'avait glissé dans la poche de ma veste de travail. Cela aurait pu être n'importe qui : Henri Burger, s'amusant à me faire des tours, Mme Mendelson, cherchant à m'aider avec sa maladresse coutumière, Nora Dowling, parce qu'elle y tenait et qu'elle comprenait de quoi parlait la brochure, Édith Lourie qui avait ses raisons.

La brochure concernait les dangers des mariages inter-confessionnels, surtout entre juifs et chrétiens.

Je l'avais montrée à Avrum, qui l'avait lue.

— Des stupidités, ronchonna-t-il en me la rendant. Jette ça.

— Qui m'a fait ça, à votre avis ? lui demandai-je.

Il m'a regardé avec un air bizarre.

— Comment pourrais-je le savoir ? Tu ferais mieux de t'interroger toi-même. A qui penses-tu ?

Il connaissait l'existence d'Amy, et savait que nous avions des rendez-vous d'amour.

— La mère d'Amy, dis-je.

Comme à l'habitude, il acquiesça en remuant tout son corps.

— Et alors ? C'est une mère, non ?

— Elle cherche sans doute à me dire quelque chose, suggérai-je.

— *Ja*, grogna-t-il. Peut-être ne veut-elle pas que sa fille juive ait des bébés irlandais ? Laisse donc. C'est son problème.

— Des bébés ? dis-je. Mais quels bébés ?

— Ça pourrait arriver, remarqua Avrum avec philosophie.

Je le fixai d'un air incrédule.

— Mais nous ne sommes que des amis. Nous ne faisons que nous promener et parler ensemble.

Avrum eut un sourire plein de sagesse.

— Vous vous promenez. Je sais. Près de l'arbre dans la montagne.

— Comment le savez-vous ? fis-je surpris.

Il désigna ses yeux avec son doigt.

— Je vois ce que je vois.

Il tendit la main et me tapota l'épaule.

— Ne sois pas si inquiet. Personne d'autre ne te surveille. Je le saurais, s'il y avait quelqu'un, non ? Qu'est-ce que je fais, durant toutes mes journées ? Je regarde. J'écoute. Je vois tout. J'entends tout. Absolument tout.

— Mais il ne se passe rien, répliquai-je, sur la défensive. Nous discutons seulement.

— Ah, vous discutez !

Avrum soupira.

— Nous discutons, répétai-je.

Nous sommes restés assis un moment sans dire un mot. Avrum avait fermé les yeux et relevé la tête, comme quelqu'un qui est heureux de sentir le soleil réchauffer son visage. J'ai pensé qu'il entendait clairement les premières mesures de la voix d'Amélita Galli-Curci. Je me levai pour partir.

— Non, reste là, ordonna-t-il, sans rouvrir les yeux.

Je me rassis sur le banc et j'attendis.

— Te rappelles-tu ce que je t'ai dit ? demanda Avrum.

— Oui, m'sieur ?

— Quand je t'ai parlé d'elle ? Tu ne te rappelles pas ?

Ses yeux étaient toujours clos.

Je savais qu'il voulait parler d'Amélita Galli-Curci. Les premiers temps de notre amitié, il ne me l'avait pas nommée.

Il avait évoqué les opéras qu'il aimait, des artistes comme Enrico Caruso, John McCornack et Lily Pons, mais pas Amélita Galli-Curci. Puis un jour il m'avait dit, incidemment :

— Henri t'a parlé de moi ?

— Oui, m'sieur, un peu.

— Alors je vais te dire la vérité et pas les mensonges de ce méchant petit salaud d'Henri Burger, avait-il déclaré d'un ton décidé.

Son histoire avec Amélita Galli-Curci était presque, mot pour mot, ce que m'avait raconté Henri Burger. Pourtant, dans la version d'Avrum, les commérages d'Henri n'avaient plus leur place. Chez Avrum, c'était vrai.

— Alors, insista Avrum, tu ne te rappelles pas?

— Je ne suis pas sûr! rétorquai-je.

— Je vais te le répéter.

Il ouvrit les yeux et me regarda.

— C'est une grande souffrance que d'aimer quelqu'un et savoir que l'on ne peut être ensemble.

— Mais oui m'sieur, je me souviens.

Il referma les yeux. Un muscle tressauta au coin de sa bouche. Il passa la langue sur ses lèvres. Un triste sourire parut sur son visage.

— N'aie pas si peur, me conseilla-t-il. C'est la seule chose qui puisse te faire du mal. Rien d'autre.

— Que voulez-vous dire? demandai-je.

— N'aie pas si peur, répéta-t-il. Je sais. *Ja*. Je sais très bien.

Après avoir quitté Avrum, je me rendis dans la salle à manger et, avec la lame d'un couteau, je traçai faiblement la lettre *B* sur la nappe, près de l'assiette d'Amy.

C'était comme un jeu, un code entre nous qu'Amy avait inventé, le lendemain du jour où nous étions allés au cinéma, à Margaretville. Les lettres correspondaient à l'endroit où nous voulions nous rencontrer, le soir. *B* désignait le bouleau. *A* signifiait chez Arch. *P*, la piscine. *S*, le remonte-pente de la station de ski de Belleayre. *C* était la chambre ou, dans l'esprit d'Amy, sa chambre. Le *C* ne serait jamais utilisé, lui avais-je déclaré. Je n'étais pas fou.

C'était un code secret, un jeu d'adolescents des années cinquante, une forme de flirt, comme de se passer des billets pendant la classe. Pourtant, dans son intensité, il était aussi intime et personnel qu'un baiser.

La première fois que j'ai vu une lettre pressée dans la nappe, près de son assiette, c'était un *C*. En retirant l'assiette à soupe, j'ai délibérément frotté dessus avec mon ongle pour l'effacer et elle a ri. Sa mère l'a regardée d'un air interrogateur, ensuite elle a posé les yeux sur moi.

— Excuse-moi, je pensais que tu allais laisser tomber la soupière, bredouilla Amy.

Amy m'attendait près du bouleau, après dîner. Elle m'embrassa franchement.

— Quelque chose ne va pas? demanda-t-elle.

— Pourquoi?

— Tu m'as à peine regardée pendant le dîner.

Je lui tendis la brochure.

— Qu'est-ce que c'est?

— Quelqu'un l'a laissée pour moi, après le déjeuner. Je l'ai trouvée dans ma veste de serveur.

Elle s'en empara et la lut. Elle ne disait rien. Puis, elle plia la brochure en un petit carré épais, elle se mit à genoux et avec un caillou, elle creusa un trou dans la terre. Elle y enfonça la brochure, et la recouvrit de cailloux. Elle se releva et contempla l'endroit.

— Qu'elle y pourrisse, fit-elle avec amertume.

— Ce n'est pas grave, Amy.

— Non, bien sûr, s'écria-t-elle, fâchée. Les gens devraient s'occuper de leurs oignons.

Ses yeux étincelaient. Elle croisa ses bras, mit son pied sur le caillou et appuya fermement dessus.

— Pour moi, cela n'a aucune signification, déclarai-je.

Elle se tourna vivement vers moi et me lança :

— Pourtant, cela devrait. Cela devrait t'embêter beaucoup. Je n'aime pas les gens qui se mêlent de ma vie.

— Tu m'as dit qu'il y aurait des problèmes, lui rappelai-je.

Elle détourna les yeux vers l'Auberge, puis se retournant à nouveau, elle s'avança vers moi, sans décroiser les bras. Je la pris contre moi. Je pense qu'elle pleurait.

— C'est juste un bout de papier, murmurai-je.

— Non, c'est beaucoup plus, insista-t-elle.

Décroisant ses bras elle m'enlaça :

— Sais-tu qui a fait ça? demanda-t-elle.

— Non.

— Carter?

— Pas possible. J'avais laissé ma veste sur le dossier d'une chaise dans la salle à manger. Carter était avec moi dans la cuisine.

— Henri Burger? Il passe son temps à nous asticoter.

— Je ne sais pas.

Je ris doucement, mais mon rire sonnait faux.

— Peut-être quelqu'un de ta famille?

Je la sentis se raidir tout entière.

— Je plaisantais, répliquai-je. C'était une mauvaise plaisanterie.

Elle a écarté son visage de ma poitrine. Ses yeux me scrutaient.

— Sans doute pas. Ma mère sait que nous nous voyons régulièrement.

— Comment le sait-elle? Tu le lui as dit?

— J'ai été obligée, m'avoua-t-elle. Elle pensait faire venir Adam, comme l'été dernier. Il fallait bien que je lui explique pourquoi je ne le souhaitais pas.

Carter m'avait parlé d'Adam et Amy me l'avait décrit comme un être très gâté. Pourtant, elle n'avait mentionné son nom qu'une fois, et encore, seulement pour répondre au harcèlement interrogateur de Carter, chez Arch. « Oui, avait-elle déclaré, nous sortons ensemble ou nous le faisions auparavant. Mais nous ne sommes ni mariés, ni rien de tel. »

— Comment ta mère l'a-t-elle pris? Au sujet de nous deux?

— Elle n'était pas étonnée, si c'est ce que tu veux savoir. Papa ne remarque pas grand-chose, mais maman, si. Elle est un peu... émotionnelle.

— Qu'est-ce que tu veux dire?

Amy s'est écartée, a recroisé les bras et replacé son pied sur le caillou qui recouvrait la brochure, pesant de tout son poids pour l'enfoncer encore un peu plus dans le sol.

— Elle s'inquiète, reprit-elle, au bout d'un moment. Tu sais, Bobo, je n'ai jamais raconté cela à personne et il faut que tu le gardes pour toi, mais il y a deux ans, mes parents se sont séparés pendant quelques mois. Je ne sais pas pourquoi. Ma mère est partie et nous n'avons pas eu de ses nouvelles pendant des semaines. Puis elle est revenue. Ils vivent ensemble maintenant et ils sont aimables l'un envers l'autre, mais rien de plus.

Ses yeux se remplirent de larmes.

— Ils ne couchent même pas ensemble, murmura-t-elle. Je ne sais pas si tu es au courant, mais ils ont des lits jumeaux ici. Parfois, vraiment, je me dis qu'ils font seulement semblant, à cause de moi.

Je ne pouvais imaginer Joël et Édith Lourie vivant séparés. Leur relation était la plus affectueuse que j'aie jamais vue.

— Je suis désolé, dis-je à Amy.

Elle me tendit la main. Je la pris et je l'attirai vers moi. J'entendais sa voix, tout près de mon épaule.

— Elle t'aime bien. Elle pense que tu as beaucoup de talent. Elle a beaucoup apprécié le portrait que tu as fait de moi.

— Elle a été très gentille à ce sujet, assurai-je. Et ton père aussi.

— C'est très juif de s'inquiéter, dit Amy. Surtout au sujet de ses enfants.

— Je comprends, répondis-je.

— Bobo?

— Oui.

— Je t'aime.

— Moi aussi, je t'aime.

Son visage était baigné de larmes et sa bouche toute chaude contre la mienne.

Sammy était fou de joie que j'accepte la sculpture qu'il avait appelée *Le Vieil Homme*. Il me demanda si je savais où la poser; dans mon bureau à l'école, ou chez moi. Je lui dis que je pensais plus personnel de la garder chez moi, qu'il y avait une place sur l'étagère préférée de Caroline. A ses sourcils rapprochés et à ses yeux brillants, je voyais l'imagination de Sammy travailler éperdument : sa sculpture bien éclairée, au milieu de livres à reliures de cuir.

— Bien, très bien, très bien, marmonna-t-il.

Il m'a suivi pour une petite promenade d'avant le dîner, le long d'un itinéraire que les pensionnaires les plus âgés de l'Auberge suivaient en 1955 — dépassant la piscine à l'abandon avec la mare croupie devant le cimetière, puis le long d'une route en creux envahie d'herbes, où il y avait autrefois une corde que l'on tirait et qui servait de remonte-pente pour le ski. C'était le chemin qu'Amy avait pris pour me rejoindre, devant le bouleau.

Je n'avais pas invité Sammy à venir avec moi. Il avait simplement couru pour me rejoindre. Il était trop impatient de me parler de son cadeau, disait-il, il ne pouvait attendre la fin du service funèbre d'Avrum pour le faire.

J'étais content d'avoir été prévenu par Lila, mais j'ai essayé de feindre la surprise.

— Tu es trop généreux, Sammy. Je serai très heureux de l'avoir, mais laisse-moi te la payer. Tu es un artiste. Tu as besoin de vendre ce que tu crées.

Sammy avait un sourire rayonnant, comme un enfant.

— Tu te fous de moi. La prochaine, je te la vendrai. Mais celle-ci, elle est pour toi, Bobo. Tu m'as tellement encouragé.

— Pourquoi alors ne ferait-on pas un échange ? suggérai-je. Je t'enverrai un tableau.

Sammy me scruta d'un air soupçonneux. Son œil gauche se contracta légèrement. Son sourire s'élargit encore. Il s'exclama vivement :

— Sacré Bobo ! ça me plairait c'est sûr, mais je ne suis pas du même niveau. Ce ne serait pas juste.

— Mais non. Crois-moi, objectai-je. J'y ai déjà pensé parce que j'ai un de mes tableaux ici avec moi. Cela me ferait plaisir.

Je me rappelai un paysage que j'avais depuis des années. Caroline m'avait conseillé de refaire quelque chose dessus : « Il est ennuyeux, avait-elle exprimé. Ce que tu fais est mieux que ça. » Mais moi, j'aimais bien ce tableau. Alors, je l'avais gardé. Je savais que Sammy allait l'accrocher et dire des mensonges enthousiastes sur les artistes, les vrais artistes généreux, qui savent partager leur art avec les autres.

Nous marchions sans nous presser et Sammy jacassait : il m'enviait mon talent. En ville, lorsqu'il suivait des cours d'art, il avait essayé l'huile et l'aquarelle, mais il m'a avoué qu'il ne pouvait jamais contrôler ses mains : elles ne reproduisaient pas ce qu'il voyait et c'est pour cela qu'il s'était tourné vers la sculpture. Il me confia que la première fois qu'il avait cassé un morceau de roche sédimenteuse, avec un marteau et un burin, il s'était senti investi d'un grand pouvoir, comme un dieu créant la vie.

— Mais si je pouvais faire ce que tu fais, Bobo, je jetterais le foutu marteau dans la rivière, et je suis sincère. J'ai regardé des tableaux à Woodstock, il y a quelque temps, et...

Je l'interrompis :

— Sammy, as-tu jamais entendu parler de Jean Archer ?

Il s'arrêta net :

— Entendu parler d'elle ? Mais je l'ai rencontrée.

— Où ça ?

— A Woodstock. Il y a deux ou trois mois. J'y étais pour parler de mon expo et j'ai vu une foule qui tournait autour d'une femme. J'ai demandé qui c'était. Alors, bon sang, moi qui avais entendu parler d'elle des années durant, je me suis frayé un passage pour l'approcher et je me suis présenté. Pour te dire la vérité, Bobo, je crois que je l'ai délivrée. Ces foutus gamins, des punks, avec leurs stupides cheveux de cons, teints, et leurs boucles d'oreilles accrochées dans le nez. Qui a envie de se promener avec ces petits merdeux ?

Je lui ai demandé de me parler d'elle.

— Une femme très saine, décrivit Sammy avec autorité. On dirait qu'elle vient de faire les Appalaches à pied. Elle a les yeux les plus bleus du monde. Plus encore que ceux de Paul Newman, c'est sûr. Elle n'a pas beaucoup parlé, c'est vrai. Je l'ai interrogée sur ce qu'elle faisait à Woodstock et elle m'a seulement regardé, droit dans les yeux, comme si elle ne me comprenait pas. Après quoi, elle est partie. Quelqu'un m'a dit qu'elle avait une maison par ici. Je ne le savais pas.

Je n'ai pas mis Sammy au courant pour la maison de Jean Archer. Je savais qu'il me tannerait pour la voir.

— Elle se tient très à l'écart, d'après ce que j'ai compris, fis-je.

— Sans aucun doute, acquiesça Sammy. C'est difficile de croire que je ne savais pas qu'elle vivait par ici.

Il fit encore quelques pas, repensant à sa rencontre avec Jean Archer.

— Et toi, Bobo, tu la connais ?

— Non. Comme toi, j'ai entendu parler d'elle, pendant des années, sans jamais la croiser. J'ai même admiré certains de ses tableaux, dans une collection privée, il n'y a pas long-temps. Très intéressants, surtout un ou deux.

— C'est vrai? J'aurais bien voulu avoir l'occasion de boire un café avec elle ou quelque chose comme ça. Tu crois que c'est vrai qu'elle a essayé de se suicider?

Je m'arrêtai net.

— C'est vrai? Je ne savais pas.

— C'est ce que prétendait un des gamins, reprit Sammy. Mais, merde, tu connais les gamins, Bobo. Ils disent n'importe quoi.

— Tu te rappelles quelque chose de précis?

— Pas vraiment. Quelqu'un a raconté qu'un jour, une personne était arrivée chez elle à l'improviste, et l'avait trou-vée presque morte d'une overdose de somnifères, ou de je ne sais quoi. Je suppose qu'on l'a emmenée à l'hôpital et qu'on l'a tirée de là.

— On t'a indiqué qui l'avait trouvée?

Sammy réfléchit un moment.

— Je ne crois pas qu'on m'ait donné un nom, mais il me semble que l'on parlait de l'un de ses modèles.

Il claqua la langue, avec un air très sérieux.

— Tu sais, Bobo, je me contrefiche de ce que les gens font, pourvu qu'ils me laissent en paix avec leurs histoires. Mais quand j'entends parler de trucs comme ça sur des artistes, ça me fout en l'air. Complètement. Ce genre d'affaire nous donne une très mauvaise réputation.

10

Les mariages deviennent une sorte de routine qui flotte comme une bouée dans des eaux mouvantes. Le premier acte, intense et merveilleux, devient répétitif. Les mêmes répliques sont marmonnées sans art, les mêmes gestes instinctivement reproduits, à partir d'exercices quotidiens. L'intérêt pour l'anticipation, la surprise, qui suit le premier étonnement, finit par s'éteindre et disparaître. Il n'est plus nécessaire. Comment attendre avec impatience quelque chose que l'on connaît déjà?

J'avais, un jour, appelé Caroline. Enfin, c'est ce que je croyais avoir fait.

J'étais occupé à corriger un devoir d'élève et je n'étais pas vraiment attentif.

— Allô, fit une voix de femme.

— Salut. Tout va bien?

— Oui, ça va. Et toi?

— Moi aussi. Du courrier?

— Des factures, comme d'habitude.

— Des appels?

— Un ou deux représentants. Rien d'autre.

— Et les enfants, ça va?

Il y eut un silence.

— Quels enfants? interrogea la femme.

— Ben, nos enfants!

— Qui est à l'appareil? demanda-t-elle.

— Mais Bobo.

— Je ne connais pas de Bobo.

Nous éclatâmes de rire tous les deux.

— Quel gouffre, le mariage, quand même, déclara-t-elle. Vous n'avez pas la voix de mon mari, mais vous posez les mêmes questions.

— Vous n'avez pas non plus la voix de ma femme, lui répondis-je, mais vous faites les mêmes réponses.

— Vous savez, c'est terrifiant, dit la femme. Cela me pose problème. Maintenant que j'y pense... quel est votre nom déjà?

— Bobo.

— Bobo! Maintenant que j'y pense, Bobo, c'est ma première conversation intéressante avec quelqu'un, depuis au moins un an.

— Je pourrais dire la même chose.

— Eh bien, merci de cet appel, répliqua-t-elle. J'espère que les enfants vont bien.

J'étais parti de la maison depuis un ou deux jours. Je savais que Caroline appellerait et que l'appel se situerait entre cinq heures et demie et six heures. Elle avait — plutôt nous avions — nos habitudes.

Il n'y avait rien d'important dans le courrier, m'a-t-elle confirmé. Pas d'appels dont il faille s'occuper. Elle avait eu chacun des enfants au téléphone. Ils allaient bien. Il n'y avait rien de nouveau à son travail, sinon un rhume des foins dont souffrait Derby.

— Et tu vas rester encore combien de temps?

— Probablement jusqu'à la fin du week-end. J'ai vu Carter, pour qu'il s'occupe des affaires d'héritage. Ça sera long, mais je n'aurai pas à m'en inquiéter.

Comme il fallait s'y attendre, elle n'a pas demandé de détails. Elle répliqua, avec une pointe d'aigreur dans la voix :

— Eh bien, j'espère que tu t'amuses bien.

— Caroline, je ne suis pas parti en vacances.

— Pour moi, ça y ressemble beaucoup, si tu ne fais que rester là-bas à attendre.

— Justement, non. J'ai le service funèbre demain. Cela prend du temps d'arranger tout cela.

Je l'entendais soupirer avec impatience. Je savais qu'elle arpentait l'appartement, depuis la salle à manger jusqu'à la cuisine, tirant derrière elle l'interminable rallonge du téléphone. Elle reprit :

— Mavis Rogers m'a appelée. Elle t'a vu à la télévision, hier soir. Moi, je n'en savais rien du tout.

— L'émission a été diffusée chez nous ?

— C'est ce que m'a dit Mavis.

Elle pesait ses mots, comme si j'avais personnellement téléphoné en secret à Mavis Rogers, pour l'avertir de l'interview.

— Ça m'étonne, rétorquai-je. Je ne l'ai pas vue non plus. Mais Avrum avait plus de cent ans. Je suppose que cela intéresse les gens.

— Mavis m'a raconté que cela avait quelque chose à voir avec cette chanteuse d'opéra dont tu parles toujours.

— Oh, écoute, je suis désolé pour l'interview. Je ne savais ni où ni quand elle serait diffusée. Et puis tu sais très bien qui est cette chanteuse, et d'abord, je n'en parle pas tout le temps. De toute façon, tu connais toute l'histoire.

— Oui. Je devrais, répondit-elle brutalement. J'en ai assez entendu parler. Et elle me paraît toujours aussi ridicule.

— Je suis sûr que cette histoire est ridicule pour beaucoup de gens, lui concédai-je. Mais elle ne l'était pas pour Avrum.

— Bon, il faut que j'y aille, coupa Caroline. J'ai oublié d'aller chercher le linge et je vais peut-être dîner avec Andrée Wright ce soir.

— Amuse-toi bien, dis-je.

— Je t'appelle demain ou après-demain, marmonna-t-elle.

Les deux couples plus âgés avaient quitté l'Auberge et étaient partis pour leur visite de l'Amérique en voiture. Il ne restait plus que moi comme client. Lila voulait sortir et se détendre un peu avant le week-end. Des gens avaient loué l'Auberge pour une grande fête d'anniversaire de mariage.

Elle me précisa que l'on dînerait au restaurant de la Maison de Poupées, près de Phoenicia.

— C'est nous qui t'invitons, ajouta-t-elle.

— On discutera de cela plus tard, répondis-je.

En fait, j'étais assez content de quitter l'Auberge. J'y avais gardé le souvenir de festins de roi. Et à la place, Sammy et Lila servaient maintenant des plats qui semblaient sortis de cantines de collège, à petits budgets.

Nous avons pris ma voiture. Lila était assise sur le siège avant.

Le soir commençait à tomber. C'était l'heure où les montagnes deviennent d'une beauté irréelle. Nous sommes restés silencieux pendant quelques kilomètres, puis Lila me demanda :

— Quelque chose te contrarie, Bobo ?

— Non. Pourquoi ?

— Je ne sais pas. Tu as l'air soucieux, répondit-elle.

Puis, se tournant vers Sammy :

— Tu ne trouves pas ?

— Non, fit Sammy.

Il était confortablement installé sur le siège arrière, un sourire heureux vissé sur le visage. Si quelqu'un était préoccupé, c'était bien Sammy. Je savais qu'il rêvait à son travail.

— Des problèmes à la maison ? insista Lila avec un air innocent.

Je haussai les épaules.

— Tu deviens toujours comme ça, quand tu viens par ici, Bobo.

— Comment, comme ça ?

— Je ne sais pas. Un peu perturbé, il me semble.

— Caroline est un peu vexée, c'est tout, lui répliquai-je. Et je dois avouer que je la comprends. Je suis parti à toute vitesse et elle a dû s'occuper de plein de choses seule. Et puis, pour comble de malchance, l'une de ses amies a vu l'émission de CNN sur Avrum. Caroline n'en savait rien et elle n'est pas du genre à apprécier les surprises. J'aurais dû l'avertir.

— Ah bon, dit Lila.

Nous avons à nouveau roulé quelque temps en silence.

Dans le rétroviseur, j'ai vu que Sammy avait fermé les yeux et qu'il avait posé sa tête sur l'appuie-tête. Ses lèvres bougeaient un peu, comme s'il se chantait mentalement un air.

— Est-ce que Caroline t'a déjà accompagné ici? demanda Lila. Je veux dire, avant que nous reprenions l'Auberge.

— Caroline? Non. Sauf l'année où j'y ai travaillé. A ce moment-là, elle y est venue avec ma mère.

— Pourquoi n'est-elle jamais revenue?

Pour une raison que je ne m'explique pas, je désirais dire la vérité à Lila, lui dire que je n'avais pas envie que Caroline soit avec moi ici. Mais à la place, je biaisai :

— J'ai parlé de toi à Caroline. Elle est jalouse.

Lila rit gaiement.

— Je pense que je vais lui envoyer une photo de moi en bikini, me taquina-t-elle.

Elle jeta un regard vers Sammy. Il ne prêtait aucune attention à notre conversation.

— Mais sérieusement, pourquoi?

— Il n'y a pas de véritable raison, répondis-je. Premièrement à cause de la dépense. Mais surtout, c'était toujours un voyage pour revoir Avrum. Rien de bien attrayant.

— Quel genre de personne est-elle?

Je me tournai vers Lila. Elle était blottie contre la portière, comme une adolescente qui a une permission de sortie. Elle me fixait avec un air interrogateur.

— C'est une personne bien, affirmai-je. Elle a beaucoup de volonté. Beaucoup. Une mère parfaite. Parfois abrupte. Elle a tendance à donner son avis un peu trop vite. Elle est plus inquiète qu'elle ne le voudrait. Elle peut être gentille au moment où l'on s'y attend le moins. Bon nombre de nos amis croient qu'elle est l'élément équilibrant de ma vie.

— Et elle arrive à te supporter? plaisanta Lila.

— Elle me tolère, ce qui est déjà beaucoup, je pense, répondis-je.

— Ne critique pas ça, me conseilla Lila. J'ai toujours entendu dire qu'il y avait trois états possibles dans le mariage : l'extase parfaite, le malheur parfait et la tolérance parfaite. Je crois que la plupart d'entre nous explorent le troisième.

Elle regarda Sammy :

— Et ce n'est pas facile, hein ?

— D'être marié ?

— Oui. D'être marié, répondit-elle.

— Non. C'est vrai.

La question suivante vint si naturellement que je me suis demandé si elle ne l'avait pas préparée à l'avance.

— T'arrive-t-il de penser que tu n'es pas marié avec la personne qui te conviendrait vraiment, que tu n'as pas épousé la bonne ?

Je souris, ce qui me laissa le temps de réfléchir à ma réponse.

— Tout le monde pense cela un jour ou l'autre, au moins une fois. Mais pour te dire la vérité, je ne m'y attarde pas. J'imagine que le mariage devient une habitude, un état dans lequel on se sent plus à l'aise que dans n'importe quel autre. Tous les mariages que j'ai observés, les bons et les mauvais, semblent répondre à cette règle.

— Il y a de bonnes et de mauvaises habitudes, me fit remarquer Lila.

— Tu as sans doute raison.

Je lui lançai un coup d'œil rapide. Elle me fixait, comme si elle voulait dire quelque chose encore, quelque chose de pénible. A la place, elle tendit la main et me caressa doucement le bras :

— On ne va pas se bagarrer pour la note, hein ?

— Non, insistai-je. C'est moi qui invite.

— Mais tu as déjà un repas de payé à l'Auberge. Et en plus, on ne te l'a même pas servi !

— Alors, considère que c'est un pourboire.

— On ne t'a pas rendu assez de services, pour couvrir ce que cela va te coûter ici.

— Qu'est-ce que ça peut faire ? m'exclamai-je. L'important, c'est la compagnie.

— Oui. C'est vrai, admit Lila.

Le restaurant de la Maison de Poupées exposait une collection de poupées de pratiquement tous les pays du monde. De plus, il proposait une cuisine française, préparée par un couple, Paul et Maggie Charles. Paul venait de Paris, Maggie de Kingston. Ils s'étaient rencontrés à Paris, dans une école d'art culinaire et avaient tenu un restaurant à San Francisco pendant des années, jusqu'à ce que Paul ne devienne obsédé par la peur des tremblements de terre. Ils avaient alors choisi de s'installer aux monts Catskills. Sammy et Lila, surtout Lila, les connaissaient très bien.

Au restaurant de la Maison de Poupées, je découvris une nouvelle Lila, une personne jeune, pleine d'allant et heureuse. A notre arrivée, Maggie a chaleureusement enlacé Sammy et Lila, puis elle a appelé Paul d'une voix enthousiaste, pour qu'il sorte de la cuisine. Paul a pris solennellement la main de Lila pour la baiser, et lui a parlé français. A mon agréable surprise, elle lui a répondu en français, très à l'aise. Je fus présenté, accompagné de l'explication de mes visites régulières à Avrum. On nous a ensuite conduits à une table placée sous une ogive, près d'une fenêtre.

— Vous ne commandez pas, déclara Paul en retirant les menus des mains de Maggie. Ce soir, c'est moi qui choisis, en l'honneur de votre invité.

Il s'en alla rapidement en donnant à Maggie des directives pour le vin.

— Cet homme est un véritable artiste, Bobo, dit Sammy avec extase. Si je savais faire de la sculpture comme il fait la cuisine, je serais déjà au Louvre. Oh! Que j'aime venir ici.

— Je ne savais pas que tu parlais français, m'adressai-je à Lila.

— Il y a plein de choses que tu ignores sur moi, répondit-elle, en jouant la fière. Tu sais, Bobo, j'ai fait des études supérieures, et le français était ma première langue.

— Mais comment est-ce possible de te connaître depuis tant d'années et de ne pas savoir ça? demandai-je.

— Je n'ai jamais l'occasion de m'en servir, expliqua-t-elle. Mais c'est une des raisons pour lesquelles je viens ici. Trois atouts : le français, l'amitié et la cuisine. Tu sais, Bobo, après ce repas, tu auras envie de faire sauter notre cuisine.

— Ça c'est vrai alors, renchérit Sammy. Même que je t'y aiderai !

Lila avait raison pour le repas. Nous avons mangé une

potée aux choux, suivie d'une truite meunière, avec des pointes d'asperges et des petites pommes de terre nouvelles. Pour finir, une salade César, du café et des fraises à la crème. Maggie et Paul tournaient autour de nous, accompagnant chaque plat de joyeux commentaires. Ce fut une expérience heureuse et je regrettais bien que, durant toutes ces années, où je connaissais déjà Sammy et Lila, nous ne soyons jamais venus au restaurant de la Maison de Poupées. Je portai un toast à l'arrivée du chardonnay spécial, que Paul voulut absolument nous servir. Je leur reprochai d'avoir manqué à leur amitié pour moi, en gardant secrète l'existence de ce restaurant.

— Au risque de te perdre? interrogea Lila. Enfin, Bobo, il faut comprendre que tu es notre business de l'été. Et puis, tu étais toujours occupé. Mais pour t'enlever tes regrets, je t'avouerai que nous avions déjà envisagé de t'emmener ici. C'est simplement que nous ne savions jamais à quel moment tu serais avec ton ami. Nous ne voulions pas être indiscrets.

— Maintenant, te voilà une autre bonne raison pour revenir, répétait Sammy. Lila, moi et la Maison de Poupées.

C'était une soirée agréable avec des amis. C'est ce qu'étaient pour moi Sammy et Lila. Avec le temps, ils étaient devenus plus conciliants l'un envers l'autre. Et fêter cette amitié n'était pas un devoir, mais un plaisir.

Pourtant, un non-dit demeurait entre Lila et moi. Je le sentis tout au long du dîner. Une question qu'elle n'avait pas formulée, déjà dans la voiture, pendant que nous roulions de l'Auberge au restaurant. Et lorsque Sammy partit aux toilettes, Lila l'exprima :

— Bobo, tu peux mettre ça sur le compte du bon vin, mais j'ai une question à te poser.

— Vas-y.

— Qui cherches-tu, quand tu viens ici? Je me le suis toujours demandé.

— Je ne comprends pas, fis-je.

— Mais si, tu comprends très bien. Je t'observe depuis des années. Je vois les endroits que tu choisis pour te promener. Toujours les mêmes, année après année. C'est comme si tu avais perdu quelque chose, il y a très longtemps — un sou porte-bonheur, un canif, un trousseau de clefs —, quelque chose que tu continues à chercher. Comme si tu avais dit à quelqu'un de venir t'y rejoindre et que tu attendais qu'il surgît ou tombât du ciel, tout simplement.

— Mais Lila, je me promène dans beaucoup d'endroits, quand je viens ici, et j'aime ça.

Ma réponse ne la satisfit pas. Elle hocha la tête, et prit ma main. Elle continua doucement :

— Bobo, je crois qu'il est possible que des gens tombent du ciel.

— Et moi, je crois que dans le ciel, il est difficile de respirer, objectai-je.

— Qui est-ce, Bobo ?

— Mais, Lila...

— Dis-le-moi, Bobo, je t'en prie. Qui est-ce ?

J'avais envie, je ne sais pourquoi, de serrer Lila dans mes bras ou qu'elle le fasse. J'avais envie de pleurer au creux de son épaule. Elle savait tout. Elle l'a toujours su.

— Quelqu'un de ma jeunesse, lui murmurai-je, qui me valorisait. Je me sentais différent auprès d'elle.

— Comment elle s'appelait ?

Je parvins difficilement à prononcer :

— Amy.

— Et tu l'aimais ?

Réfléchissant, je me suis rappelé Amy qui me tenait dans ses bras et j'ai dit :

— A l'époque, oui. Oui je l'aimais, ou du moins je le crois.

Lila sourit. Elle m'embrassa tendrement sur la joue.

— Ce genre de jeunesse peut durer très longtemps, Bobo, tu sais ?

Je détournai les yeux. Sammy revenait, traversant la salle du restaurant. Je clignai des paupières pour me débarrasser de mes larmes.

— Je t'envie, chuchota Lila.

— Mais pourquoi ?

— Tu es rayonnant, déclara-t-elle.

Après une brève discussion entre Sammy et Lila, sur la

façon dont nous allions finir la soirée, nous avons quitté le restaurant de la Maison de Poupées et nous sommes allés au Playhouse Montagnard. Sammy voulait retrouver son atelier, écouter de vieux disques et danser. En mon honneur. Un voyage, le long de la route de nos souvenirs. Lila l'a convaincu qu'elle était trop étroite pour trois personnes. De plus, elle avait envie de monde, de foule. Sammy a cédé avec enthousiasme.

— Cela rétablira l'équilibre, dit-il. Ce vin français peut te pourrir le système, sauf si tu le chasses avec une bonne bière pas chère.

Ce Playhouse aurait très bien pu être une taverne au Texas, ou en Alabama, ou même en Géorgie. Il y avait un bar, un orchestre, une piste de danse, un juke-box pour laisser l'orchestre se reposer, de nombreuses tables, serrées les unes contre les autres, et les inévitables odeurs de bière, de pop-corn et de cigarettes. L'endroit était plein. Un groupe venait de terminer un cycle de cours de danse folklorique, dans un centre culturel local. Ils essayaient leurs pas sur la musique des Joyeux Cavaliers de Jack, musiciens de la Montagne. Jack était au violon, une femme, Avril Moss, au piano, Peter Capes à la batterie, avec un guitariste qu'ils appelaient tous Sailor Parker. Ils étaient énergiques et sympathiques, mais pas très bons. Lila m'avait prévenu. Sammy, lui, pensait qu'ils devraient jouer pour Dolly Parton à Nashville.

— Merde alors, se plaignait Sammy. Moi, j'comprends pas. Ils devraient faire un million de dollars par an, mais ils n'arrivent pas à démarrer. Je suis sûr qu'ils perdent plus d'argent en publicité qu'ils n'en rapportent. Cet endroit est absolument bourré quand ils viennent et ils ne soulèvent pas un pet au milieu d'une tempête, quand ils vont ailleurs.

Sammy buvait de la bière, mangeait des cacahuètes et hurlait des « Salut ! » à chaque personne qui passait. Lila savourait en riant les mains peloteuses des hommes qu'elle connaissait. Elle a dansé une ou deux fois avec Sammy, en faisant des mines aguichantes dans ma direction. Elle tenta de m'attirer sur la piste, mais je refusai. Sammy l'arrêta :

— Mais enfin, Lila, laisse-le tranquille. Il n'est peut-être pas du tout d'humeur à se faire draguer à mort, devant une bande de gens qu'il n'a jamais vus de sa vie.

Sur la route du retour, Sammy et Lila étaient agréablement ivres. Ils m'ont invité à venir boire un cognac avec eux. Mais je voulais encore faire une promenade nostalgique jusqu'à Margaretville, voir le théâtre Galli-Curci et passer un moment à réfléchir à ce que je dirais au service funèbre d'Avrum.

— Merde alors, j'avais oublié ça, Bobo, dit Sammy confus. On aurait dû rentrer directement et ne pas aller au Playhouse.

— Mais je suis très content d'y être allé, lui assurai-je. Je me suis bien amusé.

Il déclara alors :

— Un de ces jours, tu pourras dire que tu as vu les Joyeux Cavaliers de Jack, avant qu'ils ne deviennent célèbres.

Lila a écarquillé les yeux avec un air de « je t'avais prévenu » et me souffla :

— Merci pour le dîner, Bobo. A demain matin.

— Ouais, mon pote, merci, fit Sammy. Mais la prochaine fois, c'est moi qui paie.

— C'est ça, la prochaine fois, c'est promis.

Je les ai regardés entrer dans l'Auberge, le bras de Sammy entourant la taille de Lila.

Je ne suis pas allé à Margaretville. A la place, j'ai suivi la route en direction de la maison de Jean Archer. J'ai éteint les phares, sur le chemin qui y menait et j'ai suivi le sentier de gravier, éclairé par la lune, jusqu'à la cour. La maison était sombre. Parce qu'elle appartenait à Jean Archer, elle paraissait plus merveilleuse qu'auparavant, plus imposante encore.

J'ai coupé le moteur, je suis sorti de la voiture et me suis dirigé vers la pierre, sous laquelle était cachée la clef. Je savais bien que je n'avais aucune permission pour entrer dans la maison, mais cela n'avait pas d'importance. Je voulais revoir le visage d'Amy Lourie.

Je ne pouvais pas prendre le risque de rétablir l'électricité. Cela n'était pas nécessaire car le clair de lune pénétrait par les fenêtres, jetant de grandes vagues de lumière dans les pièces. Je suis monté tout doucement au premier, jusqu'à la chambre à coucher de Jean Archer et je suis resté dans l'embrasure de la porte. Les fenêtres du toit mansardé laissaient passer la lumière qui tombait en larges faisceaux sur le lit de Jean Archer, illuminant le portrait de la paysanne. Dans cet éclairage, le visage de la femme, à moitié dans l'ombre, me fixait avec tristesse et résignation. Ses yeux me priaient de ne pas la toucher.

Lila savait, ai-je pensé, bien sûr qu'elle savait.

J'avais envie qu'Amy tombe du ciel raffiné de Lila.

Lila savait.

J'avais cherché Amy à chacune de mes visites, j'avais attendu qu'elle vînt.

Et maintenant, je la regardais.

J'ai pensé à Caroline et je voulais lui dire :

— Non, ce n'est pas bien.

Mais ce n'était pas ce que je croyais.

— Non, fis-je, à voix haute.

Je me rappelai les avertissements d'Amy, concernant les nombreuses difficultés qui allaient surgir et nous séparer.

— Je sais, avais-je répondu.

— Pas maintenant, avait-elle murmuré, pas maintenant.

Et elle s'était serrée tout contre moi.

— Je veux être avec toi maintenant, avait-elle ajouté, si doucement que je l'entendais à peine.

La femme qui m'avait embrassé et qui s'était serrée contre moi était la même femme que celle du portrait de Jean Archer.

Carter pouvait se le demander, mais je savais que ce n'était pas un *doppelgänger*. Il ne pouvait y avoir d'erreur. C'était bien Amy.

11

Parce qu'il était devenu mon ami et que l'on me voyait souvent assis avec lui sur son banc, les jeunes de Pine Hill s'étaient mis à considérer Avrum, non pas comme un homme dangereux, mais comme l'excentrique inoffensif et intéressant de leur ville. Ils l'aimaient pour ses belles histoires pleines d'humour, mais s'inquiétaient lorsque ses absences lui tombaient dessus, comme un coma.

Les gens les plus âgés du village, ou les clients des centres de loisirs, l'évitaient encore, la plupart croyant que ce comportement bizarre pouvait être contagieux. Pourtant, eux aussi étaient fascinés. Avrum le savait. Grâce à Henri Burger, et à ceux qui appréciaient sa compagnie, pour jouer aux échecs ou discuter tranquillement, il agrémentait sa réputation par de longues histoires délibérément invraisemblables.

Il prétendait avoir possédé autrefois un Stradivarius. Il l'aurait acheté soit chez un colporteur de sa connaissance, soit à un membre de l'orchestre philharmonique de New York. Ou bien encore, il le tenait d'un descendant de Stradivarius lui-même. Cela dépendait de son humeur, au moment où il contait l'histoire.

Il jurait qu'étant jeune, il avait été un boxeur expérimenté, un poids léger. Il avait gagné plusieurs championnats régionaux, précisait-il et avait même croisé le fer avec le grand Stribling Junior. Cette histoire était inventée à mon intention puisque Stribling Junior était originaire de Géorgie. Il expliquait ensuite qu'il s'était cassé le poignet, ce qui avait brisé une carrière pleine de promesse.

Il avait survolé un champ du New Jersey en dirigeable, avait-il avoué un jour à Henri. Il décrivait la curieuse sensation d'être balancé au bout d'une corde, tandis qu'il observait la lente rotation de la Terre, en dessous de lui. Il prétendait avoir rencontré, ce jour-là, le célèbre pilote Charles Lindbergh.

Il se vantait d'avoir été le vainqueur d'un marathon de danse, en couple, à Brooklyn, avec une Lituanienne qui avait fait partie ensuite de la première rangée des danseuses de la comédie musicale, dirigée par Busby Berkeley.

Lorsqu'il travaillait comme interprète à Ellis Island, il était fier de savoir trouver de nouveaux noms, à consonance américaine, pour les immigrants qui arrivaient.

Ceux qui avaient entendu les histoires d'Avrum y croyaient volontiers. Parce qu'ils avaient envie d'y croire.

Mais les seules histoires vraies étaient celles d'Amélita Galli-Curci et de la distribution des noms américains. Un jour, Avrum m'a montré des lettres, jaunies par le temps, provenant de deux familles avec lesquelles il avait correspondu pendant une brève période, après leur arrivée en Amérique. Il avait baptisé l'une Montaigu et l'autre Capulet.

— C'était facile, expliquait-il en tapotant sa pommette. Deux jeunes gens de deux familles. Tu sais bien ? Pendant le voyage en bateau, ils rencontrent l'amour. *Ja.* Roméo et Juliette. Ils m'envoient une invitation à leur mariage.

Il avait commencé à trier les lettres.

— Je dois l'avoir ici, quelque part.

J'ai vu l'invitation. Elle portait bien le nom des familles Montaigu et Capulet.

Je n'ai pas bien dormi, après ma visite de la maison de Jean Archer. Je me suis installé à mon bureau en essayant de prendre quelques notes, pour le service funèbre. Aucun mot ne me venait, seulement l'esquisse, de mémoire, du portrait d'Amy par Jean Archer, et à l'arrière-plan, sur la même feuille, une autre, plus petite, d'Avrum, assis sur son banc.

Lorsque je me suis endormi, ce fut d'un sommeil agité, une sorte de torpeur inquiète. J'ai fait un rêve, un de ces rêves éclairs, aussi fugitif qu'un rebond de ballon. C'était un après-midi où Avrum nous avait demandé, à Amy et moi, d'aller dans sa chambre à l'hôtel, pour lui rapporter un livre...

Je m'empressai de répondre :

— Mais Amy n'a pas besoin de venir. Je vais y aller tout seul.

— Non, non, emmène-la, insista Avrum. Montre-lui mes disques.

— Plus tard, peut-être, suggérai-je.

— Aurais-tu honte que je vienne avec toi ? s'enquit Amy.

Je rougis. Honte ? Non. Mais je savais que si quelqu'un nous voyait entrer ensemble à l'hôtel, il y aurait des commérages chez Arch et à l'Auberge.

— Ce n'est pas ça, commençai-je, j'ai seulement pensé que tu pourrais rester ici à bavarder...

Avrum secoua la tête. Il tendit sa clef à Amy.

— Vas-y maintenant. Prends la jeune fille avec toi. J'ai besoin de me reposer.

Et il cligna des yeux, feignant la fatigue.

— Viens, annonça bravement Amy. Ne sois pas si craintif.

Avrum eut un sourire triomphant.

Si quelqu'un nous a aperçus, personne n'a jamais proféré un mot à ce sujet. J'ai laissé la porte de la chambre d'Avrum ouverte, mais Amy l'a refermée. Puis elle a mis ses bras autour de mon cou, et m'a embrassé.

— Amy, nous ne pouvons pas rester ici, lui ai-je dit.

Elle eut un sourire espiègle.

— Tu ne comprends pas ce qu'il vient de faire, n'est-ce pas ?

— Que veux-tu dire ?

— Il nous a simplement donné l'occasion de passer un moment ensemble, sans que personne ne nous espionne.

— Nous espionne ? Mais qui donc ?

— Mais n'importe qui. Mes parents, Carter. Surtout Carter.

— Nous ne pouvons pas rester ici, pas avec cette porte fermée, insistai-je.

— On peut, une minute, murmura-t-elle.

Elle me tenait dans ses bras. Elle m'embrassa encore, puis jeta un coup d'œil dans la pièce. La chambre n'était pas encombrée, comme elle l'était d'habitude. Elle était propre et rangée. Il y avait un petit vase de fleurs sur la table de chevet d'Avrum.

— J'aime bien sa chambre, dit Amy. Elle est agréable, je m'y sens en sécurité.

— Pas moi, rétorquai-je.

Je pris sur l'étagère le livre qu'Avrum avait demandé.

— Allez, viens.

— Encore un baiser.

Amy ronronnait.

— Un seul, dis-je.

Elle m'embrassa avec passion, un long baiser sensuel.

— D'accord. Maintenant nous pouvons partir, annonça-t-elle.

Je ne savais pas comment Amy avait compris ce qu'Avrum avait en tête, mais pour elle, c'était évident. Lorsque nous sommes revenus avec le livre, Amy lui tendit sa clef.

Il la repoussa fermement de la main.

— Gardez-la, j'en ai une autre. Si vous avez envie d'y retourner, pour écouter de la musique, allez-y. Moi, je suis toujours ici.

Amy sourit. Plus tard, elle me confia :

— Avrum veut que nous ayons un endroit avec un lit.

— Je t'en supplie, ne parle jamais de cela.

— Maintenant, quand je dessinerai un *C* sur la nappe, tu sauras où aller, me taquina-t-elle.

Dans mon rêve, Amy me souriait depuis le tableau de Jean Archer.

Le matin était clair et froid. Il y avait dans l'air une petite fraîcheur qui s'attardait sous les branches des pins et s'introduisait dans ma chambre, par la fenêtre ouverte. Je voyais la petite fille, celle qui sautait à la corde, faire du vélo, le long de la rue. Elle exécutait de lentes et régulières figures en huit, comme un oiseau paresseux et satisfait qui plane, au gré des courants aériens. Elle avait l'air de rêvasser, ses rêves se succédant comme les lentes arabesques de sa bicyclette. Je me demandais si elle se lassait jamais de sa solitude.

Je suis descendu dans la salle à manger. Il n'y avait personne. Dans la cuisine, une femme un peu forte, la trentaine, était assise à une table de travail avec son petit déjeuner — une grande assiette bien remplie. Une cigarette brûlait dans un cendrier, près d'elle. Lorsque j'ai poussé la porte et que je suis entré, elle leva sur moi des yeux méchants.

— Vous cherchez les Merritt ? me demanda-t-elle.

— Vous les avez vus ?

— Je suppose qu'ils dorment encore.

Elle tira une bouffée de sa cigarette.

— Vous êtes client ici ?

Je répondis par l'affirmative.

— Vous voulez un petit déjeuner ?

— Oh, juste du café. Je vais le faire.

— Comme vous voudrez, marmonna-t-elle. Je viens de commencer à manger.

— Ne vous inquiétez pas. Je sais exactement où sont les choses.

Elle me scruta avec curiosité :

— Vous êtes le gars qui a travaillé ici autrefois, c'est ça ?

— Oui.

— Ils passent leur temps à parler de vous. Tous les deux.

J'ai pris une tasse sur l'étagère et y versai du café.

— Ce sont des amis, lui expliquai-je. Je viens habiter ici, de temps à autre, depuis des années.

— Ouais. C'est ce qu'ils racontent, bougonna la femme.

Elle poussa le bout de sa cigarette dans le cendrier pour l'éteindre.

— Moi, c'est ma première année ici.

— C'est vrai ?

Elle fit un signe de tête en mordant dans son toast.

— Ils me disent qu'ici, ç'a été un endroit très bien.

— C'est vrai. Mais maintenant tout a changé.

— Ça c'est vrai, ronchonna-t-elle. Et par ici, il n'y a de boulot nulle part.

— C'est ce que j'ai cru comprendre, fis-je.

— Nulle part, répéta-t-elle.

Elle prit une gorgée de café et me regarda à nouveau.

— Vous êtes venu à cause du vieux monsieur? Celui qui est mort?

— Oui. Avrum Feldman. C'était l'un de mes amis.

Elle sourit soudain. Ses dents étaient jaunes et inégales.

— Je savais bien que je vous avais déjà vu. Vous étiez à la télé et vous avez parlé de lui.

— Oui, c'était moi.

— Quand vous êtes entré dans la cuisine, hier, j'étais occupée et je n'ai pas fait bien attention. Mais le soir, quand je vous ai vu à la télévision, j'ai bien pensé que je vous avais déjà vu quelque part.

J'avais envie d'être aimable.

— Excusez-moi de ne pas m'être encore présenté, mais je sais ce que c'est, quand il y a du travail.

Elle agita sa main.

— Oh, il n'y a pas tellement à faire ici, ça, je peux vous le dire. Pour l'instant, il n'y a que vous. On devait avoir tout un lot de gens pour le week-end, mais on ne peut jamais compter là-dessus.

Elle prit une autre cigarette dans son paquet.

— Et dites-moi, le vieux monsieur était-il aussi dingue que tout le monde le prétend?

— Avrum? Je ne sais pas s'il était dingue, mais en tous cas, il était différent.

Elle eut un rire bref et tranchant.

— Pour moi, c'est pareil, vous savez. La moitié de ma famille est comme ça. Dingue. Pas comme les autres. Ils sont tout le temps en train d'inventer quelque chose. J'en ai même un ou deux qui entendent des voix, exactement comme ce qu'on dit de ce vieux.

— C'est vrai? demandai-je.

Elle hocha vivement la tête, tout en allumant sa cigarette.

— C'est dans le sang des Benton.

— Benton? Vous ne seriez pas par hasard parente de Ben Benton?

Elle me regarda avec surprise.

— Vous le connaissiez?

— Mais oui. C'était mon ami.

— C'était mon père. Moi je suis Shirley Benton. Enfin je l'étais. Maintenant, je m'appelle Shirley Bagwell.

J'étais stupéfait. Je me rappelais avoir rencontré la fille de Ben Benton, vers la fin des années cinquante, elle était encore toute petite, une belle enfant aux yeux bleus, avec un rire gai. Puis Benton s'était suicidé et on m'avait dit que la famille avait déménagé. Il était impossible de croire que la femme assise devant moi avait été cette petite fille si jolie et si joyeuse.

— Ça alors, c'est quelque chose! m'exclamai-je. La fille de Ben Benton. Je suis heureux de vous rencontrer. Mon nom est Bobo Murphy.

— Un bien drôle de nom, fit Shirley.

— Ça, je suis d'accord.

— Vous connaissiez vraiment mon papa?

— Mais oui, je l'ai connu. C'était un homme bien. Nous étions de bons amis.

— Je ne me rappelle pas grand-chose de lui, avoua-t-elle, sans faire de sentiment. J'ai des photos, mais les photos ça ne dit rien. Elles se ressemblent toutes. Des gens qui sourient comme des chats siamois. Ils ne sont jamais comme ça, quand vous commencez à découvrir des choses sur eux.

— Je suppose que vous avez raison, répliquai-je.

— Vous êtes sûr que vous ne voulez pas manger quelque chose?

— Non, merci.

Elle fit un signe de tête plein de gratitude et tira une bouffée sur sa cigarette.

— Nous avons déménagé après la mort de papa.

Elle se tut un instant et ajouta, se corrigeant:

— Oui, enfin après son suicide. Moi et Roy — Roy c'est mon mari —, nous sommes revenus l'an dernier. Il travaille dans un garage de Fleischmann.

— Et ça vous plaît par ici?

Elle jeta un coup d'œil dans la cuisine, puis répondit en haussant les épaules:

— Ça va!

— Votre père était quelqu'un d'important. Il était d'ailleurs au conseil municipal, lui expliquai-je. C'est même lui qui a commencé la guerre contre l'armoise.

— Qu'est-ce que c'est que ça?

— C'est vrai que c'est un peu bizarre. Cette région était connue comme refuge pour les gens sujets au rhume des foins. Si une pousse d'armoise sortait de terre, quelqu'un venait l'arracher. Et votre père veillait à ce que ce fût fait.

— Vous voulez dire qu'il se baladait en arrachant les mauvaises herbes? Moi qui croyais qu'il conduisait un camion d'ordures.

— Mais ça aussi. Il faisait vraiment un tas de choses.

Shirley hochait la tête, pensive, comme si elle s'efforçait d'imaginer son père portant un uniforme soigneusement repassé, avec des médailles symbolisant son héroïsme face aux mauvaises herbes. Au bout d'un moment, elle chassa ces pensées en secouant la tête et jeta à nouveau un coup d'œil autour d'elle.

— Cela ne prendrait pas plus d'une minute de vous faire deux œufs, proposa-t-elle. Je les fais sur le plat, dans du beurre, à feu vif pendant quelques secondes. Les meilleurs que vous ayez jamais mangés.

J'ai soudain eu terriblement pitié de Shirley Benton Bagwell. Elle n'avait vraiment rien compris, de ce que je lui avais raconté sur son père. Il était mort. Elle n'avait aucun souvenir de lui. C'était tout ce qu'elle avait besoin de savoir.

— Non, vraiment, la remerciai-je. Je vais juste prendre un café et m'asseoir sous le porche quelques instants, pour sentir l'air du matin.

— Comme vous voudrez.

— Je suis heureux de vous avoir rencontrée, Shirley.

— Moi aussi, répondit-elle.

La petite fille à bicyclette était encore dans la rue, toujours à tourner lentement. Je me suis assis dans un fauteuil et l'observai. Elle ne me regarda pas. Ses yeux étaient fixés au sol, presque dans un état d'hypnose. Elle était gracieuse, ses longs cheveux blonds ondulaient sur ses épaules dans la brise matinale. Elle avait sur le visage une expression rêveuse, mêlée à celle, morne, du repos, un peu triste.

Je me souvins d'une petite fille, en 1955, dont la photo, dans le journal, ressemblait beaucoup à cette fillette. Elle avait fait un séjour dans un camp d'été à Pine Hill et, un jour, elle avait disparu, au cours d'un voyage en auto-stop. Les hommes de la vallée de Shandaken l'avaient recherchée, mais elle n'avait pas été retrouvée. C'était Ben Benton qui avait courageusement et ouvertement suggéré que la fille avait été kidnappée et emmenée loin des montagnes. L'année suivante, Carter m'avait écrit qu'on avait découvert son squelette, dans une tombe peu profonde, non loin du bouleau où nous avions nos rendez-vous avec Amy. Carter disait que personne ne savait qui l'avait tuée ni pourquoi. Mais on avait interrogé Ben. Ben n'avait pas été accusé de meurtre, mais Carter disait qu'il avait été condamné à vie, par la cour la plus sévère qui soit, celle du commérage.

J'ai pensé que c'était une drôle de coïncidence, que la fille de Ben, Shirley, naquît moins d'un an après que l'on eut découvert le corps de la fillette disparue. L'enfant aussi était blonde et jolie. Je me suis demandé si ce n'était pas le fait de savoir que sa propre fille devrait vivre toute sa vie avec cette réputation qui, un soir, avait poussé Ben à prendre un fusil et à se tuer dans le temple. Ou bien y avait-il encore autre chose ? Ben avait-il tué la fillette, comme le rapportaient les ragots ? La vue de sa fille, blonde aux yeux bleus, l'avait-elle tourmenté, au point de le pousser au suicide ? Dans les années cinquante, certaines choses, comme le meurtre d'un enfant, ou bien sa rumeur étaient impossibles à accepter. Trop dures à vivre et à porter.

Moi, j'aimais bien Ben. Il m'avait accepté après quelques réticences. Il s'était interposé, face à un cran d'arrêt, pour me protéger. On s'était bien amusés ensemble. Je ne pouvais accepter l'idée qu'il ait tué quelqu'un.

Un jour, j'ai vu Ben discuter avec Avrum. Ils étaient assis sur le banc d'Avrum et Ben était penché en avant, les coudes plantés dans les genoux, à écouter et à opiner de la tête, tandis qu'Avrum lui parlait avec de grands gestes expressifs. Plus tard, Ben me raconta qu'Avrum lui avait fait partager la chose la plus profonde qu'il eût jamais entendue.

— Et de quoi s'agissait-il ? lui demandai-je.

— Il parlait de Dieu, avoua Ben. Il disait que les gens étaient des imbéciles de croire que Dieu s'occupait tellement d'eux. Sais-tu ce qu'il a fait ? Il m'a montré le sommet de la montagne derrière l'Auberge, puis il m'a demandé ce que je voyais là-haut. « Une montagne », lui ai-je répondu. C'est vrai, merde, c'était simple comme bonjour. Et le vieil Avrum m'a donné raison. Mais il a ajouté qu'il se passait plus de choses, sous un seul arbre de cette montagne — dont Dieu s'occupait —, que chez chacun des gens que je connaissais.

— Ça lui ressemble bien, dis-je.

Je me rappelai Ben regardant la montagne, comme s'il la voyait pour la première fois, et déclarant :

— Tu sais, Bobo, il n'y a pas à avoir peur de ce vieux fou. Ce qui fait peur, c'est que c'est un homme courageux.

Peut-être était-ce ce que je devais dire aux gens ? Pendant le service funèbre, peut-être devrais-je évoquer cette rencontre ? Ce serait une belle histoire, et tout le monde la comprendrait.

Mais je savais que ce n'était pas ce qu'ils auraient envie d'entendre.

Il fallait leur parler une dernière fois d'Amélita Galli-Curci. Leur raconter une anecdote qu'ils ne connaissaient pas encore.

Et j'en avais une, dont Avrum jurait qu'il ne l'avait contée à personne d'autre que moi.

La porte qui menait à l'Auberge s'ouvrit derrière moi et se referma avec un grand bruit, puis j'entendis la voix de Lila m'appeler :

— Bobo.

La petite fille à bicyclette stoppa net. Elle leva la tête et me regarda en souriant. Puis, lorsque ses yeux se portèrent sur Lila, son sourire se ternit et son visage prit une expression méfiante. Elle s'en alla le long de la rue, pédalant très vite.

— Mais que fais-tu ici ? demanda Lila.

Je me suis tourné vers elle. Elle avait bonne mine, un air de bonheur et de satisfaction. L'odeur sucrée de son parfum flottait sous le porche.

— Je contemple le monde. Le monde entier.

— Et comment va le monde?

Je me retournai vers l'endroit où la gamine avait exécuté ses interminables tours à bicyclette et je dis :

— Il tourne en rond.

— Tu es étrange, Bobo. Tu as pris ton petit déjeuner?

— Juste du café.

Elle se laissa tomber dans un fauteuil près de moi.

— Je vais la sacquer, cette salope.

Elle eut un soupir épuisé.

— Merde alors! Je n'arrive pas à lui faire comprendre la moindre petite chose sur son boulot.

— Elle m'a proposé de me le préparer, observai-je. Mais je n'avais tout simplement pas faim.

— Je vais quand même le sacquer, déclara Lila. Elle est une vraie cochonne. Elle bouffe plus que les clients et puis enfin, merde, c'est sa propre cuisine! Ce qui prouve bien qu'elle n'a aucun goût.

Lila alluma une cigarette et rejeta la fumée en l'air.

— On a parlé, lui dis-je. Elle est la fille d'un homme que j'ai connu.

— Qui ça?

— Ben Benton. Nous étions amis.

Lila fronça les sourcils d'un air préoccupé.

— Il me semble que j'ai déjà entendu ce nom-là.

— Peut-être. Tu as bien dormi?

Lila sourit au souvenir de la nuit. Elle cacha son visage dans le coussin du fauteuil, et, évitant d'autres questions, elle s'enquit :

— A quelle heure est le service funèbre?

— A onze heures.

— Et tu es fin prêt?

— Non. Je crois qu'il faudra que j'improvise.

— Tu sauras très bien le faire, je suis sûre. Oh, à propos, l'homme de la maison de retraite a téléphoné il y a quelques instants.

— Sol Walkman?

— Ouais. C'est ça.

— Que voulait-il?

— Comprends-moi bien. Je crois qu'il est aussi dingue que certains de ces vieux qu'il garde enfermés dans sa maison de fous.

— Mais il a bien dit quelque chose? demandai-je.

— Oui, seulement ça n'avait pas beaucoup de sens. Il a dit que quelqu'un lui avait envoyé un recueil de poèmes avec un mot, expliquant que c'était pour le service funèbre d'Avrum. Il se demandait si c'était de ta part.

— Des poèmes? Non, je ne lui ai rien envoyé du tout.

— Il y en avait un qui était marqué d'une croix.

— Qu'est-ce que c'était?

— Quelque chose au sujet d'un enfant, répondit Lila.

— Un poème de Walt Whitman?

— Whitman? Oui, c'est ça. J'adore ce qu'il écrit, déclara Lila.

12

J'entendais distinctement la voix de Lila :

— Bobo?

Je savais qu'elle était en train de me parler, mais je ne pouvais pas lui répondre. J'ai essayé de prendre une profonde inspiration. Mes poumons semblaient bloqués par un nœud dans ma gorge.

— Bobo? fit-elle d'une voix beaucoup plus forte.

Puis, elle s'approcha de moi. Je sentais ses mains sur mon visage, me massant avec ses doigts.

— Merde alors, Bobo? Qu'est-ce qui ne va pas?

Elle s'est précipitée vers la porte principale de l'Auberge, en criant :

— Sammy, Sammy! Viens vite.

Elle fut de nouveau à genoux près de moi. Elle me tenait les mains, les frottant énergiquement.

— Mais qu'est-ce que tu as, Bobo? suppliait-elle. Mon Dieu! parle-moi, respire, merde!

Sammy accourut. J'entendais sa voix angoissée :

— Que se passe-t-il? Qu'est-ce que tu lui as fait?

— Mais rien, répondit Lila furieuse. Je ne sais pas ce qu'il a. Regarde-le. Mon Dieu! Il est blanc comme un linge. Appelle vite un médecin, bon sang!

Le nœud dans ma gorge se desserra légèrement et j'aspirai une grosse et rapide goulée d'air.

— Calme, Bobo, calme, dit Lila. Va doucement et lentement.

Ma respiration s'apaisait.

— Je vais t'apporter de l'eau, proposa Sammy.

Il retourna en toute hâte à l'Auberge.

— Ça va aller, Bobo? demanda Lila avec anxiété.

Je hochai la tête.

— Mais qu'est-ce qui t'est arrivé?

— Je ne sais pas, répondis-je. Sans doute trop d'oxygène, tout à coup.

— Comme ça, pour rien?

— Je suppose. Cela ne m'était jamais arrivé auparavant.

— Ça alors! Ce que tu m'as fait peur, Bobo. J'ai cru que tu allais avoir une crise cardiaque.

— Mais ça va, maintenant, lui assurai-je. Je suis désolé.

— Mais pourquoi? Tu n'y peux rien.

— C'est vrai, sans doute.

Sammy est revenu avec de l'eau et je l'ai bue. Je me suis encore excusé. Ils m'ont envoyé promener en commençant à se disputer sur le fait que je devais absolument voir un médecin. Sammy insistait pour que j'aille à Fleischmann, il se proposait de m'y conduire. Lila lui expliquait que ce n'était rien, juste une réaction nerveuse, un excès d'oxygène, et que ce n'était jamais aussi grave que ça en avait l'air.

— As-tu mangé quelque chose? questionna Sammy.

— Heureusement non, répondit Lila. S'il avait mangé, en ce moment, on serait en train de contempler son cadavre.

— Ça va bien, rassurai-je Sammy. Lila a raison, c'est juste un coup, comme ça. En plus je n'ai pas le temps d'aller chez le médecin.

— Si ça t'arrive encore, tu y vas, déclara Sammy. Même si je dois te taper sur la tête avec mon marteau et te traîner de force. Tu entends?

J'ai promis que j'irais, si cela se reproduisait.

— Pourquoi ne monterais-tu pas te reposer un peu? suggéra Lila.

— Pas maintenant. Je veux aller à la maison de retraite.

— Mais il est à peine huit heures passé!

— Je ne resterai pas longtemps. Je désire juste tout vérifier.

— Tu veux que je vienne avec toi? proposa Lila.

— Non, non, ça ira très bien.

— Si ça t'arrive encore, Sammy peut t'emmener chez le médecin, mais moi, je peux te ressusciter par le bouche-àbouche, me dit-elle avec un clin d'œil taquin. Et j'espère bien que ça marchera.

— Merde alors, Lila, fiche-lui la paix, ronchonna Sammy.

De même que j'étais sûr d'avoir pressenti la mort d'Avrum, avant que Brenda Slayton m'ait parlé du coup de téléphone de Sol Walkman, de même je pense que chacun, à un moment de sa vie, est bouleversé par des circonstances, des coïncidences aussi étranges qu'une impression de déjà vu, ou que ces messages télépathiques provenant d'amis qui se trouvent à des kilomètres de vous.

Des choses inexplicables.

Lorsque notre fille Rachel était toute petite, un soir où nous dînions chez nos voisins, Hart et Cathy Fischer, Caroline, au milieu de blagues et de rires, est brusquement devenue toute pâle, et a quitté la table précipitamment et sans explication. Elle a couru à la porte et traversé la pelouse pour rentrer chez nous. Stupéfaits, nous l'entendions appeler Rachel désespérément. Nous l'avons suivie et avons trouvé Rachel en train de s'étouffer et Caroline lui tapant énergiquement le dos, tandis que la baby-sitter faisait une crise de nerfs. Caroline n'a pas pu expliquer son geste. Elle a seulement dit : « J'ai tout de suite su. » C'est tout.

Un de mes étudiants a fondu en larmes au milieu d'un cours, convaincu que sa mère venait de mourir. Et il avait raison. Au moment précis où il l'avait éprouvé, sa mère était morte d'une crise cardiaque dans un hôpital à cinq kilomètres de là. « Elle est passée devant moi », jurait-il. Je pensais à eux tandis que j'allais au bureau, pour rappeler Sol Walkman au sujet d'Avrum.

Un jour, un ami et collègue qui était très amoureux m'a appelé tard dans la nuit et, d'une voix tremblante, il m'a supplié de venir prendre un verre avec lui. Il me confia qu'il savait que la femme qu'il aimait était à ce moment précis en train de coucher avec un autre homme. « Je le sais, je le sens », criait-il. Plus tard, il m'a confirmé qu'il avait eu raison, qu'elle le lui avait avoué. Je lui ai demandé comment il avait pu en être si sûr. « Je le sentais. Je regardais la télévision à la maison et, tout d'un coup, ça m'a frappé. C'était comme si j'assistais à la scène. Je le savais tout simplement. »

Pour moi, l'appel de Sol Walkman, concernant le poème de Walt Whitman, n'était pas une expérience mystique. Rien de comparable avec Caroline et Rachel, ou mon étudiant perdant sa mère, ou la maîtresse de mon ami. Je ressentais simplement un froid mortel qui me glaçait totalement.

Comment le livre pouvait-il se trouver là, me demandai-je. Le poème sur l'enfant de Whitman était une vieille histoire entre Avrum et moi. Personne d'autre ne la connaissait.

Un jour, alors que je quittais l'Antre pour aller travailler, j'ai vu Avrum qui me faisait signe. J'ai traversé la rue pour le rejoindre. Il tenait un livre à la main et l'a tendu pour que je puisse le voir. C'était une anthologie de poèmes.

— J'ai trouvé qui tu es, fit-il avec enthousiasme.
— C'est vrai ?
— *Ja, ja*, assieds-toi.
Il tapota le banc de sa main.
— Il faut que je te lise cela.
Je regardai dans la direction de l'Auberge. Je voyais Carter qui montait les marches qui menaient à la cuisine.
— J'ai tout juste une minute, dis-je à Avrum.
— Mais oui. C'est bien. Juste une minute.
Je m'assis à son côté. Il se mit à lire lentement.

Il y avait un enfant qui sortait tous les jours
Et le premier objet qu'il regardait, aussitôt il le devenait,
Et cet objet faisait partie de lui, tout le jour ou une partie du jour
Ou beaucoup d'années, des années en grand nombre...

Le poème était de Walt Whitman, *Il y avait un enfant qui sortait tous les jours*. Et comme je l'écoutais, ce poème devint mon préféré. Son message était simple. En chaque être il y a un enfant qui, tous les jours, sort dans la vie. Il devient alors partie de ce qu'il voit, ce qu'il entend, ce qu'il vit et tout ce qu'il expérimente devient partie de lui-même.

— Prendre et laisser, laisser et prendre, voilà ce que c'est, m'expliqua Avrum.

C'était ce que j'avais toujours instinctivement cru, mais sans le savoir, jusqu'au moment où Avrum m'a lu ces vers.

Lorsqu'il eut fini de lire, Avrum ferma le livre et me sourit d'un air paisible.

— Tu comprends? me demanda-t-il.

— Je pense.

— Bien. Très bien. Nous en reparlerons une autre fois. Maintenant va travailler. Va.

Par la suite, Avrum m'appelait souvent *l'Enfant* de Walt Whitman et il disait de lui-même qu'il était *le Vieil Homme* de Walt Whitman.

Avec sa manière de faire correspondre la logique avec son propre dessein, Avrum expliquait que seules certaines personnes avaient la capacité d'être *l'Enfant* de Walt Whitman.

— Trop de gens veulent prendre sans laisser, pontifiait-il. Et qu'apprendraient-ils, s'il leur arrivait quelque chose de bien? Rien. Ils n'apprendraient rien du tout.

Ce fut la découverte du poème de Whitman qui poussa Avrum à me parler sérieusement d'Amy. Il prétendait que ce n'était pas par hasard que j'avais fait ce voyage, jusqu'aux monts Catskills, depuis la Géorgie. Je l'avais rencontré, lui, et j'avais connu une jeune fille juive de New York. C'était écrit, comme il était écrit qu'il entendrait un jour Amélita Galli-Curci à l'opéra de Lexington.

— Écoute-toi toi-même, insistait-il, n'écoute pas les autres. Je te connais. Tu es comme moi. Écoute la voix. Elle te le dira. Cette Amy, elle est pour toi.

Je n'ai parlé à personne, ni à Amy, ni à Carter, ni à qui que ce soit d'autre, de *l'Enfant* de Whitman. L'histoire les aurait fait rire. Ou elle les aurait effrayés, comme c'était le cas pour moi.

Seul Henri Burger semblait comprendre ce qu'Avrum me disait. Je sentais bien l'inquiétude d'Henri, l'air soucieux avec lequel il m'observait. De temps à autre, après quelque temps passé avec Avrum, Henri me chuchotait dans la salle à manger :

— Fais très attention. Avrum aime bien tirer les ficelles. Quand on est vieux, elles ont déjà disparu. Mais quand on est jeune, il y a encore beaucoup de ficelles à tirer.

A la fin de l'été, le jour où Avrum a quitté l'Auberge de Pine Hill pour retourner à la maison de retraite, à Long Island, Henri m'a pris à part.

— Va-t'en vivre ta vie, Bobo Murphy. Sans Avrum. Quand tu repartiras en Géorgie, laisse-le assis sur son banc, avec sa musique. C'est un rêveur, et les rêveurs peuvent être égoïstes. Ils veulent que tout le monde partage leurs rêves.

— Mais je croyais que c'était ton ami ? lui objectai-je.

— Bien sûr que c'est mon ami, murmura Henri. Et il est aussi ton ami, mais les amis n'ont pas toujours raison. Lorsqu'ils ont tort, on leur pardonne et lorsqu'ils ont raison, on les aime.

— Je pense que c'est vrai, dis-je.

Il a posé ses mains sur mes épaules et m'a regardé avec tendresse :

— Avrum voudrait redevenir jeune, pour revoir Amélita Galli-Curci et lui dire qu'il l'aime. Avec toi, il redevient jeune. Tu ne le vois donc pas ? Il veut que tu sois lui et que ton Amy devienne Amélita Galli-Curci. Elle est adorable, Amy, mais elle n'est pas Amélita Galli-Curci. Si tu la forces à l'être, tu vas souffrir et tu seras malheureux à jamais.

Et il serra mes épaules de ses mains vigoureuses.

— Ne sois pas tellement *Dummkopf*.

Le livre que Sol Walkman tenait dans ses mains appartenait à Avrum. Je le reconnus aussitôt. Il portait le nom d'Avrum, gribouillé de sa main, sur la page de titre.

Sol ne pouvait m'expliquer comment il était arrivé là.

— Quelqu'un a dû l'envoyer ou le faire déposer à la réception. La secrétaire me l'a donné, me signalant qu'elle n'avait vu personne.

On avait glissé à l'intérieur une enveloppe avec une petite note dactylographiée :

Pour le service funèbre d'Avrum Feldman. Prière de regarder la page indiquée.

La page en question était celle du poème *Il y avait un enfant qui sortait tous les jours*.

— Savez-vous ce que cela signifie? me demanda Sol Walkman.

— Oui et non, lui répondis-je. Je connais le poème. Je sais que c'était l'un des préférés d'Avrum, mais je n'ai aucune idée de la personne qui aurait pu le déposer ici. La dernière fois que je l'ai vu, il était dans les affaires personnelles d'Avrum.

Sol se frottait le menton, perplexe.

— Peut-être est-ce l'un des résidents qui a pris le livre, suggéra-t-il. Ils auraient pu le faire, au moment où ils ont saccagé sa chambre.

J'ai demandé alors si l'un d'eux possédait une machine à écrire.

Sol secoua la tête négativement.

— Non, je le saurais.

— Auraient-ils pu utiliser l'une des machines du bureau?

— J'en doute fort, rétorqua Sol. Il y a toujours quelqu'un par là. Mais êtes-vous sûr qu'il possédait le livre?

— La dernière fois que je l'ai vu, en octobre dernier, il l'avait, répondis-je. C'était l'un de ses objets les plus intimes. Il adorait Whitman.

— Il avait bon goût. J'aime aussi beaucoup ce poème. Je l'ai toujours aimé. Allez-vous le lire aujourd'hui?

— Franchement, je ne sais pas.

— Avez-vous besoin de quelque chose? demanda Sol.

— Non, je ne pense pas.

— Vous allez avoir du monde, affirma Sol. Ils n'y sont pas obligés, mais je crois qu'ils viendront tous et il y a déjà au moins une station de télévision pour un reportage.

Je lui demandai alors ce qu'il avait fait de la sculpture de Sammy.

Sol sourit.

— Elle est là dans un coin, dit-il, sans aucune gêne. Je ne voudrais pas que quelqu'un fasse des blagues avec. Elle pourrait tomber et blesser un de mes vieillards.

— Vous avez raison.

Je m'étais complètement trompé au sujet de Sol Walkman. C'était un homme qui faisait du bon travail, là où la mort était toujours victorieuse.

Je retournai à l'Auberge et j'appelai Carter. Carter avait un véritable esprit de juriste pour raisonner sur des choses déraisonnables et, bien que je sois souvent agacé par le fait qu'il pût demeurer impassible face à des problèmes passionnels, j'étais toujours impressionné par la franchise et la clarté de sa pensée. S'il y avait une explication plausible à l'apparition du recueil de poèmes, Carter la trouverait sûrement, ou me ferait croire qu'il était sur une piste.

Libby Blister m'expliqua que Carter était à une réunion et qu'il ne rentrerait pas avant le service funèbre.

— Mais je peux le joindre, si vous avez vraiment besoin de lui.

— Non, ce n'est pas grave, je le verrai pendant le service.

— Nous sommes très heureux de vous avoir à dîner ce soir, s'enthousiasma Libby. Carter me parle beaucoup de vous.

— Il ne faut croire que la moitié de ce qu'il dit, et encore, le prendre en y ajoutant un peu de sel.

Elle se mit à rire.

— Vous devez bien le connaître.

— Oh oui, bien trop! m'exclamai-je. A ce soir, donc.

— A ce soir.

Il était neuf heures et demie. J'étais assis à mon bureau, et je relisais le poème de Whitman sur l'enfant qui sort tous les jours. Celui qui avait laissé le livre à la maison de retraite devait bien connaître Avrum. Avrum s'était forgé l'idée que le poème concernait sa propre vie. Tel un enfant, il avait rempli son monde intérieur de ce qu'il voyait, ce qu'il entendait, de toutes ses expériences. Puis il avait tenté de laisser une rétribution personnelle, pour toutes ces choses qui avaient eu de l'importance dans sa vie.

Oui, tout compte fait, j'allais lire ce poème.

Je me suis reposé, puis je suis allé dans le café-pâtisserie de Dan Wilder et j'ai pris un café avec un bon morceau de gâteau au sucre, cuit du matin. Je suis parti à dix heures et demie pour me rendre à la maison de retraite. Sammy et Lila avaient promis de m'y rejoindre. Sammy était tout excité. Il avait son appareil photo.

— Je veux prendre quelques clichés de toi à côté de mon *Vieil Homme*, annonça-t-il avec enthousiasme.

Je lui demandai d'attendre la fin du service.

— Mais bien sûr, Bobo, je comprends. Cela nous donnera plus de temps.

Lila me sourit et me jeta un regard compréhensif.

A la maison de retraite, les vieillards se dirigeaient vers la cafétéria, à petits pas vacillants, en une foule lente et silencieuse. Certains me regardaient d'un air méfiant, d'autres souriaient nerveusement. J'aperçus Léo Gutschenritter et Morris Mekel ainsi que Carl Gershon. Ils étaient assis, et observaient attentivement ce qui se passait.

Dans la cafétéria, Sol faisait les vérifications de son, en tapotant le micro avec son doigt. Le bruit sourd et régulier résonnait dans la pièce. Il parut rassuré de me voir arriver.

— Je pense que tout est prêt, dit-il.

— J'espère que vous n'avez pas eu trop de soucis pour les préparatifs. Je n'avais même pas envisagé un système de sonorisation.

— Cela ne prend qu'une minute à installer, assura-t-il. Nous l'avons déjà fait pour des occasions un peu formelles. Autrement, nous nous contentons de crier. Parfois, je me demande s'ils nous entendent, avec ou sans sono.

Il se dirigea vers le fond de la pièce où un jeune homme, avec une coupe de cheveux militaire, se tenait debout en balançant sur son épaule une caméra de télévision. Il filmait les gens au fur et à mesure qu'ils arrivaient. La lumière trop vive des spots obligeait tout le monde à détourner la tête, en levant les mains pour se protéger le visage, tels des enfants qui s'attendent à prendre un coup.

— Votre amie, qui a fait l'émission de télévision, est quelque part par là.

— Je suis bien content que ce soit elle, dis-je.

— Moi aussi, déclara Sol en me désignant une chaise,

derrière le podium. Ça, c'est pour vous. Vous voulez un verre d'eau ?

— Je ne pense pas. Ce ne sera pas très long.

Je me suis assis, j'ai ouvert le livre d'Avrum et j'ai relu le poème sur l'enfant. Une fois de plus, je me demandais qui avait bien pu déposer le livre à la maison de retraite. J'étais sûr que la personne serait présente au service, mais je ne savais si je l'identifierais.

— Comment allez-vous ?

Je levai les yeux et je vis Dee Richardson. Elle était vêtue d'une blouse d'un bleu très clair et d''un pantalon gris, une tenue très semblable à ce qu'elle portait quelques jours auparavant. Pourtant, il y avait quelque chose de changé en elle. Elle aperçut mon expression un peu intriguée.

Elle rit :

— Ce sont mes cheveux. Je les ai fait couper.

Pendant l'interview sur le banc d'Avrum, ses épais cheveux d'une superbe couleur aux reflets auburn lui arrivaient aux épaules. Maintenant, ils recouvraient tout juste la nuque.

— Oui, c'est différent. Mais cela me plaît bien.

— Vraiment ?

— Mais oui. C'est très joli ainsi.

— Cela me donne-t-il un air plus professionnel ? demanda-t-elle sérieusement.

Je dus avouer que je n'étais pas très compétent en la matière, mais je l'assurai que j'aimais bien cette coupe. Puis j'ajoutai :

— Je suis désolé d'avoir manqué l'émission, mais j'en ai entendu dire du bien, même d'un endroit aussi éloigné que la Géorgie.

Dee Richardson sourit gentiment.

— Nous avons eu de bonnes réactions. La seule critique concernait mes cheveux. Elle émanait de je ne sais quel producteur de l'Atlanta. C'est pour cela que je les ai fait couper.

— Vous avez une profession bien étrange, lui dis-je. J'ai toujours cru que seul le contenu avait de l'importance.

— Il y a des gens pour lesquels le contenu, c'est l'apparence, objecta-t-elle. Et je suis d'accord avec vous sur le

métier. Nous créons vraiment l'illusion, avec beaucoup de
fumée et de miroirs.

— Que faites-vous ici, aujourd'hui?

— On m'a demandé de faire quelques repérages. Je
pense qu'ils veulent préparer une émission sur les personnes
âgées. Vous n'êtes pas contre?

— Pas du tout. Dès l'instant que ce n'est pas le genre de
séquence à coups de questions-réponses. J'estime avoir déjà
eu mes quelques secondes de gloire.

— Ne vous inquiétez pas. Nous filmons simplement les
décors. L'éclairage ne va pas trop vous gêner?

— Je ne pense pas, répondis-je. Je fais confiance à votre
jugement. Si vous trouvez que je louche un peu trop, vous
serez obligée de venir à mon secours.

— Mais on le fera, affirma-t-elle.

Elle se retourna puis me regarda à nouveau.

— Je suis heureuse de vous avoir rencontré, Lee Murphy. Vous avez rendu les choses plus faciles.

— Je pense que ça, c'est l'œuvre d'Avrum, lui répliquai-je.

— Peut-être, qui sait.

Elle sourit à nouveau.

— Rappelez-vous : fumée et miroirs.

13

En attendant que les gens s'installent, je repensais aux instructions d'Avrum concernant son service funèbre. « Fais-le le troisième jour, avait-il écrit. Tu sais pourquoi. »

Je le savais en effet. C'était son dernier pied-de-nez au christianisme.

— Si le Christ peut ressusciter le troisième jour, alors qu'il était un si gentil petit juif, alors moi aussi, je le peux, se vantait-il. Quelle histoire ! Mais quelle histoire ! répétait-il avec son ricanement de vieillard. Tu sais, Bobo, les gens de ton peuple sont pires que les juifs et ce Dieu, c'est certainement une forte tête.

J'avais essayé de comprendre pourquoi Avrum était si intolérant envers la religion, mais il n'a jamais voulu me le dire. Il ricanait, puis détournait les yeux en se mettant à discourir sur les drames les plus terribles, et à me harceler pour savoir où était mon Dieu à ce moment-là :

— Peut-être était-il en vacances, s'exclamait-il d'une voix tonitruante. Peut-être est-ce là qu'il habite ? Sur une plage, à dormir au soleil. Hein ?

Henri Burger pensait que la colère d'Avrum venait de sa souffrance dans les camps de la mort de la Seconde Guerre mondiale. Si Dieu existait, comment pouvait-il laisser faire ces horreurs ? Mais pour Avrum, ce n'était qu'un seul exemple parmi d'autres. N'était-ce pas Dieu qui avait mis Job à l'épreuve, alors que Job était le seul homme qui avait fait exactement ce que Dieu attendait de lui ? Et pourquoi ? Parce que Dieu avait fait un pari secret avec Satan.

— Mais voyons, quel genre de dieu pouvait se comporter ainsi ? demandait Avrum, railleur.

Pourtant, j'ai vu une fois Avrum à l'église. Il était venu avec Henri Burger. Ils ont passé leur temps à se pousser du coude, et à me faire des signes comme des enfants qui assistent à une scène embarrassante et drôle à la fois.

Mais voici ce qu'ils observaient.

Mon frère Raymond m'avait demandé de prendre la parole dans une de ses églises, ce qui devait lui permettre de partir plus tôt, pour de longues vacances d'été en Géorgie.

— Je ne peux pas faire ça, lui avais-je objecté.

— Mais si, tu peux, m'assura Raymond. J'ai déjà un sermon rédigé. Tu n'auras qu'à le lire. Le reste de l'office sera pris en charge par quelqu'un de la paroisse.

— Mais il faut que je travaille.

— J'en ai déjà parlé avec Mme Dowling, m'a expliqué Raymond. Elle m'a affirmé que tu pouvais t'absenter, et qu'elle viendrait même t'écouter.

— Quoi ?

— Elle a dit qu'elle viendrait. Je pense que c'est très bien. Elle t'aime beaucoup, et elle trouve que tu fais du bon travail.

— Je pense que ça ne va pas marcher, continuai-je à me défendre.

— Allez, Bobo. Bien sûr que si. C'est une petite paroisse. Tout le monde ne vient pas à l'office. Cela m'aiderait beaucoup que tu fasses cela pour moi. Il faut que j'aille en voiture jusqu'en Géorgie. Je gagnerai trois jours.

J'eus la bêtise d'accepter et de prendre le texte dactylographié du sermon. Le titre en était : « Cette petite lumière qui est en moi. » L'idée était que chacun avait le pouvoir — qui que ce soit et quel que soit son métier — de pénétrer dans les ténèbres du péché, pour l'éclairer avec sa lumière de bonté. Les petites lumières rassemblées formaient ainsi un rayon aveuglant. Raymond avait réfléchi à cela, bien avant que George Bush en ait même l'idée.

— Et toi, tu seras l'une de ces petites lumières pour moi, me confia Raymond avec fierté. Je penserai à toi sur la route. Je serai probablement déjà en Virginie, lorsque tu commenceras.

Raymond était un homme d'une grande piété. Il ne pensait jamais que certaines petites lumières pouvaient être soufflées par les vents de l'absurde.

Le responsable de l'église, un homme qui s'appelait George Arrington, s'est arrêté devant l'Antre, tôt le dimanche matin, après le petit déjeuner, et il m'a emmené en voiture jusqu'à l'église. Nous avons rencontré le pianiste.

— Ne vous inquiétez de rien, m'assura George, confiant. Je m'occupe de tout, sauf du sermon.

Nous avons pris place derrière la chaire, pendant que le pianiste jouait doucement. Puis ils arrivèrent. Pas le petit nombre que m'avait promis mon frère, mais une foule, si importante que tous les sièges étaient occupés. Et il y en avait encore debout, le long des murs du fond.

— Bigre! s'exclama George. Mais qui sont tous ces gens?

Ils étaient venus de l'Auberge de Pine Hill. Il s'agissait des clients de la salle à manger dont j'avais la charge. Nora Dowling et Carter les avaient fait entrer. J'ai vu Amy, assise avec ses parents, et Mme Mendelson qui s'était plainte une fois de plus, ce matin-là, de la cuisson de son œuf à la coque. J'ai vu les Schwartz, les Cohen, les Lévin, les Garfunkle. Ils étaient tous là.

— Est-ce que vous les connaissez? me demanda George.

Je fis oui de la tête, avec nervosité.

— Certains ont l'air juif, dit George.

— Et ils le sont, acquiesçai-je.

George fronça les sourcils avec inquiétude. Puis il murmura :

— Eh bien, ils vont avoir au moins une occasion d'entendre parler de Jésus, n'est-ce pas?

J'ai alors pensé : entendre parler de Jésus? Sûrement pas, à moins que je le fasse en yiddish.

Nora Dowling était beaucoup trop élégante. Elle était assise, droite et fière : elle savait qu'on l'observerait et que les clients de l'Auberge l'imiteraient. Henri et Avrum étaient près d'elle. Henri faisait tout son possible pour me distraire et je décidai de ne pas y prendre garde. Je regardais plutôt

Amy. Elle était très belle, dans cette petite église. Je la sentais proche, elle me tenait dans ses bras. Sa bouche était sur
ma bouche, son corps était collé au mien. Je sentais le parfum de ses cheveux. Ses mains caressaient les muscles de
mon dos.

— Louons le Seigneur Jésus, dit George doucement.

Il me sourit et ajouta :

— On peut commencer.

Ce ne fut pas un office, mais une représentation de
cirque. En lisant le sermon de mon frère, j'entendais une
voix perçante et pressée, loin de celle de baryton, à la
Richard Burton, de mon frère. J'essayais de me rappeler
l'attitude de Raymond, lorsqu'il était en chaire, sa façon de
faire des pauses en lovant la Bible dans sa main, de lancer
ses bras en avant ou sur les côtés, comme pour jeter les mots
au milieu de la communauté, tel un semeur de vérité. Je
m'efforçais de l'imiter. Henri m'a confié plus tard que j'avais
été plus proche du spasmophile ou de l'épileptique suppliant
qu'on le soulage.

Puis, une chose vraiment étrange se produisit. Lorsque
j'eus fini de lire le sermon, je fis un pas en arrière et la communauté entière se leva dans un ensemble parfait pour
applaudir. George était stupéfait, et moi aussi. Je me demandais ce qu'aurait fait Raymond à ma place. Je n'avais jamais
vu une communauté l'honorer par une telle ovation. Je fis
alors la seule chose que je pouvais faire : un petit salut, et me
suis rassis.

— Alléluia! s'écria George. Louons le Seigneur Jésus!

Lorsque j'ai salué les gens devant la porte, après l'office,
j'entendais des voix : « *Gut, gut... Ja, gut* », tandis que je
contemplais des visages confus et souriants à la fois. Nora
Dowling et Mme Mendelson m'ont embrassé. Henri marmonna : « Louanges à Jésus. » Avrum confia : « J'ai donné un
dollar. » Joël Lourie... « C'était très bien, Bobo, très impressionnant. Votre frère serait fier de vous. » Édith Lourie souriait, Amy me prit le bras et je sentais la chaleur de ses doigts
à travers le tissu de ma veste.

Le désir d'Avrum que je célèbre son service funèbre le
troisième jour après sa mort précisément résumait toute son

ironie vis-à-vis de la religion. Mais ça m'était égal. Il avait été mon ami. Il ne voulait pas de requiem. Avrum méprisait toute musique funèbre. D'après lui, elle ne servait qu'à semer l'ennui parmi les vivants et agacer les morts :

— Si tu veux vraiment de la musique, alors chante une de tes chansons sur les champs, m'avait-il dit un jour. Seulement, n'y parle pas de Jésus.

A onze heures, la cafétéria était pleine. Dans un coin, j'ai aperçu Sammy et Lila debout près du *Vieil Homme*. Sammy me fit un sourire radieux et leva son appareil photo pour me saluer, et désigner sa sculpture. Je répondis par un signe de tête, et Lila lui tira le bras pour l'empêcher de gesticuler.

Je n'ai pas vu Carter, mais cela ne me surprit guère. Il était toujours en retard, lorsqu'il se déplaçait par devoir à des cérémonies.

— Le dernier arrivé et le premier parti, disait-il souvent avec arrogance. Tout le reste n'est qu'une perte de temps.

Sol se tenait sur le podium en métal et attendait que les portes se ferment. Les éclairages l'éblouissaient et je le vis cligner des yeux plusieurs fois, en baissant la tête.

— Mesdames et messieurs, annonça-t-il, je m'appelle Sol Walkman et je suis le directeur de la maison de retraite des citoyens de Highmount. Je vous remercie d'être venus, en cette occasion solennelle, pour honorer Avrum Feldman qui a passé de nombreuses années ici, avec nous. J'avoue qu'un service funèbre est un peu inhabituel, mais je l'assume avec joie.

« M. Feldman a souhaité que ce service soit dirigé par un homme qu'il aimait comme un fils, et je suis heureux de vous le présenter maintenant. Il s'agit de M. Madison Lee Murphy et il se trouve qu'il est aussi l'un des peintres les plus admirés du Sud.

Puis, il se tourna vers moi :
— Monsieur Murphy.

Sol quitta alors le podium et je me suis levé, l'y remplaçant, le recueil de poèmes à la main. Les projecteurs étaient si aveuglants que je ne distinguais pas les visages des gens assis devant moi. Je devinais seulement les silhouettes immobiles, auxquelles je m'adressai :

— Je n'ai jamais fait ce genre de chose et je dois vous avouer que je ne sais même pas s'il existe un protocole approprié à ce service. Mais ceux d'entre vous qui connaissaient Avrum comprendront que toute forme d'étiquette serait mal venue. Je voudrais aussi vous avertir que ceci n'est pas un service religieux. Il s'agit seulement de souligner qu'Avrum a vécu parmi nous et qu'il était, à plus d'un titre, un homme tout à fait exceptionnel.

« Je vais d'abord vous lire son poème préféré, puis je vous conterai une histoire dont Avrum jurait qu'il ne l'avait jamais dite à personne d'autre que moi. Cette évocation concerne Amélita Galli-Curci.

J'entendis un léger murmure parcourir la foule.

— Mais auparavant, je souhaiterais vous faire connaître l'œuvre d'un des grands artistes de notre région, M. Samuel Merritt. Il nous a gracieusement permis d'exposer ici l'une de ses sculptures, qu'il a dédiée à la mémoire d'Avrum Feldman, une pièce qu'il a intitulée *Le Vieil Homme*.

Sammy s'avança et salua. Les projecteurs éclairèrent son visage, souriant de bonheur. Des applaudissements discrets se firent entendre.

— Je vous en prie, lorsque le service sera terminé, approchez-vous sans hésitation de l'endroit où M. Merritt se tient actuellement, pour apprécier son œuvre, suggérai-je.

Les projecteurs revinrent sur moi.

— Avrum était convaincu de retrouver dans le poème de Walt Whitman sa propre biographie poétique, continuai-je. Il ne croyait pas que l'on pouvait passer *au travers* de la vie. Il se voyait *dedans* et savait que, de cette manière, on prenait beaucoup plus de risques, que lorsqu'on se laissait porter par le courant, qu'il m'avait un jour décrit comme « les petites vagues que sont les journées ». Je n'étais pas toujours d'accord avec ses idées, mais concernant celle-ci, je n'ai jamais trouvé d'arguments à lui opposer.

Puis je lus le poème. Je ne sais comment il fut perçu. Je ne voyais pas les visages. Mais j'ai senti le silence durant la lecture, et ce silence s'est encore accentué lorsque j'eus terminé.

J'ai alors fermé le livre en déclarant :

— Maintenant, je voudrais vous raconter une histoire sur Avrum, une histoire qu'il a partagée avec moi, il y a seulement quelques années, pendant l'une de ces journées de mélancolie que nous connaissons tous. Ces instants où nous nous rappelons un événement si distinctement qu'il redevient réel. Il s'agit de la voix qu'il entendait, alors que personne ne le pouvait. Je pense que vous comprendrez cela.

Quelqu'un toussa et je perçus un léger remue-ménage dans l'assistance.

— Vous savez tous qu'Amélita Galli-Curci a fait construire une maison d'été, Sul Monte, non loin d'ici. La légende veut que lorsqu'elle chantait sous le porche, sa voix courait le long de la vallée et la traversait, comme venue du ciel, et chacun s'arrêtait alors de travailler pour l'écouter.

« Avrum la suivait chaque été durant ses deux semaines de vacances. Il s'asseyait sur un banc à Pine Hill et il écoutait Amélita Galli-Curci. Il était en paix.

« Il m'a raconté qu'un jour, il a rassemblé tout son courage et qu'il est allé jusqu'à Sul Monte. Là, il s'est caché dans une forêt proche, d'où il pouvait distinguer la maison. Il voulait l'admirer, comme cela s'était produit à l'opéra de New York ou dans la rue, tandis qu'elle quittait le théâtre après le spectacle. Il a attendu de longues heures et, à la fin de l'après-midi, elle est sortie sous le porche et elle a commencé à changer le "Chant de l'Ombre" tiré de *Dinorah*, l'opéra préféré d'Avrum. Le personnage de Dinorah erre dans une forêt de bouleaux, au clair de lune. Elle observe son ombre et imagine que c'est un ami. Elle l'invite à danser et à chanter avec elle.

« Lorsqu'elle eut fini de chanter, elle fit un rapide salut vers les montagnes et rentra dans la maison.

« C'est à ce moment-là qu'Avrum est sorti de sa cachette. Il avait entre les mains un bouquet de roses, acheté sur la route. Il l'appela. "S'il vous plaît, attendez un instant." Elle s'est retournée, il a traversé la pelouse devant sa maison, et lui a tendu les roses.

« Elle les a prises, les a regardées, puis les a jetées à ses pieds en lui criant : "Laissez-moi en paix." Avrum s'est empressé de partir. Il ignorait alors qu'elle avait su qu'un homme l'adorait et la suivait chaque été aux monts Catskills. Il ne l'a appris que des années plus tard, lorsqu'il lut une interview, publiée dans une revue spécialisée.

« Ce soir-là, Avrum a rassemblé sa collection de disques d'Amélita Galli-Curci pour les mettre en pièces. Il voulait détruire ses sentiments. Mais, au moment où il prenait le premier disque pour le briser contre une chaise, il a entendu sa voix. Il a alors rangé les disques.

J'entendais des chuchotements.

— Je ne sais pas pourquoi il a entendu sa voix, repris-je, mais de cela, je n'ai jamais douté. Le souvenir que l'on conserve avec beaucoup de soin est une chose merveilleuse.

« Pour finir, lorsque vous penserez à Avrum Feldman, pensez à lui comme à un homme qui était non point accablé d'un fardeau, mais doué d'un grand talent. Il m'affirmait qu'il était *le Vieil Homme* de Whitman. Moi, je pense qu'il était *l'Enfant*. Et j'ai l'espoir que cet enfant reposera en paix.

Je quittai le podium.

L'assistance demeura silencieuse. On entendait seulement une respiration étouffée et laborieuse. Sol s'est approché du micro et déclara :

— Ceci clôt le service funèbre de M. Feldman. Merci d'y avoir assisté. Vous pouvez maintenant reprendre vos activités.

Les projecteurs éclairèrent alors la foule qui se dispersait. Sol me tendit la main.

— Très bien, assura-t-il, bien conçu et très chaleureux.

J'aperçus Dee Richardson au fond de la salle, le pouce dressé en signe d'approbation. Sammy et Lila se tenaient près du *Vieil Homme*. Sammy dirigea son objectif sur moi. Il y eut encore un flash aveuglant qui me fit cligner des yeux. Je sentis que l'on me touchait le bras et j'entendis :

— Bobo.

Avant même de me retourner, je savais qui était là.

Amy Lourie.

Carter était debout près d'elle, rayonnant.

14

Je voulais prononcer son nom, mais j'étais paralysé par ma propre incrédulité. Amy portait un tailleur-pantalon bleu foncé, avec une blouse de soie toute simple, boutonnée jusqu'en haut. Une pierre d'amour bleue ovale, semblable à celle qu'elle m'avait donnée, sertie dans un fin collier d'argent ornait son cou. Elle était aussi belle que le premier soir où je l'avais vue chez Arch.

— Bon sang, Bobo, tu ne la reconnais pas? me tannait Carter.

Je fis un signe de la tête. Amy s'est approchée et m'a embrassé poliment d'une façon presque formelle. Pourtant, j'ai cru la sentir trembler. Elle murmura :

— Salut, Bobo.

Puis elle recula d'un pas, pour me regarder de ses yeux brillants.

— Tu as une mine splendide, déclarai-je.

— Toi aussi.

Carter roucoulait de joie :

— Oh non, je n'en peux plus, j'adore cela.

Il nous a enlacés tous les deux et nous a serrés avec effusion. Puis il cria à travers toute la cafétéria :

— Sammy, prends une photo de l'événement, immortalise-le en grandeur nature. Cela fait presque quarante ans que je l'attends.

Amy était coincée entre nous. Sammy accourut et le flash de son appareil crépita.

— Encore une, fit-il.

Et le flash brilla de nouveau.

— Je ne pouvais pas y croire, Bobo, reprit Carter exubérant. Au moment où j'arrivais, je l'ai vue debout dehors. Non, je ne pouvais pas y croire.

— Moi non plus, dis-je.

Carter enlaçait Amy avec bonheur.

— Elle est toujours la plus belle femme que j'aie jamais vue! s'exclama-t-il. Oh! là! là! J'espère que tu es venue ici chercher un mari, parce que moi, je suis disponible!

Amy éclata de rire comme une petite fille, de son sourire des années cinquante.

Nous avons quitté la maison de retraite; Sammy et Lila insistèrent pour que nous allions à l'Auberge.

— Nous vous offrons le déjeuner, proposa Sammy.

Je n'avais pas le courage de protester, craignant pourtant que le repas ne fût un désastre. A ma grande surprise, Lila surveilla Shirley Bagwell pour la cuisine et la nourriture fut bonne, agrémentée du vin de la réserve du courtier.

J'appris peu de choses sur Amy, pendant le déjeuner. Elle vivait à New York, était mariée et avait trois filles. Son mari, Peter Meyers, était un avocat qui gérait des investissements étrangers. Il se rendait souvent à Washington où il louvoyait au gré des lenteurs administratives. Deux de leurs enfants avaient quitté la maison. L'une était mariée et enceinte, l'autre avait divorcé et était décoratrice d'intérieur. La troisième, restée à la maison, terminait ses études d'anthropologie à l'Université.

J'ai réalisé plus tard que nous avions parlé de nos familles comme par devoir, pour répondre à l'attente de Carter, de Sammy et de Lila. Amy demanda des nouvelles de Caroline en l'appelant par son prénom, ce qui me surprit.

— Elle va bien, répondis-je. Elle m'a supporté toutes ces années.

Cela fit sourire Amy qui continua :

— Et tes enfants? Parle-moi d'eux.

Je m'exécutai, énumérant noms et âges. Amy écouta et sourit de nouveau. Ni l'un ni l'autre n'avons sorti nos photos respectives.

Une question parut toutefois la mettre mal à l'aise :

— Et tes parents, comment vont-ils ?

Elle répondit, après une hésitation et un rapide coup d'œil à la table qu'ils occupaient autrefois, lors de leurs vacances d'été à l'Auberge :

— Mon père habite en Floride, il travaille encore et il va bien.

Elle hésita encore et me regarda :

— Ma mère est morte, il y a six mois.

— Je suis désolé, balbutiai-je.

Un voile de tristesse passa sur son visage.

Après le déjeuner, Carter annonça qu'il avait une réunion et qu'il était déjà en retard. Il a brièvement enlacé Amy, en lui chuchotant quelques mots à l'oreille. Puis, après s'être extasié sur la qualité du déjeuner de Sammy et Lila, il partit à toute allure.

— Pourquoi n'irions-nous pas tous faire une promenade, suggéra Sammy avec entrain. Il fait beau dehors.

— Mais enfin, Sammy, ce que tu peux être mal élevé, objecta Lila, laisse-les donc tranquilles.

— Écoute, Lila, tu n'es pas obligée de m'engueuler, se plaignit-il. Je pensais que si Amy voulait voir...

— Vraiment Sammy, ce que tu peux être emmerdant, tu sais ? vociféra Lila.

Sammy rougit de colère.

— Je n'ai pas beaucoup de temps, déclara Amy.

— Tu ne retournes pas à New York aujourd'hui ? lui demandai-je alors.

— Non, mais j'ai des gens à voir, répondit-elle. J'ai une maison ici près de Shandaken. J'ai commencé à y faire des travaux.

— C'est vrai ? m'exclamai-je. Tu as une maison par ici ?

— Elle appartenait à ma mère. Elle me l'a laissée.

— Allez, partez tous les deux. Amusez-vous.

Lila nous pressait en nous poussant hors de la salle à manger. Elle me regarda.

— Après toutes ces années, il faut vous rattraper un peu.

Nous sommes sortis, dans la chaleur douce d'un bel

après-midi. Dans la rue, la petite fille à la corde à sauter et à la bicyclette faisait rebondir une balle contre le mur de la caserne de pompiers abandonnée. Le bruit sourd de la balle était le seul son que l'on entendait.

— Où allons-nous? demandai-je.

— On pourrait juste marcher un peu, suggéra Amy.

— Comme le faisaient les vieux, autrefois? plaisantai-je.

— Oui, c'est ça. Comme les vieux, autrefois.

Elle glissa son bras dans le creux du mien et nous avons lentement commencé notre tour du village.

— As-tu parfois le sentiment qu'il est encore ici, avec nous? dit-elle, au bout d'un moment.

— Qui? Avrum?

Elle fit signe que oui.

— J'en suis sûr. C'est toi qui as déposé le livre de poèmes à la maison de retraite, n'est-ce pas?

Elle hocha la tête.

— Quand est-ce que tu l'as eu? questionnai-je.

— L'an dernier. Il me l'a donné.

— Tu l'as revu? fis-je, surpris.

Elle se retourna et me regarda.

— Oui, Bobo. Presque aussi souvent que toi, ces dernières années. Peut-être même plus souvent. Après que ma mère a déménagé ici, je suis venue la voir, deux ou trois fois par an. J'ai appris qu'Avrum vivait à la maison de retraite, et l'année où il a eu cent ans, je suis venue lui rendre visite. La dernière fois que j'étais avec lui, il m'a demandé de lui lire le poème et d'emporter le recueil. Il m'a dit que c'était toi qui lui avais donné.

— Mais non, c'est faux.

Elle sourit.

— J'y ai bien pensé. C'était sa façon de me parler de toi, et il cherchait toujours des moyens de le faire. De toute manière, lorsque j'ai vu ton interview, où tu évoquais le service que tu allais organiser pour lui, j'ai tout de suite su que le poème devait en faire partie.

Nous sommes passés devant le café-pâtisserie de Dan Wilder. Je distinguais Dan par la fenêtre. Il était en train d'empiler des boîtes sur le comptoir.

— Pourquoi ne m'as-tu pas appelé? Tu devais savoir que j'étais à l'Auberge, repris-je.

— Oui, je le savais. Je savais aussi que tu étais venu l'an dernier. J'avais vu Avrum, la veille de ton arrivée.

— J'aurais vraiment voulu t'entendre, insistai-je.

— Je ne pensais pas que je pouvais te voir, répondit-elle simplement. L'an dernier, quand Avrum m'a prévenue que tu arrivais, je suis partie le jour même et je suis retournée en ville. Je ne sais pas vraiment pourquoi. J'ai sans doute cru que je risquais de te rencontrer par hasard. Même sur le chemin du retour, je scrutais constamment chaque voiture qui venait en face et je me demandais si tu n'en étais pas le conducteur. Et ce matin encore, je ne savais pas si je pouvais venir au service, puis j'ai changé d'avis. Il fallait que je te rencontre cette fois, car je risquais de ne plus jamais te revoir.

Nous approchions de la caserne de pompiers abandonnée. Immobile, la fillette nous dévisageait, tenant dans sa main la balle avec laquelle elle jouait auparavant. Elle portait un chapeau de femme très élégant, le style des années vingt, avec un ruban au-dessus de l'oreille gauche. Le chapeau était drôlement perché sur sa tête. Amy lui fit un signe, mais elle n'y répondit pas. Elle se tourna à nouveau vers le mur et lança sa balle. Elle la rattrapa facilement, presque avec paresse.

— Elle est jolie, n'est-ce pas ? dit Amy.

— Oui, c'est vrai.

— Veux-tu que nous retournions au banc d'Avrum ?

— D'accord.

Nous avons traversé la rue et nous sommes dirigés vers l'Auberge. Devant chez Arch, Amy s'arrêta, contemplant la fenêtre qui supportait encore l'enseigne bordée de peinture écaillée : Chez Arch.

— Il y en a des souvenirs, ici, n'est-ce pas, Bobo ?

— Sammy a toujours le juke-box.

Une expression de plaisir éclaira rapidement son visage.

— C'est vrai ?

— Il a encore des disques des années cinquante.

— On pourrait peut-être lui demander de nous en faire écouter, avant que tu ne partes ? proposa-t-elle.

— Tel que je connais Sammy, il remettrait tout l'endroit à neuf, si on le lui demandait.

Amy retira son bras de dessous le mien, prit ma main et glissa ses doigts dans les miens. Elle m'attira vers elle et, quittant la boutique d'Arch, nous avons continué le long de la contre-allée.

— Je n'arrive pas à comprendre pourquoi Avrum ne m'a jamais parlé de toi, lui dis-je.

— Je lui ai demandé de ne pas le faire. C'était convenu comme ça, entre nous. C'est moi qui ai insisté.

— Comme j'aurais voulu le savoir!

— Et qu'est-ce que cela t'aurait apporté, Bobo?

— J'aurais appris des choses sur toi, où tu vivais, comment tu allais.

Elle me jeta un coup d'œil. Ses yeux brillaient.

— Tu aurais appris que j'étais mariée et mère de famille, que j'avais un mari soucieux de gagner de l'argent et d'avoir du succès. Que c'était un homme très doué pour obtenir les deux. Tu aurais appris que j'étais un membre actif d'une demi-douzaine de comités civiques ou artistiques très respectables, que je travaille parfois dans une boutique de mode dans laquelle j'ai investi, il y a vingt ans, simplement pour m'occuper. Tu aurais appris que mon diplôme supérieur de philosophie ne m'a été d'aucune utilité, sauf peut-être pour l'éducation de mes enfants. En réalité, je pense que mes enfants sont ma seule véritable réussite dans la vie. Je les aime passionnément. Tu aurais appris encore que je voyais deux fois par mois le même psychologue, depuis huit ans, et que ce n'est que récemment que je me suis déclarée guérie de je ne sais quelle maladie qui me poussait à le voir pour jouer mon rôle de marionnette bavarde.

Elle se retourna en souriant gentiment.

— Tu aurais appris combien, en fait, j'étais ordinaire.

— Rien de tout cela ne me paraît ordinaire, rétorquai-je. Pourtant, connaissant Avrum, je suis surpris de constater qu'il n'ait pas trouvé de moyen pour me parler de toi.

— Il le souhaitait. Nous nous sommes disputés à ce sujet, car je ne voulais pas le laisser faire. Je savais qu'il comprenait, même s'il n'était pas d'accord.

Nous sommes arrivés au banc d'Avrum où nous nous

sommes assis. Elle a pris ma main dans les siennes et la caressa doucement. Elle semblait paisible, heureuse.

— Et Carter? Tu n'as jamais revu Carter? lui demandai-je.

Elle secoua la tête.

— Je n'y étais pas prête non plus. Lorsque je venais chez ma mère, je passais tout mon temps avec elle. Une fois ou l'autre, nous sommes venues jusqu'ici, simplement pour revoir l'Auberge et le village. Mais même cela, c'était difficile. Il y avait trop de souvenirs pour chacune de nous.

— Je sais bien.

Nous sommes restés un moment silencieux. Le rythme lent du rebond de la balle ressemblait au désagréable tic-tac du temps qui s'écoulait.

— As-tu remarqué comme c'est désert ici, maintenant? questionna Amy.

— Oui. Parfois, je pense que je reviendrai un jour et que tout sera fermé. Tout le monde aura disparu.

Amy leva son visage vers le soleil en fermant les yeux. Son pouce caressait le mien. Elle déclara doucement:

— Je suis allée au cimetière ce matin, sur la tombe d'Arch. Je crois qu'Avrum était la dernière personne de notre été.

Elle rouvrit les yeux et regarda les montagnes, au-delà de l'Auberge.

— Notre arbre aussi est parti, n'est-ce pas?

— Il y a quelques années déjà. Un orage.

— Je croyais qu'il resterait là pour toujours.

— Moi aussi.

— Je me demande si nous lui avons manqué.

J'essayai d'avoir l'air naturel, je voulais que mes mots paraissent spontanés.

— Pour l'arbre, je ne sais pas. Mais à moi, beaucoup.

Sa main serra la mienne, très fort.

— Ton collier, hasardai-je, c'est bien la pierre, n'est-ce pas?

Elle me regarda surprise.

— Tu as toujours la tienne? me demanda-t-elle.

— Elle est dans mon portefeuille.

— C'est vrai?

— Mais oui.

Elle leva à nouveau son visage. Un sourire l'éclaira :

— C'est vraiment puéril, tu ne crois pas. Mais je ne m'en sépare jamais. Je la portais le jour de mon mariage. Tu sais, « quelque chose de bleu » ? Ma mère voulait que je mette une jarretelle bleue, mais j'ai refusé. Je voulais le collier... Je crois que ma mère savait pourquoi, ajouta-t-elle en effleurant son collier.

— Moi, j'avais la mienne dans ma poche, mais j'ai eu peur de la perdre. C'est pour cela qu'elle est dans mon portefeuille. J'ai dit à mes enfants que c'était mon œil magique, qu'avant de pouvoir peindre quelque chose, il fallait que je regarde au travers. Je l'ai si souvent répété que j'ai vraiment commencé à y croire. Mais tu sais comment sont les enfants. Un jour, ils m'ont répliqué qu'il ne s'agissait que d'un caillou.

Elle demeura un moment silencieuse. Elle contemplait à nouveau les montagnes et l'endroit où se trouvait autrefois notre arbre. Puis, elle déclara :

— Mes filles sont pareilles. Parfois je me dis que j'ai dépensé toute leur magie et qu'il ne m'en reste plus, pour la leur transmettre. Et que c'est vraiment mal de faire cela à ses enfants.

Elle fit une pause. Elle ouvrit ses doigts pour les refermer aussitôt sur ma main.

— Sais-tu que je dîne avec toi ce soir ?

— Non, mais j'en suis ravi. J'allais justement te le proposer.

— C'est Carter qui a insisté.

— Carter. Notre bon ami Carter. Il est de nouveau amoureux.

Amy rit doucement :

— Je l'ai bien pensé. Il m'a assuré que son amie me plairait, mais qu'il fallait être discret sur son âge.

— Il n'a pas beaucoup changé durant toutes ces années, dis-je. Mais il n'en avait pas besoin. Je pense qu'il était toujours en avance sur nous tous. J'ai des amis à Atlanta, de bons amis. Mais Carter reste Carter, et il occupe une place à part.

— Je pense que c'est réciproque, fit-elle.

Elle releva la tête pour me regarder.

— Tu savais qu'il m'avait écrit, juste avant ton mariage, en me demandant de t'appeler ?

— Ah bon ? Mais pourquoi ?

— Il ne voulait pas que tu te maries. Pas à ce moment-là. Il pensait que je pouvais t'en empêcher.

J'étais très perplexe. Carter n'avait rencontré Caroline qu'une seule fois, en 1955, et il s'était montré aimable avec elle. Mais il ne m'avait quasiment jamais reparlé d'elle depuis.

— Je n'ai pas répondu à cette lettre, dit Amy.

— Et pourquoi ?

— J'aurais vraiment préféré ne pas la recevoir, je suppose. C'était il y a très longtemps, n'est-ce pas, Bobo ? Tout était ou merveilleux ou douloureux. Le merveilleux, trop beau pour être vrai. Le douloureux, trop dur à supporter.

Un sourire lui revint, mais il était légèrement teinté de mélancolie.

— Comme nous étions jeunes à cette époque !

— Oui, c'est vrai.

Amy partit quelques minutes plus tard. Elle m'indiqua l'itinéraire pour se rendre chez elle.

— A moins que tu ne souhaites que l'on se retrouve directement chez Carter ? précisa-t-elle.

— Non. Tu es avec moi. Nous arriverons ensemble.

— Comment cela s'appelle ? Un rendez-vous ?

— Pourquoi pas. A condition que je n'aie plus besoin de demander la permission à quelqu'un.

Elle se mit à rire.

— Pas cette fois. Et je pense que tu n'as pas non plus besoin d'avoir peur que quelqu'un nous voie, sous le porche de l'entrée principale.

— Aujourd'hui, ça m'est égal.

J'ai regardé s'éloigner sa voiture. Elle m'a fait signe de la main, en passant devant chez Arch, et elle a désigné le magasin du doigt. Elle me signifiait ainsi : *Tu te rappelles notre rendez-vous ?*

Chaque été, Arch Ellis fermait sa boutique un soir pour

en réserver l'entrée aux jeunes qui travaillaient dans les hôtels alentour, ainsi qu'à leurs amis. Il poussait les tables et les vitrines pour dégager une piste de danse. Il distribuait des jetons marqués de rouge pour le juke-box. Tous les rafraîchissements étaient à moitié prix. Mais Arch ne permettait pas que l'on consomme des boissons alcoolisées, quelle que soit la façon dont elles étaient maquillées. Son raisonnement était très simple :

— Je veux que vos parents puissent me faire confiance. Qu'ils sachent que, si leurs enfants sont avec moi, ils sont en sécurité.

Cette attitude était la cible de notre humour, plutôt mesquin, mais nous étions tous heureux de savoir qu'il pensait réellement ce qu'il disait.

La soirée chez Arch était vraiment le phare de l'été pour les jeunes de la vallée de Shandaken. Même les propriétaires des hôtels l'honoraient, en servant des dîners légers et en permettant que le travail en cuisine attendît jusqu'au lendemain.

C'est durant une soirée d'Arch, en 1955, que j'ai eu mon véritable premier rendez-vous d'amour avec Amy. Tout le monde avait pu nous voir enlacés, dansant toute la soirée au son du juke-box. Plus tard, près de la piscine, Carter fit remarquer à Amy que nous avions alimenté toutes les conversations.

— Je te jure que c'en était gênant, rouspétait-il. Si vous n'avez pas un enfant, après tous ces attouchements, ce sera uniquement parce que l'un de vous est stérile ! Je sais ce que c'est qu'un chaud lapin. M'en parler, c'est la même chose que de raconter à Noé ce qu'est la pluie. Mais, bon sang ! Bobo, vous avez remué tout le monde, y compris Arch. Je te promets qu'il y a plus de sièges arrière, de Chevrolets, utilisés ce soir, qu'il n'y en a jamais eu, dans toute l'histoire des monts Catskills. Autre chose encore. Je sais que tu es un péquenot de Géorgie, ce n'est pas de ta faute. Et par ici il arrive que parfois les couples se séparent, c'est vrai. Mais alors, ils ne dansent pas au son de la pièce de vingt-cinq cents qui tombe dans le juke-box : ils attendent au moins que la musique commence !

Puis, il a ajouté :

— Je suis fier de toi, mon garçon.

Je n'avais pas eu l'intention d'inviter Amy comme partenaire pour la soirée chez Arch, bien que j'en avais eu envie. Je savais que cela ferait jaser et que la mère d'Amy me surveillait déjà de très près. C'est Amy qui avait pris les choses en main, lors du déjeuner, pendant que je servais les entrées.

— Bobo veut m'inviter à la soirée dansante, chez Arch, ce soir, c'est O.K. ?

Je me suis senti rougir jusqu'aux oreilles.

Édith Lourie m'a regardé, surprise.

— Ah ! ai-je balbutié.

— Amy, dis-tu ça pour embarrasser Bobo ? lui demanda sa mère.

Amy pouffa de rire en répondant :

— Non, c'est simplement que j'en ai assez d'attendre que l'on m'invite. J'ai envie d'y aller et personne ne m'y convie, alors qu'il suffit d'être invitée par un copain.

— Bon, eh bien, je pense que c'est très bien, fit Joël Louri... Alors, Bobo ? ajouta-t-il en me regardant.

Je me mis à bégayer.

— Euh, euh !... Je serais très heureux qu'Amy vienne avec moi.

Puis, risquant un coup d'œil vers Carter, je l'aperçus qui arborait une grimace joyeuse. Je me corrigeai :

— Avec nous.

— Non, ce doit être avec son amoureux, me fit remarquer Amy. Je viens ici depuis des années, je connais bien les règles.

— Je ne pense pas que ce soit convenable de faire ainsi pression sur ce jeune homme, dit Édith Lourie calmement.

Amy insista :

— Alors, je crois qu'il doit m'inviter.

Je me tenais là, glacé d'horreur. J'avais les mains qui tremblaient. Je n'avais jamais vu quelqu'un d'aussi courageux qu'Amy Lourie. Je sentais les yeux de sa mère qui me scrutaient.

C'est Joël Lourie qui prononça la sentence :

— C'est à Bobo de décider maintenant.

Il sourit et, se tournant vers moi, il répéta.

— Alors, Bobo?

— Je... je... J'aimerais bien, monsieur, oui.

— Cela ne veut pas dire que tu m'invites, cela veut simplement dire que tu es d'accord, argua Amy.

A ce moment-là, Carter est venu à mon secours. Il déclara, en remplissant d'eau le verre d'Amy :

— Vous savez, il vient de Géorgie. Là-bas, les garçons n'invitent pas leur copine à sortir avec eux. Ils leur tapent sur la tête avec un bâton et ils les emmènent, en les traînant par les cheveux.

Joël éclata alors franchement de rire.

— C'est pourquoi, je vais être obligé de le faire à sa place, poursuivit Carter. Pour lui montrer les bonnes manières.

Il regarda Amy comme Clark Gable dévorant Vivian Leigh des yeux.

— Est-ce que tu veux bien venir avec moi — moi, Bobo — à la soirée dansante chez Arch, ce soir?

Amy pouffa de rire à nouveau.

— Je serais ravie. Je croyais que tu ne m'inviterais jamais.

Puis, se tournant vers sa mère :

— Tu es d'accord?

Le regard effaré d'Édith se porta sur sa fille.

— Je pense qu'il serait indécent de ne pas y aller, après une telle conduite de ta part, fit-elle d'un air pincé.

Puis se tournant vers moi :

— Je vous demande de l'excuser, Bobo.

— Il n'y a pas de raison de le faire, dis-je. Tout est en règle.

Je partis dans la cuisine et je suis resté debout dans la chambre froide, appuyé contre une pile de cageots de raisin, à respirer profondément. Un instant plus tard, la porte s'est ouverte et Carter entra :

— Bobo, fais-moi plaisir. Quand tu seras prêt pour l'emmener au lit, souviens-toi de moi. Je serai là, juste au cas où tu aurais besoin d'être remplacé.

Il sourit de sa propre astuce.

— C'est vrai ce que je te dis là.

Ce soir-là, dans le hall de l'Auberge, j'ai solennellement demandé à Nora Dowling la permission d'inviter Amy à danser, chez Arch.

— Tu te conduis bien avec cette jeune fille, m'avertit Nora, qu'il ne lui arrive rien.

— Bien sûr, acquiesçai-je.

Amy dévala l'escalier, suivie de ses parents. Elle me saisit le bras.

— Tu es prêt? demanda-t-elle.

— Oui, marmonnai-je.

Elle se retourna.

— Vous savez où nous trouver, déclara-t-elle vivement à ses parents.

— Ne rentrez pas trop tard, prévint sa mère.

— Non m'dame. C'est promis, répondis-je.

Pendant que nous nous rendions à la boutique d'Arch, je savais que Joël et Édith Lourie, ainsi que Nora Dowling, étaient aux fenêtres, perplexes. Je ne leur en voulais pas car je l'étais aussi.

Après la soirée, rempli du souvenir, encore tout chaud, de son corps contre le mien, de son parfum imprégnant encore ma chemise, je raccompagnai Amy à l'Auberge. Au travers des fins rideaux, je voyais ses parents jouant au bridge avec un autre couple, à la table de jeux dans le hall.

— Vas-tu m'embrasser, pour me souhaiter bonne nuit? me taquina Amy.

— Mais tu es folle! Tes parents pourraient nous voir.

— Je m'en fiche éperdument.

— Toi, peut-être, mais pas moi.

Elle me fit un doux sourire.

— Que devrions-nous faire? Nous serrer la main?

— Même pas.

Elle s'approcha de moi, son visage offert.

— Non, Amy, je t'en prie.

— Que dirais-tu si je me glissais dans l'Antre cette nuit? chuchota-t-elle.

— Mon Dieu, Amy!

Elle sourit à nouveau. Elle tendit le bras et caressa les muscles du mien avec ses doigts.

— Je t'aime, Bobo Murphy.

— Je t'aime, ai-je répété.
— Merci pour ce soir, Bobo.

15

Lila m'attendait à l'Auberge, faisant semblant de travailler derrière le comptoir de la réception. Elle m'a tendu un verre de vin, puis a levé le sien et l'a fait tinter contre le mien. On entendit un bruit cristallin.

— Aux bonnes découvertes, dit-elle.

— Aux bons amis, répondis-je.

— Alors, c'est ton Amy, soupira-t-elle.

Elle se pencha par-dessus le comptoir et me dévisagea.

— Je te comprends d'avoir passé toutes ces années à sa recherche, Bobo. Elle est sacrément belle. Elle me fait regretter de ne pas être une *gay*.

Elle but une gorgée de son vin.

— J'espère que tu es conscient du fait que je suis jalouse.

— Tu n'as aucune raison de l'être. Tu es toujours ma fantaisie préférée. Au fait, merci pour le déjeuner, c'était très gentil de votre part, à toi et Sammy.

— Nous l'avons apprécié aussi. A propos, fit Lila, je crois que Sammy est de nouveau inspiré. Tu vas certainement voir quelque chose qui va ressembler au visage d'Amy, ou une forme dérivée de celle-ci, avant la fin de la semaine.

J'ai ri. Si Sammy était inspiré — et je suis sûr qu'il l'était —, il allait actionner son marteau de toutes ses forces, jusqu'à épuisement. Mais Sammy ne pourrait pas comprendre que le roc était trop grossier pour représenter Amy Lourie Meyers. Son visage exigeait le délicat toucher d'un pinceau d'artiste, au talent extraordinaire, comme Jean Archer.

— Dis-moi une chose, Bobo?

— Demande toujours.

— As-tu jamais fait l'amour avec elle?

— Non, Lila, jamais.

— Et pourquoi?

— Nous étions très jeunes. Autrefois, c'était différent. C'était une autre époque.

— Et tu en avais envie?

— Je pense que oui, certainement. Je me souviens seulement avoir éprouvé un grand embarras.

— Et en as-tu envie, maintenant?

— Lila! je t'en prie!

— Bon, bon, je ne te poserai plus de questions. De toute façon, j'en connais la réponse. Oh! A propos, Carter vient de téléphoner. Je lui ai dit que vous étiez dans ta chambre, et que vous aviez accroché le « Ne pas déranger » sur la porte. Il veut que tu le rappelles quand vous aurez fini.

— Tu ne t'arrêteras donc jamais?

Elle reprit une gorgée de vin et, avec un air de grande séductrice :

— Jamais!

Il y avait un enthousiasme d'écolier dans la voix de Carter. Il exigeait de savoir ce qui s'était passé avec Amy.

— Il ne s'est rien passé. Nous avons fait une promenade, puis nous sommes restés assis un moment, sur le banc d'Avrum, à parler.

— Et c'est tout? fit-il, déçu.

— Qu'est-ce que tu attendais? Une scène de fornication sous le porche principal? Elle devait voir les gens qui travaillent dans sa maison.

— Elle m'en a parlé, assura-t-il. Je connais l'endroit. Il a bien besoin de travaux.

— Et ta réunion, c'est terminé?

— Quelle réunion?

— Celle à laquelle tu étais si pressé de te rendre.

— Espèce de connard! Je n'avais pas de réunion. Je voulais seulement vous laisser un peu de temps ensemble, tout seuls. Enfin Bobo, est-ce que tu vas cesser un jour d'être un péquenot du Sud, complètement bouché?

— Je suppose que non.

— Eh bien! Si tu avais le moindre bon sens, tu serais en train de lui acheter des fleurs, mon vieux. Et tu serais en train de les lui expédier, par camions entiers. Au cas où tu ne t'en serais pas aperçu, elle ne vit pas le meilleur mariage du monde. Et tu dois savoir ce que cela signifie, j'espère.

— Je ne pense pas. Quoi, au juste?

— Tu as une seconde chance, Bobo, et c'est si rare que si tu la rates cette fois, tu vas finir comme Avrum, enfermé dans une maison de vieux, à écouter la musique de tes souvenirs.

— Carter, tu oublies que moi aussi, je suis marié.

— Ah ouais! Je me demandais aussi pourquoi son histoire me rappelait tellement quelque chose. Je l'ai déjà entendue.

— Tu ne crois pas que tu pourrais te tromper? lui demandai-je. Ne serait-il pas possible qu'elle soit parfaitement heureuse et moi aussi; que ceci ne soit rien de plus qu'un regard nostalgique, porté sur notre jeunesse?

Carter émit un ricanement.

— Merde alors! Rappelle-toi à qui tu causes, Bobo. Et tu l'as interrogée sur le tableau?

— Non.

— Pourquoi?

— Cela ne m'a pas paru être la chose à faire, en tout cas pas à ce moment-là.

— Alors, ce soir peut-être?

— Peut-être. Mais laisse-moi en parler. J'ai envie de l'évoquer au moment opportun.

Carter me promit qu'il ne dirait rien à propos du tableau. Il avait l'air plus préoccupé par Libby.

— J'espère vraiment qu'elle ne sera pas trop intimidée, soupira-t-il.

— Je ne pense pas que cela puisse arriver, tentai-je de le rassurer. Après tout, Libby a quelques années de moins et elle n'a pas l'air d'être du genre à se laisser impressionner.

— Surtout, ne commence pas avec les questions d'âge, Bobo, tu n'en parles pas. Si le sujet est abordé, nous étions ensemble en 1960. Rappelle-toi cela et redis-le à Amy.

Je l'assurai de couvrir son petit mensonge.

— Tu sais, je me demande si Amy n'est pas cent fois plus belle maintenant qu'elle l'était à dix-sept ans. Je ne croyais pas que ce soit possible, reprit-il.

— Je ne peux pas ne pas être d'accord.

— Bon. Alors on se voit ce soir, vers sept heures.

— Sept heures.

— Oh! A propos, tu as vachement bien mené le service pour Avrum, aujourd'hui, ajouta Carter. C'était bien plus chouette que « la petite lumière qui est en moi ».

— Je ne sais pas. Je n'ai pas eu d'ovation cette fois.

— Tu avais l'air un peu moins piteux, rétorqua Carter. De toute manière, c'était très bon. J'avais le sentiment que cette vieille punaise était assise, là, à t'écouter.

— Peut-être bien qu'il l'était.

Après m'être changé, substituant au costume que je portais pour le service funèbre d'Avrum les vieux vêtements décontractés et sans forme que j'apprécie tant, et que Caroline méprise, je me suis glissé hors de l'Auberge, sans que Lila me voie, et me suis dirigé vers le cimetière. J'entendais un bruit sourd venant de chez Arch et je savais que Sammy était au travail, à la recherche du visage d'Amy, comme un chirurgien fou qui chercherait à créer la vie avec des pièces détachées.

J'ai revu la fillette devant la fenêtre de Sammy, avec son élégant chapeau de femme. Elle regardait à l'intérieur. Elle paraissait intriguée, ou amusée. Elle s'est retournée, comme si elle avait senti ma présence, et m'a dévisagé. Puis elle se retourna vers la fenêtre.

Mes promenades au cimetière ont commencé l'année où Nora Dowling est morte. C'est en venant sur sa tombe que j'ai réalisé que j'y rencontrais de nombreux noms familiers de gens qui avaient été patients et gentils avec moi. Chaque fois que je revenais, de nouvelles pierres tombales surgissaient, portant de brèves biographies, gravées tels des titres de journaux. L'histoire d'Arch Ellis était la plus récente, le dernier titre. Amy m'avait dit qu'elle était allée sur la tombe d'Arch. Elle avait prononcé son nom avec de la tristesse mêlée à de la joie et je savais que j'éprouverais le même sentiment.

Une année, j'étais venu avec Carter qui se plaignait, avec agacement, des pauses solennelles que je prenais devant chaque tombe.

— Ils sont morts, marmonnait-il. Tu ne pourras pas les faire revenir, et nous le savons tous les deux. Et si tu y parviens, j'ai un marché incroyable à te proposer.

Carter ne comprenait pas pourquoi ces visites au cimetière comptaient tant pour moi.

— Ça doit être un truc du Sud, rouspétait-il, une sorte de religion de cons. Est-ce cela qu'ils veulent dire quand ils menacent : « Le Sud va se soulever à nouveau », Bobo ? C'est ce que font les gens de ton pays ? Ils restent là, autour des tombes, à espérer que le général Lee va sortir de l'un de ces monuments et charger, avec Jésus à sa droite et Stonewall Jackson à sa gauche. C'est comme ça que vous, les Rebelles, vous allez venir nous taper sur le cul, Bobo ?

J'ai essayé d'expliquer à Carter que venir au cimetière correspondait à une chose toute simple, qui touchait au souvenir de gens très bons, et de l'une des expériences les plus positives de ma vie. Il balaya mes arguments comme un non-sens poétique. Et comme toujours, il évoqua le nom d'Amy Lourie.

— La personne que tu cherches n'est pas ici, Bobo, déclara-t-il. La seule raison pour laquelle tu viens, c'est que toutes ces piles d'ossements te rappellent un événement qui s'est produit avec elle. Tu oublies ta Bible, bonhomme : « Pourquoi chercher le vivant parmi les morts ? » Ou bien est-ce Shakespeare ? De toute façon, elle n'est pas par ici et si elle y était, qu'est-ce que ça t'apporterait de bon, hein ? Dis-le-moi.

Je n'avais jamais pensé que c'était Amy que je cherchais au cimetière. Mais il est vrai que, lorsque je m'y retrouvais, je sentais sa présence. Douces pensées, doux moments. Comme de tourner les pages d'un album de famille et s'arrêter, frémissant, sur un visage radieux, venu d'une autre époque, radieuse, elle aussi.

Elle m'est revenue, sur la tombe de Ben Benton. Je me

souviens des gentilles plaisanteries de Ben concernant mes
rendez-vous avec une riche fille juive de la ville. Je me rappelle ses offres pressantes de me prêter son camion, pour la
conduire sur une route de campagne isolée :

— Personne ne viendra vous déranger dans mon
camion, se vantait-il.

Je me la remémore sur la tombe de Nora Dowling dont
je revoyais le regard empli de fierté devant mon amitié avec
Amy, qui trahissait pourtant son inquiétude. Elle me faisait
la leçon :

— Ce n'est pas bon d'être si proche d'une fille comme
elle, à ton âge. Elle est jolie. Les jolies filles laissent leur
empreinte. Et tu es tellement différent, Bobo. Ce n'est pas
facile lorsqu'on n'est pas comme les autres. Je peux te l'assurer. Mon défunt mari et moi étions différents. Et ça n'a
jamais été facile.

Je me la remémore sur la tombe d'Henri Burger. Surtout sur la tombe d'Henri dont les mises en garde me revenaient :

— Avrum, il veut redevenir jeune. Amy, ton Amy, est
belle, mais ce n'est pas Amélita Galli-Curci. Si tu la trans-
formes ainsi, tu vas souffrir.

Henri avait été un prophète.

Et maintenant, j'évoquais Amy sur la tombe d'Arch Ellis
qui était ornée de fleurs fraîches. Je savais que c'était Amy
qui les avait apportées. Je demeurais là, à me rappeler la
délectation avec laquelle Amy écoutait les histoires d'Arch.
Je ressentais à nouveau son corps collé contre le mien
lorsque nous dansions, la douce caresse de sa main tandis
que nous étions assis ensemble, chez Arch.

Et je me souviens du soir où Joe Ly, engagé pour me
remplacer à la vaisselle, était venu me chercher, chez Arch.

— Excuse-moi, Bobo, Mme Dowling dit qu'il y a
quelqu'un pour toi au téléphone.

— Tu es sûr ? avais-je demandé.

Joe inclina plusieurs fois la tête, à la chinoise :

— Tout à fait sûr.

Je dus avoir l'air préoccupé, parce qu'Amy me dit alors :

— Ne t'inquiète pas. Je suis sûre que tout va bien, sinon Mme Dowling serait venue te chercher elle-même.

— Oh! Ce n'est rien du tout. C'est probablement sa truie primée qui est en train de mettre bas ses gorets, plaisanta-t-il, arrogant.

— Je reviens dans une minute, déclarai-je en suivant Joe Ly à l'Auberge.

Le message était de Caroline. Il fallait que je la rappelle en PCV.

Elle m'annonça d'un ton joyeux :

— J'ai une surprise pour toi.

— Oui. C'est quoi?

— Je vais venir te voir.

Je ne dis rien pendant un moment, puis je demandai :

— Quand? Comment? fis-je après un silence.

— Avec Raymond et Linda, s'écria-t-elle très excitée. Ta mère et moi allons faire le voyage en voiture avec eux, à la fin de leurs vacances, et nous reviendrons en car avec toi à la maison.

— Eh bien, c'est... Enfin, je suis très content.

Je bafouillais.

— Quand avez-vous décidé ça?

— Ta mère m'a appelée hier, pour savoir si je voulais venir. J'ai tout arrangé avec Marlène.

— Avec qui?

— Marlène. C'est la propriétaire du magasin de vêtements. Tu te souviens que c'est là que je travaille cet été, non?

— Mais oui. Excuse-moi. J'avais oublié son nom.

Sa voix devint tendre et aimante.

— Je suis très impatiente de te voir, murmura-t-elle. Tu m'as tellement manqué cet été.

— Ouais. Toi aussi, tu m'as manqué.

— Je vais tout t'expliquer dans une lettre.

— Bon. D'accord. C'est très bien.

— Tu n'as pas l'air tellement content, s'étonna-t-elle. Tu es sûr de vouloir que je vienne?

— Mais évidemment, fis-je, en essayant d'être convaincant. Je suis simplement surpris, c'est tout. Mais oui, je veux que tu viennes ici. Ce sera amusant.

— Je t'écris ce soir. Je t'aime.

— Moi aussi, je t'aime, marmonnai-je.

J'ai traversé la rue et je suis retourné chez Arch m'asseoir à côté d'Amy.

— Tout va bien ? demanda Carter.

— Oui, oui.

Ma voix tremblait.

— Qu'est-ce qui ne va pas ? demanda Amy à son tour.

Je la regardai. A mes yeux, elle était plus belle que jamais, à ce moment-là.

— Ce n'est vraiment rien du tout, répondis-je. C'est au sujet de mon frère, pour savoir à quelle date il quittera la Géorgie, à la fin de ses vacances, pour revenir ici.

Amy cligna des yeux. Une question, un doute traversèrent son regard.

— Et c'est tout ? interrogea Carter.

J'acquiesçai, essayant de sourire. Ma tête était lourde et j'avais trop chaud.

Plus tard, Carter et moi sommes allés nous asseoir dans les chaises longues, près de la piscine et je lui avouai la vérité. Il hocha la tête lentement.

— Il faut que tu lui en parles, affirma-t-il.

— Je sais. Je vais le faire, mais pas maintenant.

Il écrasa sa cigarette sur le sol puis, s'enfonçant dans son siège, il croisa les mains sur la poitrine. Il se mit à contempler le ciel.

— Tu sais ce qui va arriver, n'est-ce pas ? fit-il calmement.

— Non, je ne sais pas.

— Tu es sur le point de découvrir ce que ça fait lorsqu'on se réveille, après un rêve. Et crois-moi, Bobo, c'est le plus beau rêve que tu ne feras jamais dans ta vie.

Tandis que je m'éloignais de la tombe d'Arch, j'aperçus la fillette. Elle enlevait les bourgeons des roses blanches des buissons sauvages, et qui envahissaient le mur d'enceinte du cimetière, comme de la vigne vierge. Elle les laissait tomber dans son élégant chapeau de femme. Je la regardais éplucher tranquillement les buissons l'un après l'autre. S'avançant ensuite entre les tombes, elle laissa choir un bourgeon sur chacune, comme si elle semait des graines. Elle m'a regardé en passant devant moi. Elle avait des yeux noirs et téméraires. Un sourire étrange, presque de défi, flottait sur ses lèvres. Elle a pris un bourgeon dans son chapeau, s'est arrêtée un instant pour me dévisager, puis l'a laissé tomber. Le bourgeon a atterri dans la corolle ouverte d'une fleur.

16

Plus il buvait de vin, plus Carter était gai. Assis dans son antre, sur un grand divan couvert d'épais coussins, Libby serrée contre lui, il riait, en racontant notre été. Il bâtissait ses histoires avec beaucoup d'exagération du mince tissu râpé de nos souvenirs. Amy et moi étions installés dans des fauteuils, face au divan. Une petite table ancienne nous séparait. Amy avait replié ses jambes, tout comme elle le faisait souvent chez Arch. Dans la cheminée, un feu finissait de mourir, destiné davantage à créer une atmosphère qu'à nous réchauffer de la fraîcheur du soir si fréquente l'été, dans les monts Catskills.

— Il fallait nous voir, Libby, soupirait malicieusement Carter.

Avalant encore une gorgée de vin puis, en désignant son verre à Amy ou à moi, il lançait :

— Tu te souviens?

La question demeurait sans réponse. Elle n'en demandait pas d'ailleurs; elle n'était que le prélude à une nouvelle histoire.

Il raconta ainsi comment, dans un de ses moments de confusion, Mme Mendelson s'était levée de table un matin pour rejoindre celle des Lourie. Elle s'était mise à leur parler à voix haute de plans de mariage entre Amy et moi. Cet incident m'avait plongé dans un tel embarras, que j'avais été incapable de servir le petit déjeuner. Nous n'avions, Amy et moi, aucun souvenir de cette histoire.

Il raconta aussi le week-end que le petit-fils de David et Judith Feinstein avait passé à l'Auberge. C'était un garçon

frimeur et gâté qui avait fait des avances à Amy. Carter
l'avait alors pris à part pour l'informer qu'Amy était secrète-
ment fiancée à un jeune homme qui travaillait à l'Auberge.

Il raconta encore comment il m'avait forcé à téléphoner
à Ben Benton, pour qu'il vienne nous chercher le soir où, en
revenant du cinéma, la direction de sa voiture avait lâché ; et
comment nous nous étions entassés dans la cabine du
camion, les filles assises sur nos genoux. Ben avait aspergé
toute la cabine de lotion après-rasage pour masquer l'odeur
des poubelles.

C'était une histoire dont Amy se souvenait avec délice.

— Ma mère n'était pas couchée. Nous étions en retard
et elle nous attendait. Elle voulut savoir pourquoi je sentais
si mauvais. Elle pensait que cela venait de Bobo. J'ai été obligée de lui dire que je m'étais cognée contre une fille, dans les
toilettes, alors qu'elle rebouchait sa bouteille d'eau de
Cologne.

Je protestai que je ne me rappelais rien. Mais je mentais.
J'avais tenu Amy dans le camion de Ben ; et Ben avait fait le
pitre à ce sujet. C'était après cette soirée-là que Ben m'avait
proposé son véhicule, pour aller m'isoler avec Amy. « Elle
adore mon camion, ça se voit », nous taquinait-il.

Carter se rappelait le jour où j'avais quitté Pine Hill pour
m'en retourner en Géorgie.

— Nous avions arrêté la circulation dans les deux sens.
Ben Benton a mis Bobo dans son camion et, parti du sommet de la côte, il a traversé toute la ville à fond la caisse,
pour l'emmener jusqu'à la maison de son frère à Shandaken.
Tout le monde était dehors à hurler : « Va au diable,
Rebelle ! » Et Bobo qui faisait des signes à la fenêtre, avec un
air pitoyable, comme d'habitude... Il ne manquait qu'Amy.

— J'ai entendu parler de ça, approuva Amy. Je regrette
de ne pas avoir été là.

— Et la nuit où Eddie Grimes a failli se noyer en
essayant de me sauver ! claironna Carter. Je sais parfaitement que tu t'en souviens, Bobo. Merde alors ! Tu as parti-
cipé toi-même à l'organisation de ce coup.

J'ai ri en acquiesçant, et j'attendis que Carter raconte
l'histoire.

Carter passa ses doigts dans les cheveux de Libby d'un
air innocent :

— Ma chérie, ça c'était un chef-d'œuvre, du travail d'artiste !

Il s'est mis à évoquer Eddie Grimes qui venait du quartier de Queens, à New York, un garçon de salle paresseux et agaçant. Il inventait des histoires invraisemblables sur des exploits qu'il aurait accomplis. Des enfants qu'il aurait sortis d'immeubles en feu, des chiens qu'il aurait sauvés, alors qu'un taxi filait droit sur eux, des bagarres qu'il aurait eues avec des gangs armés, parce qu'ils avaient insulté sa mère.

Mais la vantardise d'Eddie n'était rien à côté de ses blagues. Il avait mis de la crème à raser sur l'oreiller de Carter, avait plié en portefeuille le lit de Joe Ly, avait râpé de la paraffine dans le chocolat du matin de Walter Asher — un client âgé et très aimable. Il avait cousu les manches de ma veste de serveur, avait noyé la salade de fruits frais de cognac, avait mis du chewing-gum dans la fente du juke-box, chez Arch...

Carter méprisait Eddie Grimes. Et, le jour où ce dernier avait réglé le réveil à trois heures au lieu de cinq heures et demie, Carter jura qu'il se vengerait : « Ce salaud m'a réveillé juste au moment où j'étais en train de retirer son slip à Renée. Et même si ce n'était qu'un rêve, il me le paiera ! »

Carter mit une semaine à peaufiner son coup.

Il commença par gagner l'amitié d'Eddie. C'était une action écœurante, mais très efficace. Ils partageaient des plaisanteries. Carter offrait à Eddie des cigarettes, des milkshakes, et le suppliait de lui raconter, une fois de plus, ses bagarres avec les gangs de rues. Ils riaient à propos du syndicat des garçons de salle qu'ils voulaient créer ensemble. Puis, Carter avoua à Eddie qu'il souffrait d'une maladie rare et inquiétante : le somnambulisme.

Eddie a facilement mordu à l'hameçon.

— T'inquiète pas, mon vieux, je vais te surveiller et te protéger, promit-il à Carter.

— Surtout ne laisse personne me réveiller, quand j'ai une crise, suppliait Carter. Ça pourrait m'envoyer dans le trou, comme c'est arrivé à mon père.

— A ton père ? Comment ça ?

— Il est devenu dingue. On a été obligé de le mettre dans une maison. Ils viennent seulement de le laisser sortir. Il y a quelques semaines.

— Ah bon!

C'est alors que Carter s'est vengé.

Une nuit, il se mit à gémir doucement sur son lit, au-dessus de ma tête. Eddie s'est aussitôt dressé sur son séant. Faisant semblant de sortir d'un profond sommeil, je marmonnai :

— Qu'est-ce qui se passe?

— Du calme, ordonna Eddie.

Carter commença soudain à s'agiter terriblement, se battit avec son oreiller, et roula hors du lit. Puis, il enfila son jean, ouvrit la porte et sortit.

— Qu'est-ce qui se passe, Eddie, répétai-je avec inquiétude.

— Il est somnambule. Ne le réveille pas.

Eddie s'extirpa en toute hâte de son lit.

— Arrête-le, Eddie, je t'en prie. Il pourrait se faire mal.

— Il ne fera rien d'autre que ce qu'il ferait s'il était réveillé, déclara Eddie. Je connais le somnambulisme.

Il attrapa une cigarette sur le bureau, l'alluma, et suivit Carter dehors. Il ne portait qu'un T-shirt et son short. Il ne savait pas que bon nombre des résidents de Pine Hill l'observaient, cachés dans les buissons, et l'attendaient.

Joe Ly et moi avons vite enfilé nos pantalons.

Carter a traversé la rue à grandes enjambées et s'est dirigé vers la piscine, suivi de près par Eddie ; Joe et moi sur leurs talons.

— Il va directement vers le bassin! criai-je avec désespoir.

— Il ne va pas y entrer, objecta Eddie sûr de lui.

Carter s'est arrêté au bord de l'eau. Il a levé la tête, comme s'il se sentait en danger. Puis il s'est encore avancé, est entré dans l'eau et coula à pic. Je me mis à hurler :

— Il va se noyer! Il faut que tu le sauves.

Eddie me regarda, très embarrassé. Il nageait très mal.

— Eddie, fais quelque chose, le suppliai-je.

Eddie sauta dans l'eau, sa cigarette encore aux lèvres.

Je m'approchai du bassin. Carter était au fond de l'eau. Chaque fois qu'Eddie tentait de l'attraper, Carter s'éloignait. Eddie remontait alors à la surface pour reprendre son souffle.

— Sauvez-le, Eddie! Sauve-le. C'est notre seul garçon de salle! m'écriai-je.

Lorsqu'il eut besoin d'air, Carter finit par se laisser faire. Joe m'a aidé à les sortir tous les deux de l'eau. Carter a alors regardé Eddie qui grelottait et s'est mis à pleurer :

— Tu m'as sauvé!

Puis, levant les bras, il donna le signal convenu. Tous ceux qui nous observaient de leurs cachettes bondirent hors des buissons, avec des acclamations et des applaudissements.

— Je l'ai bien eu, le salaud, fit Carter satisfait en serrant Libby contre lui.

— Je trouve que c'était très méchant, remarqua Libby enjouée.

Elle tapa sur la main de Carter.

— Ma chérie, ce fut l'un des grands moments de toute l'histoire des monts Catskills, lui répondit Carter. Arch l'a ajouté à son répertoire de contes. Tu y étais, n'est-ce pas Amy?

— On m'y a contrainte, avoua Amy en souriant à ce souvenir. Mais oui, j'étais là. Et Libby a raison, c'était très méchant, mais c'était aussi très drôle.

— Toute ma vie, j'ai essayé de refaire cet exploit, mais je n'y ai jamais réussi, dit Carter. Le mieux que j'aie fait, ce fut de gagner un procès, grâce à ça.

— Comment tu as fait? lui demandai-je.

— J'ai plaidé le somnambulisme, en avançant que mon client était en crise quand il a été arrêté pour vol de pneus dans une station-service. Même l'accusé l'a cru. Il était tellement soûl qu'il ne comprenait plus rien. On l'a relâché, avec restitution des biens et un avertissement.

Riant doucement, Carter approcha son verre de ses lèvres. Il contempla un instant les charbons ambrés qui se mouraient lentement dans la cheminée. Puis, se retournant vers nous, il murmura doucement :

— Je suis un homme heureux, mes amis. Mais je crois que cette année-là a été la meilleure de ma vie.

Il fit une pause, ses yeux commençaient à se mouiller.

— C'était magique. De la magie pure. Même à l'époque je le savais.

— C'est vrai, approuva Amy.

— C'était bien ça, dis-je.

— Et nous voilà réunis, à nouveau, tous ensemble, lança Carter, en levant son verre. A Avrum !

Amy et moi sommes restés encore quelques minutes après le toast. Puis nous nous sommes tous embrassés, comme le font des amis et avons remercié Carter pour le dîner et les souvenirs. Amy s'est arrêtée de nouveau devant chacun de mes tableaux, accrochés dans l'antre de Carter. C'était Carter qui les lui avait montrés la première fois, elle avait touché mon bras en chuchotant : « Ils sont magnifiques. Je savais bien qu'ils le seraient. »

— Ils sont magnifiques, répétait-elle en allant d'une toile à l'autre.

Nous sommes revenus en voiture à la maison d'été d'Amy. Je l'avais visitée auparavant. C'était une petite bâtisse en cèdre, dont les murs intérieurs étaient recouverts de boiseries, ce qui lui conférait un aspect chaleureux. Une grande cheminée de pierre et un pan entier d'étagères nues ornaient le rez-de-chaussée. Et, chose étrange, il n'y avait aucun tableau, aucune reproduction, accroché aux murs des chambres.

« Je sais, avait-elle dit, cela paraît très vide, mais je suis en train d'emballer ce qui appartenait à ma mère ; je veux tout remplacer par mes propres affaires. »

Au retour, il n'y eut aucune gêne. A notre arrivée, j'ai suivi Amy dans la maison. Elle me demanda d'allumer un feu, pendant qu'elle faisait du café. Lorsqu'elle revint dans la pièce, j'étais assis par terre à surveiller les flammes.

— C'est beau, n'est-ce pas ? demanda-t-elle. De tout, c'est la cheminée que je préfère.

Elle posa la cafetière devant l'âtre, prit un des coussins du divan et s'assit à mon côté, en appuyant le menton sur ses genoux. L'arôme du café mêlé à l'odeur de fumée et de bois brûlé emplirent la pièce.

Amy regarda les flammes s'enrouler autour des bûches,

telles des langues de feu qui se reflétaient dans ses yeux. Au bout d'un moment, elle déclara :

— Je me rappelle être restée ainsi à l'Auberge cette nuit-là, après la soirée dansante chez Arch. Il y avait un feu comme celui-ci. Mes parents m'attendaient en jouant aux cartes avec un autre couple. Les Traub, je crois. Je suis restée là, assise par terre, près d'eux, et j'avais envie que tu sois avec moi. Tu te souviens de cette nuit, n'est-ce pas ?

— Oui.

Elle soupira profondément, comme pour s'imprégner de la chaleur du souvenir, puis elle expliqua :

— Je crois que ce fut la nuit et l'endroit où j'ai pour la première fois compris que je t'aimais vraiment, que je l'ai pleinement ressenti. L'instant où j'ai compris que c'était quelque chose de plus que ce que je t'avais dit.

— C'est à ce moment-là que tu as parlé de moi à ta mère ? lui demandai-je.

— Nous en avions déjà parlé un peu auparavant. Elle avait beaucoup d'intuition à mon sujet. Dès ce premier matin, au petit déjeuner, je pense qu'elle a compris que je m'intéressais à toi. Mais elle n'a pas dit grand-chose, pas à ce moment-là. Juste quelques petites remarques. Mais la nuit où nous avons vraiment parlé, où je lui ai expliqué mes sentiments, c'était cette nuit-là, après la soirée chez Arch. Cela se passait dans ma chambre. Elle a pleuré.

— Je lui faisais donc si peur ?

Amy approcha sa main de la mienne, puis l'effleura.

— Ce n'était pas toi, Bobo. C'était moi. Elle savait que j'étais en train de grandir, que je devenais femme. Jusqu'à cet été, j'avais eu des copains, des rendez-vous, mais ce n'était pas sérieux. C'étaient juste de merveilleux engouements, très brefs, qui allaient et venaient, au gré de mon humeur. Ma mère m'avait bien aidée à traverser cette période, avec beaucoup de patience et d'amour. Elle savait que toi, c'était différent. Elle m'a dit qu'il y avait quelque chose, en toi, qui lui en donnait la certitude. Et crois-moi, Bobo, depuis que je suis la mère de trois filles, j'ai appris beaucoup de choses sur l'intuition des parents. On peut ne pas comprendre sa vie, mais pour ses propres enfants, on sait. On sait toujours.

J'ai pensé alors à mes enfants et j'ai bien saisi ce qu'elle voulait dire.

— Parle-moi un peu de ton mari, lui demandai-je.

Pendant un long moment elle n'a pas répondu. Elle contemplait le feu, plongée dans ses pensées. Puis elle commença :

— Peter est un homme bon. Je crois qu'il nous aime beaucoup. Son travail... Je l'aime, mais ça n'a jamais été un vrai mariage, et c'est davantage ma faute que la sienne.

— Pourquoi ?

Elle se tourna vers moi. Son visage ressemblait tout à fait à celui du tableau de la chambre de Jean Archer.

— Est-il possible que tu ne le saches pas ? répondit-elle doucement. Quand nous nous sommes mariés, Peter et moi, je t'aimais. Je t'aimais avec bonheur, la seule chose que je ne pouvais partager avec quelqu'un d'autre. Oui, avec bonheur.

Elle cilla des yeux ; ils se mirent à briller.

— C'était cela, n'est-ce pas ? soufflai-je. Le bonheur. C'est exactement le mot qui convient. Je pensais alors que, de bonheur, j'allais me briser.

Elle sourit et se plongea à nouveau dans la contemplation des flammes. Elle paraissait les consulter, décoder leur frémissement. Après un moment, elle se lança :

— Tu te souviens du jour où nous nous sommes fait nos adieux ; dans la chambre d'Avrum ?

— Mais bien sûr.

— Je t'ai dit que je voulais faire l'amour avec toi.

— Je me rappelle.

— J'ai pensé à cela pendant des années, continua-t-elle. Mais je n'en ai jamais eu honte. Je me demandais seulement ce qui serait arrivé, si c'était arrivé. Mais nous ne pouvions pas, évidemment. Pas à l'époque.

— Non, on ne pouvait pas, acquiesçai-je.

Elle ferma ses yeux, et, enlaçant de nouveau ses jambes, elle appuya sa joue contre ses genoux.

— La toute première fois que j'ai fait l'amour avec quelqu'un, Bobo, j'ai crié ton nom, confia-t-elle dans un sourire.

— Ça a dû être fort intéressant.

Elle rouvrit les yeux et rit avec beaucoup de légèreté.

— Ce n'était ni avec Peter ni avec Adam. C'était avec un garçon qui s'appelait Steven. Nous sortions ensemble, juste avant que je rencontre Peter, et c'est arrivé comme ça. Mais cela n'a pas duré, pas après cette nuit-là. Le fait d'avoir été appelé Bobo lui était insupportable. Et j'ai refusé de lui donner la moindre explication.

— Je pense qu'il est préférable que cela ne se soit pas passé avec Peter, observai-je.

— J'ai fait attention, par la suite. Mais j'ai tout de même parlé de toi à Peter. Je lui ai un peu raconté.

— Qu'est-ce que tu veux dire ?

— Je lui ai avoué que nous étions sortis ensemble pendant l'été, que tu venais de Géorgie, et que tu étais devenu un peintre connu. Il n'a pas posé beaucoup de questions. Pour lui, la Géorgie était un peu comme un pays étranger, trop éloigné pour s'en inquiéter.

— Cela semble assez généreux.

Elle me regarda :

— Je voulais que ce soit comme ça... As-tu jamais regretté que nous n'ayons pas fait l'amour ce jour-là ?

— Je pense que je ne l'ai jamais reconnu. Mais je l'ai regretté ; pas sur le moment, mais plus tard. Lorsque j'y repensais, je regrettais.

— Nous formions un beau couple, non ? J'aimais vraiment t'embrasser, reconnut-elle.

Elle me prit la main, déposa de doux baisers sur ma paume, et déclara sur un ton léger :

— Je ne devrais probablement pas te le dire, mais j'ai chez moi un tableau de toi.

Face à mon air sceptique, elle agita la tête :

— *L'Homme qui attend*. Tu t'en souviens ?

— Mais bien sûr. Il a été vendu aux enchères, à une vente de charité. Comment l'as-tu eu ?

— J'étais membre d'un comité d'achat pour un musée. Je l'ai vu annoncé dans une brochure de ventes aux enchères, dans l'Atlanta. Après quelques appels téléphoniques discrets, j'ai fait marcher des gens qui ont cédé facilement.

— Bon sang ! C'était il y a au moins vingt ans !

Elle embrassa encore ma paume :

— Je l'ai depuis dix ans.

— Je suis surpris, vraiment. Et Peter t'a autorisée à le garder?

— Je ne pense pas qu'il l'ait jamais remarqué. Et pourquoi le regarderait-il? Il se contente généralement d'un coup d'œil aux photos de famille, quand nous en prenons. Comme je te l'ai dit, c'est un homme plutôt occupé. Il ne prête pas beaucoup d'attention à ce que je fais.

Puis, me considérant avec tendresse.

— A propos, j'aime beaucoup ce tableau. Tu es très doué, Bobo Murphy.

— Non, répliquai-je honnêtement, je suis seulement un bon peintre. Un peintre très doué fait de la peinture. Un bon peintre enseigne plus qu'il ne peint. Les bons peintres enseignent parce qu'ils savent que leur immortalité réside dans le fait de découvrir quelqu'un de doué — quelqu'un qui d'une certaine façon leur sera proche. Les peintres vraiment doués ne s'arrêtent jamais de peindre; les bons peintres n'arrêtent pas d'essayer. Ce qui, pour ma part, me satisfait et me suffit...

— Mais, crois-moi, la différence entre bon et doué est dans ce que l'artiste laisse *en dehors* de sa toile, et non dans ce qu'il y met, répliqua Amy.

— On croirait entendre la diplômée de philosophie.

— Oui, c'est bien ça! J'en suis convaincue, Bobo. Quand tu as peint *L'Homme qui attend*, tu n'as rien laissé de côté. C'est le travail d'un homme doué. J'ai pourtant une question à te poser à ce sujet.

— Une question?

— Je pense que l'homme te ressemble beaucoup, et que le banc sur lequel il est assis pourrait être celui d'Avrum. Est-ce que c'était un autoportrait?

— Je n'en avais pas l'intention.

— Mais tu avais un modèle?

— Non, j'ai peint, tout simplement. Je ne pensais pas pouvoir l'achever un jour. C'est pour cela que je l'ai vendu aux enchères; pour m'empêcher d'y travailler encore. J'espère que tu ne l'as pas payé une fortune.

— Cela n'aurait pas fait de toi un millionnaire, mais tu aurais pu te payer d'agréables vacances.

Puis, avec un beau sourire, comme se rappelant un agréable souvenir, elle continua :

— Est-ce que tu sais comment les parents apprennent aux enfants à croire à des bonheurs secrets? J'ai toujours pensé que tu étais mon bonheur secret.

— Je suis vraiment surpris qu'il soit chez toi, insistai-je.

— Ne t'inquiète pas. Mais il va falloir que tu en peignes un autre, pour moi. Pour ici, pour cette maison.

— J'en serai ravi. Qu'est-ce que tu désires?

Elle attendit pour me répondre. Le feu accrochait des reflets ambrés sur son visage.

— Je voudrais, quel que soit le sujet, que tu y mettes ce que tu ressens quand tu peins. Et je veux que tu ne laisses rien de côté, que tout soit sur la toile. Et je veux que tu sois dedans, *toi*, Bobo.

Elle étendit ses jambes et reprit ma main dans les siennes, l'étreignant de ses doigts.

— Et maintenant, qu'est-ce que l'on fait? demanda-t-elle posément. Après toutes ces années, qu'est-ce que l'on devient?

— Je ne sais pas.

— Nous ne sommes plus des adolescents.

— Non, c'est vrai, n'est-ce pas?

— Tu as toujours eu un peu peur de moi, murmura-t-elle. As-tu encore peur?

— Non.

Ses mains serrèrent les miennes. Elle se pencha vers moi et m'embrassa tout doucement. Puis elle posa ma main sur son sein, et un léger gémissement s'éleva pour se terminer en baiser sur ma bouche. Je sentais la chaleur de sa langue m'embraser, tout comme la première fois où nous nous étions embrassés. Je sentis son corps basculer vers le mien pour s'y serrer et s'y ajuster; je sentis les battements de son cœur, je sentis sa main me caresser le dos.

— Je ne sais pas pourquoi je t'aime encore, Bobo, chuchota-t-elle tendrement, mais je t'aime. Je t'aime et je t'ai toujours aimé. Je t'ai aimé toutes ces années. Avec bonheur, Bobo, avec bonheur...

Nous fîmes l'amour lentement, merveilleusement, nos corps se découvrant à nouveau l'un l'autre, imprégnés pourtant de souvenirs d'une autre époque... Elle se donnait tout entière, comme j'avais toujours pensé qu'elle ferait.

Nous avons quitté le coin de la cheminée pour le lit et nous sommes restés couchés, tout près; nous avons parlé longtemps en nous caressant, sans dormir. Elle portait son collier d'argent avec sa pierre d'amour bleue. Nous avons admiré l'aube naissante, et nous avons encore fait l'amour.

Au moment où je partais, après une douche et un petit déjeuner, Amy me demanda :

— As-tu des regrets ?

— Non, et toi ?

— Non. J'ai voulu ce qui s'est passé cette nuit. Le souvenir de nos adieux, dans la chambre d'Avrum, ne m'a jamais quittée.

17

Lila, assise sous le porche principal de l'Auberge, fumait une cigarette en buvant du café. Elle arborait un large sourire impatient :

— Alors ?

— Tu vas me faire la leçon ? questionnai-je.

— Je ne sais pas, répondit-elle, sur un ton espiègle. Pourquoi ne me ferais-tu pas un petit mensonge pour que l'on soit débarrassés ?

Je m'installai, dans un fauteuil de jardin, près d'elle, calant confortablement mes épaules dans le coussin. Elle me versa une tasse de café.

— Je dois dire que je me suis malheureusement endormi sur le divan. Trop de vin, trop de conversations agréables. Amy a jeté une couverture sur moi et m'a laissé dormir mon soûl, précisai-je.

Me tendant mon café, Lila s'exclama en riant :

— Mais c'est très bien, Bobo. Bravo ! Je te crois presque. Je ne te crois pas, mais presque. Si tu veux, je peux te donner quelques conseils.

— J'en suis convaincu. Et tu le feras.

— Si tu essayes de faire le même coup à Caroline, alors ne refais pas surface avec tes cheveux encore humides de la douche. En fait, mieux vaut ne pas prendre de douche. Je reconnais bien l'odeur du savon et je sais que ce n'est pas celle de celui bon marché que nous fournissons.

— Je plains Sammy, dis-je en souriant. A propos, où est-il ?

— Il dort encore. Il a travaillé presque toute la nuit, puis il t'a attendu pour te montrer sa dernière création.

— Amy? demandai-je.

— Si c'est ça, je pense qu'elle ne vieillira pas bien. J'ai jeté un petit coup d'œil ce matin.

Elle éteignit sa cigarette dans le cendrier, et lança brusquement :

— Mais à propos des autres femmes de ta vie, je crois que tu devrais rentrer et appeler celle de Géorgie...

Je me redressai sur mon fauteuil.

— Caroline a appelé?

— Oui. Jusqu'à une heure du matin. Elle n'avait pas l'air d'une joyeuse vacancière.

— Qu'est-ce que tu lui as dit?

Elle me regarda, étonnée.

— J'ai menti, bien sûr. Quel genre de personne crois-tu que je sois? Je lui ai dit que tu étais avec Sammy à une exposition d'art à Woodstock et, si j'étais toi, je me tiendrais à cette version. Je pense qu'elle y croit, peut-être.

Elle eut un petit sourire faussement modeste :

— Quand dois-tu revoir Amy?

— Cet après-midi. Nous allons jusqu'à Margaretville. On va déjeuner tard et se promener un peu chez les antiquaires.

— Mmmm, ronronna Lila. Des antiquaires... j'adore. Romantique. Alors, va vite appeler Caroline et faire un petit somme. Tu ressembles un peu au courtier ce matin.

Si Caroline avait été déçue de ne pas m'avoir eu au téléphone hier soir, elle ne le montra pas ce matin. Elle était à son travail. J'entendais rire dans le fond. Elle répondit aussitôt à mes excuses :

— Je n'étais pas inquiète. Mais comme je ne t'avais pas parlé depuis deux jours, je me demandais comment ça allait.

— Le service funèbre a eu lieu hier. Ça s'est bien passé. Il y avait beaucoup de monde.

— Bien.

Nous avons brièvement parlé des enfants. Ils allaient

bien. Jason a appelé pour dire qu'il avait vu l'émission de Dee Richardson, avec mon interview et qu'il était impressionné. Rachel était désolée de l'avoir manquée et Lydia allait essayer d'obtenir une cassette de CNN. Il n'y avait rien d'important au courrier. Elle avait passé une bonne semaine au travail.

— Tu as l'air inquiet. Tout va bien, c'est sûr?

— Tout va très bien, je t'assure. J'aurais dû t'appeler plus tôt. Je suis désolé.

— Quand est-ce que tu rentres?

— Probablement lundi prochain. Peut-être dimanche. Je te préviendrai.

— D'accord. Bon, je dois y aller. Nous sommes un peu bousculés.

Assis sur mon lit, je tenais le combiné du téléphone sur mes genoux, attendant un quelconque sentiment de culpabilité. Mais il n'y eut pas de culpabilité. Il y avait seulement le délicieux souvenir du plaisir de la nuit. Je replaçai le combiné sur son support, retirai mes chaussures et m'allongeai sur le dos, les yeux fermés. Je sentais encore le parfum du savon, après ma douche.

Je fis un rêve agité. Agité et étrange.

J'étais assis avec Avrum, sur son banc. Puis il disparut et, à sa place, il y avait Amy. Elle tenait ma main. La voix d'Amélita Galli-Curci flottait dans l'air. Puis Amy disparut à son tour, il y eut Caroline, et Henri Burger qui se tenait debout, près du banc, vêtu de son pantalon informe et de son gilet. Son visage reflétait une immense tristesse. Il secoua la tête et s'éloigna lentement en traînant les pieds, comme le font les gens âgés. Et alors Mme Mendelson croassa, depuis le porche de l'Auberge, à travers toute la rue : « *Ja, ja. Ist gut. Ist gut.* » Puis Ben Benton est passé dans son camion, en agitant par la fenêtre son ceinturon, avec sa boucle de fer à l'ours.

— Qui sont ces gens? me demanda Caroline d'un air soupçonneux.

— Des amis. Ce sont mes amis.

— De drôles d'amis, si tu veux mon avis.

Puis le rêve changea de décor.

— J'ai quelque chose à te dire, étais-je en train d'expliquer à Amy.

— Je ne crois pas que j'ai envie de l'entendre, répondait-elle d'une petite voix inquiète.

Nous marchions au pied du remonte-pente de Belleayre. La nuit était claire et froide. Au-dessus de nos têtes, les étoiles filaient comme des feux d'artifice.

— Il faut que je te le dise, répétai-je.

Elle s'arrêta de marcher pour me regarder. J'ai pensé qu'elle savait déjà. Je pensais que Carter le lui avait dit.

— Caroline doit venir me voir.

Pendant un long moment, elle regarda ailleurs, vers la vallée. Elle retira son bras de sous le mien et enfonça ses mains dans les poches de sa veste. Finalement, elle demanda :

— Quand?

— A la fin de la semaine prochaine.

Elle continuait d'éviter mon regard.

— Depuis quand le sais-tu?

— Depuis la semaine dernière. Tu te souviens lorsque Joe est venu me chercher chez Arch, en disant qu'il y avait quelqu'un au téléphone pour moi? C'était Caroline.

— Et tu lui as demandé de venir?

— Non, je n'en savais rien. C'est ma mère qui a tout arrangé. Elles arrivent en voiture avec mon frère...

Elle ricana en me tournant le dos.

— Je savais que quelque chose n'allait pas, murmura-elle. J'ai demandé, à Carter, mais il n'a rien voulu me dire.

— Je suis désolé, lui dis-je, la suppliant de me croire. Je ne m'y attendais pas du tout. Ce n'est pas quelque chose que...

Lorsqu'elle me fit face, elle pleurait.

— Serre-moi très fort, suppliait-elle.

Je l'enlaçai. Son corps frissonnait contre le mien. Je répétais :

— Je suis désolé.

— Tu sais, je ne peux pas rester là. Je ne pourrais pas. Pas pour ça. Je ne pourrais pas voir... ça. Non, je ne pourrai pas.

Puis soudain, debout devant chez Arch, j'ai vu la voiture de Raymond ralentir et s'arrêter. J'ai vu Caroline par la portière. Elle faisait des signes et souriait gaiement, comme un enfant arrivant à une fête. Je l'ai vue se précipiter vers moi, jeter ses bras autour de mon cou et me serrer contre elle. De l'autre côté de la rue, il y avait Carter, debout devant la porte de l'Antre. Il fumait une cigarette et me regardait. Il hocha la tête avec tristesse et cracha sa cigarette de sa bouche.

Amélita Galli-Curci chantait. J'entendais sa voix s'élever dans les airs et je la voyais debout, sous le porche de Sul Monte. Avrum était assis sur son banc, au-dessous d'elle, tenant à la main son bouquet de roses. Sa tête était rejetée en arrière, il avait les yeux fermés et ses lèvres remuaient au rythme de la musique.

Carter se glissa en toute hâte dans le vestiaire de la cuisine où régnait une odeur de transpiration et de talc de toilette. Il me chuchotait :

— Bobo, il faut que je te prévienne : quand tu entreras dans la salle à manger, tu vas voir Adam.

— Qui ?

— Adam. Son ancien amoureux. Il est arrivé en voiture ce matin.

— Pourquoi ?

— Ce que tu peux être bouché alors ! soupirait Carter. Il y a Caroline qui arrive dans deux jours. Amy t'a dit qu'elle ne pouvait pas rester pour voir ça. Il est venu pour la ramener en ville.

— Quand ?

— Cet après-midi.

— Alors, elle part aujourd'hui ?

— Bobo, rappelle-toi ce que je t'ai dit au sujet des beaux rêves et du réveil. Eh bien, on y est !

Soudain, je me retrouvais à la table des Lourie, en train de servir le déjeuner, dans un état second. Amy évitait de me regarder. Adam et Joël Lourie discutaient et s'esclaffaient librement, ignorant ma présence. Seule Édith Lourie semblait comprendre ce qui se passait. Ses yeux disaient : « Je suis désolée. »

Le rêve changea encore de décor, avec un saut en avant. Je me tenais sur la plate-forme de chargement dans la cuisine et je regardais Joël Lourie et Adam qui installaient les valises d'Amy dans la voiture d'Adam. Ils se comportaient encore comme de vieux amis. Carter me tapa sur l'épaule :

— Avrum veut te voir.

Je traversai la salle à manger, le hall de l'Auberge, puis sortis. J'ai traversé la rue pour rejoindre Avrum.

— Je voudrais que tu m'apportes le médicament qui se trouve sur la table de nuit de ma chambre, dans une bouteille bleue, me demanda Avrum.

Lorsque j'ouvris la porte, Amy était debout devant la fenêtre, elle regardait les montagnes recouvertes de bouleaux où nous nous rencontrions. Elle portait la même tenue que le soir chez Arch. Elle s'est retournée, s'est dirigée vers moi, et m'a enlacé de ses deux bras.

— Je ne pensais pas faire cela comme ça, murmura-t-elle doucement, serrée contre ma poitrine. Je voulais le rencontrer à Kingston, mais mes parents...

— Ça ne fait rien.

— C'est le seul moyen que j'ai trouvé pour rentrer à la maison. Mais je ne vais pas habiter avec lui, Bobo. Je veux que tu le saches, je vais habiter chez des amis. Chez Judy. Je t'ai déjà parlé de Judy ?

— Oui.

Elle leva ses yeux vers moi :

— Est-ce que tu m'aimes ?

— Oui. Tu le sais bien.

Des larmes brillaient dans ses yeux. Pourtant, elle sourit.

— Tu sais ce que je voudrais, maintenant ?

Je ne répondis pas, je sentais les larmes monter.

— Je voudrais faire l'amour avec toi. Ici. Aujourd'hui.

— Amy.

Elle leva à nouveau la tête. Ses lèvres effleurèrent les miennes.

— Pourquoi y avait-il tant de choses contre nous ? souffla-t-elle.

— Je ne sais pas.

— Tu te souviendras de moi, Bobo, n'est-ce pas ?

— Oui.

— Sais-tu ce qui va arriver maintenant ? demanda-t-elle.

— Non.

— Tout le monde va penser que c'était juste une pas-
sade d'été, dit-elle doucement. Peut-être que nous y croirons,
ou bien nous y croirons à moitié. Ils nous diront. « C'est fini.
N'y pensez plus. » Mais ils ne savent pas.

— Ne savent pas quoi ?

— Que la seule chose qui soit terminée, c'est l'été. Je ne
te reverrai peut-être plus jamais, Bobo, mais pour nous, ce
n'est pas fini. Pas pour nous.

Elle m'a embrassé à nouveau, tendrement. Puis, elle sortit de sa poche deux petites pierres taillées, bleues, de forme
ovale.

— Ce sont des pierres d'amour, précisa-t-elle. Taillées
dans le même morceau. Si tu les réunis, elles s'ajustent parfaitement.

Elle en plaça une dans ma main :

— Il y en a une pour toi, une pour moi.

Elle caressa doucement mon visage.

— Je t'aime vraiment, Bobo Murphy, chuchota-t-elle.

Elle effleura mes lèvres, puis quitta la pièce.

A travers la fenêtre, je l'aperçus monter dans la voiture
avec Adam. Je les ai encore vus saluer les parents, tandis que
la voiture s'engageait dans la rue. J'ai cru voir le visage
d'Amy tourné vers la fenêtre où je me trouvais. Ce fut
comme un éclair de lumière. La douleur de son départ m'a
pénétré comme un poignard aiguisé, pointu et assassin, et je
me suis mis à pleurer.

Près de la piscine, désertée par la forte chaleur, Caroline
déclarait d'un ton amer et accusateur :

— Tu as changé. Je ne sais pas pourquoi, mais tu as
changé.

— Tout le monde change, objectai-je faiblement.

— Je n'y crois pas, affirmait Caroline. C'est à cause de
l'été que tu as passé ici. C'est presque comme si tu apparte-
nais davantage à cette région qu'à la tienne, à ta maison.

Le rêve fut déchiré par un éclair et Caroline n'était plus
là.

Amélita Galli-Curci regardait Avrum depuis son porche,
à Sul Monte. Il lui offrait son bouquet de roses rouges, tandis que des centaines de gens, habillés pour l'opéra, l'accla-

maient avec force. Elle prit les roses et en arracha les pétales avec colère, et elle les lança en l'air. Les pétales tombèrent en pluie sur Avrum, telles des gouttes de sang.

Un autre éclair.

Amy me regarde, droit dans les yeux, depuis le tableau de la chambre à coucher de Jean Archer. Une tache de soleil glisse lentement, traverse son visage et descend sur le lit. Amy est sur le lit, toute nue, son corps magnifique repose, détendu et endormi, sous ce rayon de soleil. Jean Archer est debout à côté du lit, devant un chevalet sur lequel il y a une toile vierge. Elle peint avec ardeur, ses doigts deviennent pinceaux, mais rien n'apparaît. Amy remue dans son sommeil et Jean Archer s'arrête de peindre. Elle reste immobile, à la contempler. Des battements de cœur résonnent, faisant écho dans toute la pièce.

Je me réveille en sueur. Dehors, j'entends la corde à sauter de la fillette. Chaque coup de corde cogne dans ma poitrine.

Je suis sorti du lit, j'ai pris l'enveloppe d'Avrum de mon porte-documents et j'ai lu :

Kaddish d'Avrum Feldman. A ouvrir six jours après sa mort. A.F.

Je me demandais ce que cette enveloppe allait révéler.

18

Lorsque je suis descendu, une heure plus tard, Sammy était dans le hall. Ses cheveux étaient encore couverts de poussière de granit; ses yeux rouges et gonflés brillaient d'enthousiasme, ou de folie.

— Eh, Bobo! Tu as une minute? lança-t-il d'une voix tonitruante.

Je regardai ma montre. J'étais attendu chez Amy à 12 h 30. Il était midi.

— Pas plus. Qu'est-ce qui se passe?

Je savais bien que c'était une question vaine.

— Viens, insista Sammy en se dirigeant vers la porte. Je t'assure, Bobo, tu ne pourras pas y croire.

Lila alluma une cigarette. Elle était derrière le comptoir de la réception. Elle roulait les yeux d'un air amusé. J'ai suivi Sammy jusque chez Arch. Dan Wilder était en train de balayer le trottoir devant sa boutique. Il nous fit signe.

La fillette se tenait devant l'auberge, Le Repos du Voyageur, fermée depuis deux ans. Elle portait des vêtements de femme — une robe sans manches, couleur pourpre, avec des franges faites de minuscules perles, un chapeau assorti, rehaussé d'une tresse noire sur son pourtour, et des chaussures à hauts talons, trop grandes. Elle avait un air d'enfant mutin, pourtant quelque chose d'étrange se dégageait d'elle. Son maquillage était appliqué sans défaut. Son visage était celui d'une femme sensuelle. Elle prit une pose arrogante, la tête redressée en arrière, puis elle se tourna lentement vers la fenêtre de l'auberge et feignit de lire un menu, encore collé sur la vitre. Sammy la mit en garde.

— Tu devrais rentrer à la maison, Trinité, et te laver la figure, avant que ta mère ne rentre.

Elle lui jeta un regard hautain.

— C'est bon, dit Sammy. Mais tu sais ce qu'elle fera, si elle te surprend comme ça.

Il entra en ronchonnant.

— Qu'est-ce que c'est que toute cette affaire ? demandai-je.

Il hocha la tête avec désespoir.

— Elle habite avec sa mère, plus bas dans la rue, la vieille maison Harbin. C'est un de ces logements pour parent isolé. Sa mère travaille pour l'État, en relation avec l'environnement. Ce qui laisse la fille livrée à elle-même la plupart du temps. Ça va quand il y a école mais en été, elle n'a rien à faire. Ça m'attriste.

— C'est une enfant très jolie, dis-je.

Sammy regarda par la fenêtre. A l'angle de la maison, la fillette le dévisageait et le défiait de son air sensuel.

— Ouais, mais elle fait des tours, rien que pour emmerder sa mère. Il va y avoir une histoire ce soir. Sa mère est une de ces hippies New Age, elle a dû disjoncter. Tu imagines ! Appeler son enfant Trinité ? Pourquoi est-ce que les gens font des trucs comme ça, Bobo ? Ils se prennent pour Dieu ? La fille va se faire botter les fesses, mais elle ne versera pas une larme. Et un de ces jours, quand sa mère sera au boulot, elle va faire son sac et prendre le bus, pour aller en ville. Elle va s'évanouir dans la nature. Elle finira probablement putain sur la 42e Rue, à New York.

— Elle n'a pas de camarades pour jouer ? demandai-je.

Sammy ricana.

— Mais enfin, Bobo, il n'y a pas tellement d'adultes par ici et encore moins d'enfants. Je pense même qu'elle est la seule.

Il hocha la tête à nouveau.

— Je sais ce qu'elle ressent.

— Que veux-tu dire ? demandai-je.

J'ai vu une ombre passer sur le visage de Sammy. Il semblait lointain, perdu.

— Je suis allé là-bas, chuchota-t-il après un moment.

Il frissonna soudain.

— Oh, merde alors ! Viens.

Nous nous sommes rendus à l'arrière de l'atelier de Sammy. Une serviette tachée enveloppait une petite sculpture de granit, sur l'une des tables. Sammy me regarda, le visage souriant, puis la découvrit d'un geste cérémonieux.

J'étais très surpris. Les contours étaient encore flous mais l'âme de la pierre restituait celle d'Amy.

— C'est bien, ça, assurai-je. C'est très bien.

Sammy toucha le visage. Ses mains tremblaient.

— Elle te plaît ? C'est vrai ? demanda-t-il avec anxiété.

— Mais oui. Vraiment.

Sammy alluma une cigarette. Il m'observait attentivement.

— Tu sais qui c'est ?

— Amy, répondis-je.

Un éclair de surprise brilla dans ses yeux. Il tira sur sa cigarette.

— Tu la reconnais ?

— Bien sûr. C'est elle, n'est-ce pas ?

Sammy acquiesça et, encore étonné, il effleura à nouveau le visage avec ses mains.

— Personne n'a jamais été capable de retrouver les personnages sur lesquels je travaillais, Bobo.

Il jouait nerveusement avec sa cigarette.

— Tu ne m'en veux pas, hein ?

— Bien sûr que non. Pourquoi t'en voudrais-je ?

— Ben, tu sais...

— Écoute. C'est une femme très belle. J'ai réalisé des milliers de fois des esquisses d'elle. Je ne te critique pas du tout. Vas-tu encore y travailler ?

— Je voulais seulement la commencer avant que tu ne partes. Maintenant, je veux prendre mon temps. Y réfléchir, tu comprends. La laisser apparaître peu à peu, d'elle-même.

— J'aimerais bien l'acheter, quand tu l'auras finie.

Un large sourire éclaira son visage.

— Je pourrais te l'envoyer par bateau, avec *Le Vieil Homme* ?

Il se tut, puis hasarda :

— Comment puis-je réaliser une pièce comme celle-ci, Bobo, alors que le reste de ma production n'est que de la merde ?

Je ne savais pas quoi répondre. Sammy n'avait aucun talent de sculpteur et pourtant, cette œuvre était de qualité.

— Ça marche mieux certaines fois que d'autres, suggérai-je.

— Je suppose.

Lorsque j'arrivai, des ouvriers travaillaient dans la maison d'Amy. Ils agrandissaient le balcon arrière et construisaient une niche pour une baignoire.

— Idéale pour améliorer ma vie amoureuse, plaisanta Amy.

— Je savais bien qu'il manquait quelque chose, la taquinai-je.

Elle rit et cria à l'un des ouvriers :

— Je reviens cet après-midi.

Il fit signe qu'il avait entendu et actionna sa scie circulaire. La lame hurla contre le bois.

Nous sommes allés en voiture, jusqu'à Margaretville, et avons conversé à bâtons rompus, au sujet des changements qui s'étaient produits dans la vallée de Shandaken. Amy expliqua que son mari ne comprenait pas pourquoi elle tenait tant à garder la maison héritée de sa mère.

— Il l'appelle la vallée de la Mort, dit-elle. C'est supposé être une plaisanterie, mais il n'a jamais aimé la région, même s'il me l'a caché pendant des années. Il préfère les gratte-ciel et les aéroports.

— Il a dû être surpris que tu conserves la maison.

— Un peu. Il n'a pourtant avancé aucun argument sérieux contre. Je pense que c'est une façon de renoncer à la bagarre.

Je lui demandai ce qu'elle entendait par là.

— La bagarre du mariage. Tu sais, les plaies et les bosses que laissent toujours les rapports entre les gens.

Elle tapota ma main de la pointe de ses doigts.

— Le « donner » et le « prendre », dont parlait Avrum. Mais avec lui, c'était romantique. Dans la vie réelle, ça ne l'est pas forcément, n'est-ce pas?

— Je suis d'accord, c'est indiscutable, déclarai-je.

Puis je demandai :

— Quand est-ce que ta mère a acheté cette maison ?

Elle demeura silencieuse un long moment, contemplant la vue par la fenêtre.

— Il y a cinq ans environ. Elle disait qu'elle avait besoin du calme d'ici.

— Et elle l'a trouvé ?

Amy retira sa main de la mienne et tritura le col de son chemisier.

— Pardonne-moi, dis-je. C'est peut-être une question trop personnelle ?

— Non, ce n'est rien. Je pense qu'elle s'y plaisait. Elle semblait plus heureuse ici.

— Et ton père ?

Elle répondit très calmement :

— Je ne t'ai pas tout dit, hier. Ils ont divorcé au début des années soixante. Mon père s'est remarié. Sa femme est adorable et il est comblé.

Puis elle me regarda.

— Tu sais qu'il t'aimait beaucoup ?

— Il était toujours très poli avec moi.

— J'ai longtemps cru que seule ma mère connaissait mon sentiment pour toi, mais mon père l'avait deviné aussi. Le seul conseil de père à fille qu'il m'ait jamais donné te concernait.

— Quel était-il ? demandai-je.

— A la veille de mon mariage, il m'a proposé de faire une promenade avec lui. Il m'a dit alors que la seule chose qui comptait vraiment, dans la vie, c'était de tenir à quelqu'un. Il a été honnête. Il n'était pas certain de mon profond attachement pour Peter. Je me rappelle ses paroles : « Cela n'arrive qu'une fois peut-être. » Il m'a serrée contre lui, et je crois qu'il pensait à toi. De temps à autre, il me demandait si j'avais de tes nouvelles. Je lui répondais que tu étais marié et que tu étais un artiste-peintre.

Je continuais à conduire en silence, me remémorant le jour où Joël Lourie m'avait tiré d'embarras, dans la salle à manger de l'Auberge.

Un homme et sa famille s'étaient arrêtés à l'Auberge

pour se reposer un jour avant de partir randonner en montagne. Ce n'étaient pas des habitués. Tandis que je les servais, je remarquai une rangée de chiffres tatoués sur le bras de l'homme au-dessus du poignet. Je m'apprêtais à lui en demander la raison lorsque Joël Lourie m'appela à sa table. Il me fit signe de m'approcher et il chuchota :

— Bobo, j'ai vu que vous regardiez les tatouages de cet homme. Ne dites rien. Je vous en parlerai plus tard.

Après le déjeuner, il revint dans la salle et il m'expliqua qu'ils provenaient de l'un des camps de la mort de la Seconde Guerre mondiale.

— Cet homme a été prisonnier. Il a eu de la chance de survivre.

Des années plus tard, j'ai fait le portrait d'un homme avec des tatouages. « Afin de toujours me souvenir », m'avait confié l'acheteur, également tatoué.

— A quoi penses-tu ? demanda Amy.

— A ton père.

— A propos de ce qu'il m'a dit ? questionna-t-elle. Tu crois aussi qu'il songeait à toi ?

— Je l'espère, répondis-je.

Elle me prit à nouveau la main. La façon dont elle me regardait fixement, la tête levée, me rappelait la pièce, peu raffinée, de Sammy. La sculpture, comme le tableau de Jean Archer, étaient des choses que je n'étais pas encore prêt à partager avec elle.

— Tu es fatiguée ? lui demandai-je.

— J'ai dormi comme un bébé, pendant deux heures, après ton départ, répondit-elle.

— Tu as fait des rêves ?

— Oui, merveilleux ! Nous avions dix-sept ans et nous faisions l'amour, dans la chambre d'Avrum.

Après avoir déjeuné dans un petit restaurant de Margaretville, nous avons marché jusqu'au théâtre Galli-Curci. Il avait été démoli et transformé en un marché d'antiquités.

— Ce n'est plus pareil, n'est-ce pas ? fit Amy.

— Non, pas vraiment, répliquai-je.

— Tu te souviens, quand nous venions ici au cinéma, nous étions assis en nous tenant la main, tandis que Carter et Renée nous taquinaient. Et le soir où Eddie Grimes avait essayé de dégrafer le soutien-gorge de sa petite boniche et qu'elle s'était mise à hurler?

J'avais oublié Eddie et la fille en question.

— Je croyais que Carter allait le tuer, reprit-elle.

— Es-tu sûre que j'étais là?

Elle rit d'un rire espiègle.

— Maintenant que j'y réfléchis, c'était avec Adam. Je vous confonds toujours tous les deux.

— Qui donc?

— Tu sais bien.

— Mais oui bien sûr. Le gars qui mangeait avec ses doigts! Il avait les dents en avant, l'œil tombant et la plus grande quantité de pellicules sur le crâne que j'aie jamais vue. Il ressemblait à Freddie, dans les films d'horreur. Et il était toujours à sec. J'ai même été obligé de lui donner de l'argent, quand il a déjeuné avec toi et tes parents. Qu'est-ce qu'il est devenu?

Amy s'est mise à rire.

— Adam? Il est président de l'une des plus grosses banques de New York, déclara-t-elle simplement. C'est M. Mégadollar. J'aurais pu devenir Mme Mégadollar, si ce n'était toi.

— Moi? Mais qu'avais-je à voir là-dedans?

— Je lui ai parlé de toi le jour où nous sommes revenus en ville. Il était blême à l'idée que je m'étais compromise avec un paysan de Géorgie.

Elle sourit malicieusement.

— J'ai sous-entendu que je pouvais être enceinte. Il m'a rétorqué que je mettrais au monde une gargouille, et je ne l'ai plus jamais revu.

Je fronçai les sourcils.

— Tu plaisantes, n'est-ce pas? Tu n'as pas rompu avec lui à cause de moi.

Elle pouffa de rire.

— Allez, viens, je voudrais trouver une commode pour ma chambre.

J'observais Amy pendant qu'elle inspectait des meubles. Sur le point d'acheter, elle changeait d'avis puis revenait sur ses pas. Sur un stand d'objets divers, elle fit le clown comme une enfant avec des boucles d'oreilles, de vieux chapeaux, des lunettes et des châles de grand-mères. Son rire carillonnait.

Des toiles et des reproductions, aux cadres rénovés, étaient accrochées sur un grand pan de mur.

— Déniche-moi un tableau qui conviendrait pour la chambre d'amis, et qui ne jure pas avec celui que tu vas peindre pour moi, gratuitement, bien sûr, m'enjoignit Amy.

— Faudra-t-il aussi que je l'encadre? C'est ce qui coûte le plus cher.

— Non. Je l'encadrerai moi-même, affirma-t-elle, espiègle. Avec le bois restant du balcon. Ce sera bien assez beau!

Elle s'éloigna, pendant que j'avançais lentement, en examinant les tableaux exposés. Ils étaient très variés, depuis les copies exagérément inspirées des classiques — de Vinci, Matisse, Rembrandt, Van Gogh —, jusqu'aux imitations d'art primitif de l'école d'Anna Mary Robertson Moses. Une aquarelle de fleurs sauvages, dans les tons jaune et orange, retint mon attention. Elle était de James Broadax, je crois. Les couleurs étaient vives et le fond, plus foncé, très réussi.

Je me retournai pour appeler Amy. Sans résultat. Face au mur opposé, elle avait les yeux fixés sur une reproduction. Elle représentait une jeune fille, appuyée sur une canne, semblant observer les visiteurs avec une expression vide et douloureuse. Elle provenait d'une édition à tirage limité d'un tableau de Jean Archer. Le visage de la jeune fille était envoûtant, mais ce n'était pas celui d'Amy.

— Amy, dis-je doucement.

Elle se tourna alors vers moi et s'efforça de sourire.

— Tu sais, je pense que je vais acheter ce petit secrétaire en chêne que nous avons vu. Crois-tu qu'on puisse le faire entrer dans ta voiture? demanda-t-elle.

19

Les secrets de toute nature sont comme les cadeaux de dieux généreux. Ils nourrissent l'âme de souvenirs trop merveilleux pour qu'on les oublie, mais trop dangereux pour qu'on les partage. Nous les délivrons pourtant, sinon ils ne vivraient plus.

Avrum Feldman possédait un de ces secrets. Un après-midi de 1955, agacé par les moqueries de Carter sur Amélita Galli-Curci, il me l'a confié, me faisant jurer que je ne le raconterais jamais.

Je lui rappelai alors que je n'avais jamais enfreint les vœux de silence qu'il m'avait imposés.

— Mais celui-ci est vraiment important, répéta-t-il. Je pourrais aller en prison à cause de lui.

— Alors, peut-être vaut-il mieux que je ne le sache pas, lui rétorquai-je.

Il balaya mes protestations d'un geste de la main.

Et il me raconta son histoire à voix basse, tout en jetant sans cesse autour de lui des regards suspicieux sur les passants.

La deuxième fois qu'il vit Amélita Galli-Curci en concert c'était en novembre 1921, à ses débuts avec la compagnie du Metropolitan Opera de New York. Elle interprétait Violette, dans *La Traviata* de Giuseppe Verdi. Sa voix avait changé la vie d'Avrum depuis trois ans et dix mois et il ne l'avait pas oubliée.

Tandis qu'Amélita Galli-Curci était élevée au rang de célébrité en Amérique, par les puissants applaudissements du public, Avrum commettait le seul crime prémédité de sa vie. Il inspectait patiemment et soigneusement les peaux de renards et de visons, et autres animaux exotiques, envoyées par bateau chez Mendenhal, Fourrures Ltd, chez qui il travaillait. Il recherchait la perfection, et lorsqu'il la trouva — dans la peau d'une loutre —, il la déroba. Il la façonna chez lui en un boa d'une exquise beauté.

Le lendemain de la représentation qui l'avait tant ému, Avrum fit son apparition dans l'hôtel où habitait son égérie. Il annonça à la réception qu'il devait livrer un cadeau à Mme Amélita Galli-Curci, provenant d'un admirateur du Metropolitan qui désirait garder l'anonymat. Avrum insista pour remettre le boa en mains propres.

Il fut conduit à son appartement par le directeur de l'hôtel. Lorsqu'elle ouvrit la porte et qu'il fut introduit, Avrum fit un gracieux salut, qu'il avait répété des centaines de fois devant son miroir, le boa enroulé sur ses bras tendus.

— Madame Galli-Curci, murmura-t-il.

En apercevant le boa, elle s'exclama, admirative. Elle le caressa, puis elle le prit des mains d'Avrum, et le tint avec tendresse, comme une maîtresse enlacerait son amant.

— Qui a réalisé cette merveille ? demanda-t-elle.

— Je suis fourreur, avoua Avrum humblement. C'est moi qui l'ai faite.

Il ajouta :

— Sur l'ordre de votre admirateur.

— Vous êtes un homme de grand talent, lui dit Amélita Galli-Curci. Je voudrais vous offrir quelque chose pour vous remercier. Des billets pour une représentation ?

— Merci, vous êtes très aimable, répondit Avrum. Mais j'en possède déjà, comme pour chacun de vos concerts. Pourtant, il y a deux petites choses que j'accepterais, comme un trésor, si vous pouviez me les offrir.

— Allez-y, je vous en prie, assura-t-elle.

— Une page de partition — n'importe laquelle — signée de votre main, et un accessoire que vous avez porté, durant l'une de vos représentations.

La signature d'Amélita Galli-Curci, au travers de la page de garde de *La Traviata* et le collier de Violetta tous deux conservés avec vénération dans la boîte en acajou, avec les chandeliers étaient ce qu'Avrum Feldman possédait de plus précieux.

Avrum me confia qu'après cet épisode, il venait souvent à l'entrée des artistes et il y demeurait des heures, jusqu'à ce qu'Amélita Galli-Curci sorte du théâtre. Une ardente fierté emplissait son âme lorsqu'elle portait le boa.

Avrum partagea ce secret avec moi, comme celui des roses à Sul Monte. « Joie et amertume du pouvoir des secrets », m'expliquait-il.

— Ils te soulèvent, ils te jettent à terre. Mais tu ne peux pas lutter, seulement te souvenir.

J'ai pensé à Avrum et ses cadeaux tandis qu'Amy achetait son secrétaire en chêne. C'était, je le crois, une excuse pour s'éloigner de la reproduction du tableau de Jean Archer et d'un secret sournois.

Une fois le secrétaire dans la voiture, j'ai conduit jusqu'à la maison d'Amy. Nous parlions de tout et de rien et nous savions que c'était un peu forcé : la romance de Carter avec Libby, les fréquentes disputes si drôles entre lui et Renée, le rêve de Joe Ly de retourner à Taïwan et de devenir un personnage politique important, la fermeture des villégiatures. Du bavardage ! Je voulais pourtant l'interroger sur le tableau de la chambre de Jean Archer, mais je craignais qu'elle ne s'enfuît et il y avait déjà eu trop de séparations entre nous.

Les ouvriers étaient toujours là. J'ai aidé Amy à installer le secrétaire, et nous nous sommes mis d'accord pour dîner au restaurant de la Maison de Poupées, à dix-neuf heures. Je lui expliquai que je devais voir Carter au sujet du testament d'Avrum.

— Dis-lui que je l'appellerai bientôt.

— Veux-tu que je le convie à dîner avec nous ?

— Pour être honnête, répondit-elle, je préférerais passer la soirée en tête-à-tête avec toi. Lui et Libby seront encore là quand tu partiras. Je les verrai à ce moment-là.

— Je suis ravi que tu aies envie de cela, lui affirmai-je.
Elle m'embrassa discrètement.

Je ne savais si Carter se trouverait à son bureau, mais il y était et il avait hâte de m'interroger.

— Alors raconte. N'omets pas le moindre détail, mon vieux.

— Nous allons tous les deux divorcer, lui rétorquai-je, le plus sérieusement du monde, en m'installant dans l'un de ses fauteuils de cuir. Pour nous marier et avoir une demi-douzaine d'enfants.

Carter rit.

— Et ils seront quoi, juifs ou chrétiens?

— Non, plutôt hindous.

— Tu n'es qu'un con, ricana-t-il, indigné. Tu ne veux rien me dire, c'est ça?

Il me tendit une tasse de café et prit place derrière son bureau.

— Nous avons passé une soirée magnifique, repris-je.

— Une soirée seulement?

— Bon! Une nuit magnifique.

Carter se pencha vers moi.

— Voilà qui est mieux.

Il fit claquer sa langue.

— Pour t'avouer la vérité, Bobo, je ne veux pas savoir ce qui est arrivé. Si tu avais une chance de coucher avec Amy et que tu ne l'as pas prise, tu es ou un eunuque ou un homosexuel. Et je n'ai plus qu'à te foutre dehors.

Il se redressa.

— Tu sais ce qui m'étonne le plus?

— Je suis sûr que tu vas me le dire.

— C'est son physique, merde alors. Elle est bien plus belle maintenant que quand elle avait dix-sept ans. C'est incroyable. Elle a quoi? Cinquante-cinq ans. Oui, au moins. Nous avons tous le même âge, mais elle a l'air d'en avoir trente au maximum. Elle est plus belle que Raquel Welch dont je rêve, au moins une fois par semaine.

J'avais envie d'assurer à Carter qu'il serait ébloui par le corps d'Amy, mais il avait trop envie de l'entendre.

— Dis-moi une chose, lui demandai-je à la place.

Il arqua les sourcils, devançant ma question.

— Le tableau?

— Oui.

— Elle t'en a parlé? m'interrogea-t-il.

— Non. Et moi non plus. J'ai le sentiment que si j'abordais le sujet, elle s'enfuirait en hurlant.

— Il doit y avoir une raison à cela, répondit Carter. Je crois à l'instinct. Cela m'a occasionné un tas d'emmerdes, mais de temps en temps, cela m'a permis de sortir par la fenêtre, au moment où un mari ou un amoureux irascible entrait par la porte.

Je feignis d'ignorer son sourire plein de fierté.

— Nous sommes allés au marché d'antiquités à Margaretville, et il y avait une reproduction d'un tableau de Jean Archer. Je l'ai surprise en train de l'examiner et son humeur a changé instantanément.

Carter ricana en guise de réponse.

— Et qu'en déduis-tu?

— Je n'en sais rien.

— Il faut lui demander, Bobo. Ou bien c'est moi qui le ferai. Tu sais que je peux. Dis-lui que c'est moi qui m'occupe de la vente de la maison et que j'ai vu le tableau.

— Non, pas maintenant.

— Mais quand alors?

— Il vaut peut-être mieux laisser tomber. Je pars dans quelques jours.

Carter appuya ses pieds sur le bord de son bureau et me fixa de son regard fouineur d'avocat.

— Es-tu amoureux de cette femme?

J'hésitai, puis j'écartai la question d'un haussement d'épaules.

— Mais bien sûr que tu l'es, poursuivit-il. Tu l'as toujours été, depuis la toute première soirée chez Arch où je te l'ai présentée. Son image t'a hanté durant toutes ces années. C'est peut-être ce que t'a légué Avrum — le pauvre con avec sa grande déception —, ou bien ne peux-tu t'en empêcher. Pas plus qu'elle d'ailleurs. Tu as passé la plus grande partie de ta vie dans le mensonge, désirant une femme que tu imaginais ne jamais revoir. Et aujourd'hui tu as fait l'amour avec elle et je me contrefous que tu veuilles l'admettre ou non. Je sais que tu as passé toute la nuit là-bas.

Il soupira, hocha la tête et se mit à jouer avec la tasse à café qu'il tenait. Puis il fit retomber ses pieds du bureau et me regarda.

— Et tu me racontes que tu vas tout laisser derrière toi, comme si tu avais juste pris un café avec un étranger. Des conneries, tout ça! Tu ne vas pas renoncer maintenant, pas après toutes ces années. Tu te rappelles Renée Wallace? Eh bien abandonner Amy, ce serait la même chose que si j'avais largué Renée Wallace. Mais j'ai poursuivi cette fille tout l'été et, finalement, je suis arrivé à mes fins. Non, Bobo, je ne crois pas que tu vas tourner les talons maintenant. Et toi non plus, tu n'y crois pas. Et un tableau n'empêchera rien.

Je demeurai silencieux un moment, réfléchissant aux propos de Carter. Je savais qu'il avait raison, mais j'avais encore très peur de prendre le risque.

— Tu sais, le mariage est une chose absolument merdique, Bobo, reprit calmement Carter. C'est la plus importante décision que nous ayons jamais à prendre, et tout le monde pense que nous sommes capables de le faire, quand nous avons vingt, vingt-deux ans. Mais bon sang, nous sommes trop jeunes alors, pour prendre une quelconque décision. Alors que nous ne savons même pas choisir une bagnole de merde, ou la paire de chaussures qui ira avec nos costumes, nous serions supposés être infaillibles, en ce qui concerne le mariage?

Il ricana.

— Tu achètes la mauvaise voiture, tu peux la revendre. Tes chaussures ne vont pas, tu les jettes au fond de ton placard. Tu te trompes d'épouse, et on attend de toi que tu portes noblement ce fardeau jusqu'à ton dernier soupir. C'est complètement con!

— Tu as sans doute raison, répliquai-je.

— Bien sûr! A propos, Jean Archer va peut-être venir ici le week-end prochain. Son agent à New York m'a appelé, au sujet de quelqu'un qui veut visiter la maison.

— Sais-tu quand elle arrive?

— Dimanche, je crois.

— Le jour du kaddish d'Avrum.

— Quoi?

— Oh, rien! C'est le jour choisi par Avrum pour que je donne sa version du kaddish. Dieu seul sait ce que ça peut être. Tout, sauf juif, je suppose.

— Tu n'es pas au courant? me demanda Carter.

— C'est dans une enveloppe. Je ne dois pas l'ouvrir avant dimanche.

Carter éclata de rire.

— Ce vieux rouspéteur était un drôle d'oiseau, Bobo. Je ne serais pas surpris qu'il réclame des jongleurs nains ou une danse du ventre. A propos, j'ai jeté un œil sur ses comptes, il a laissé un beau paquet de fric, plus de deux cent cinquante mille dollars.

— Tu plaisantes? Où peut-il avoir ramassé une telle somme?

— Bobo, tu vieillis et tu perds la mémoire, répondit Carter. Ces gens que nous servions à l'Auberge, ils travaillaient comme des dingues et ils économisaient tout ce qu'ils gagnaient. Tu te rappelles les Stern? Maman, papa et leur petit garçon, le Petit. A quarante-deux ans, il passait son temps à découper des poupées en papier. Ils fabriquaient aussi des fleurs en papier crépon et les vendaient dans les rues. Ils ont fait fortune. Et qui était ce trou du cul qui prenait du cognac au petit déjeuner? Otto quelque chose. Il rachetait des fournitures de l'armée et de la marine et les bradait à l'arrière de sa voiture. Il a pris sa retraite par ici. Je lui ai vendu une maison immense qu'il a payée cash. Avrum n'était pas différent d'eux. Il avait beaucoup investi dans des entreprises d'importation risquées, qui ont fait ensuite des bénéfices. Apparemment il n'a rien dépensé. Il y a plus de capitaux dans son portefeuille que n'en retire un parieur de Dallas qui ramasse deux fois la double mise.

Je me levai.

— Bon eh bien ça au moins, ça devrait réjouir Sol Walkman, dis-je.

— Alors? Qu'est-ce que tu vas faire? demanda Carter. Ou bien as-tu besoin que je réitère ma démonstration?

— A l'instant, là, je retourne à l'Auberge dormir une heure ou deux, puis je dîne avec Amy. Pour le reste, franchement, je n'en sais rien.

Carter sourit d'un air compréhensif.

— Ne la laisse pas t'échapper cette fois.

20

Avant que ma mère et Caroline n'arrivent aux Catskills avec Raymond et Linda, j'avais demandé à Nora Dowling si je pouvais les inviter pour un repas à l'Auberge.

— Un repas? dit-elle énergiquement. Non, en l'honneur de ta mère nous devons faire une fête.

Elle consulta alors ses sœurs pour mettre sur pied l'événement.

La fête prit la forme d'un somptueux buffet offrant toutes les spécialités de l'Auberge, depuis le steak tartare jusqu'au canard rôti, escalopes viennoises et langue de veau, soupes variées et compotes, coupes de fruits frais et gâteau au beurre. Nora Dowling présenta ma mère à tout le monde, la complimentant d'une voix tonitruante, dans un subtil mélange d'anglais, d'allemand et de yiddish. Caroline, Raymond et Linda, observaient le spectacle, avec un étonnement mêlé à une certaine inquiétude.

Ma mère goûta courageusement à chaque plat. La nourriture, plutôt grasse, avait un goût inhabituel pour elle, mais elle rayonnait de contentement, devant l'attention dont elle était l'objet. Incarnant la femme sudiste traditionnelle, elle salua chacun des clients de l'Auberge, et déclara avec grâce qu'elle appréciait beaucoup « la bonté que l'on témoignait à ses fils » dans ce village de montagnes de l'État de New York.

Carter me chuchota qu'il avait toujours cru que Scarlet O'Hara était un mythe, avant d'entendre discourir ma mère. Je lui rétorquai que les hommes du Sud ne toléraient pas la moindre offense envers leurs mères et je le prévins que je ferais appel à Ben Benton pour lui botter le cul, si je devinais un soupçon de moquerie de sa part.

Ma mère s'adressa à Nora Dowling avec inspiration. Celle-ci la serra dans ses bras en pleurant.

— De si bons garçons! s'exclama-t-elle, de si bons garçons!

— *Ja, ja,* confirmèrent en chœur les clients qui dînaient autour de nous.

— Ce Bobo, c'est moi qui lui ai appris à être serveur, aboya Henri avec fierté.

Les seuls à être absents furent Édith et Joël Lourie. Joël s'en est excusé, le lendemain matin au petit déjeuner, expliquant qu'ils étaient convenus, depuis longtemps, de dîner ce soir-là avec un couple du Logis de Greenleaf. Leur sortie arrangée était une excuse commode, évitant de nous mettre mal à l'aise, eux comme moi. Je ne leur dis pas que Caroline, ma mère et ma famille avaient été placés à leur table.

Pendant la semaine qui suivit, j'essayai de passer le plus de temps possible avec Caroline. Nous sommes allés au cinéma à Margaretville, en voiture jusqu'au remonte-pente de la montagne de Belleayre, photographier le paysage. Nous nous sommes promenés dans les vallons derrière l'Auberge, mais j'ai évité le bouleau où j'avais passé tant d'heures avec Amy. Nous avons bu des milk-shakes chez Arch et écouté ses histoires. Caroline ne disait rien, mais je savais qu'elle sentait les regards et les chuchotements sur son passage. Avrum lui a fait son numéro de vieux fou, bafouillant, racontant comment il baptisait les nouveaux immigrants à Ellis Island puis il a feint de s'endormir. Caroline a pensé qu'il était dingue.

Certains moments avec Caroline étaient aussi tendres et chaleureux que ceux que nous avions vécus au collège. Mais, une fois passés, l'atmosphère entre nous s'alourdissait de malaise et d'embarras. Pourquoi ne voyais-je que le visage d'Amy dès que je me retrouvais seul? me demandai-je perplexe.

Pendant le séjour de Caroline, Carter a été délibérément absent. Il avait toujours une excuse: des problèmes avec Renée, sa voiture, ses finances, le besoin de passer chez ses parents à Phoenicia.

Nous n'avons abordé le sujet qu'une fois, un soir très tard. Je l'avais forcé à m'accompagner au bord de la piscine.

— Bobo, je serai franc, annonça-t-il. Caroline est parmi les personnes les plus agréables que j'aie rencontrées et elle est jolie. Tu avais tout à fait raison. C'est un vrai miracle, bon sang, qu'elle s'intéresse à toi. Elle est formidable, Bobo. Mais ce n'est pas Amy. Tu le sais aussi. Tu te sens très merdeux. Amy est partie et elle te manque. Caroline est là et tu es plongé jusqu'au cou dans la culpabilité. En plus, tu es terrorisé à l'idée que Caroline découvre ce qui s'est vraiment passé, cet été. Mais pour une raison qui m'échappe, les gens d'ici semblent être attachés à toi. Ils t'aiment bien et tu comptes beaucoup d'amis, qui ne te trahiront pas.

Le plus curieux, c'est que je pensais à Caroline, à présent, en me rappelant précisément sa visite aux Catskills. Je me demandais si c'était un jeu de l'esprit, une revanche. Comme si, et pour la première fois, Caroline devenait l'un des fantômes qui me hantaient à Pine Hill.

De façon étrange et dérangeante, j'avais envie d'être auprès d'elle.

Ce n'était pas la première fois que je ressentais le besoin de sa présence. Il y avait déjà eu d'autres moments aussi étranges que l'écho d'une voix qui aurait été autrefois une musique. Un appel qu'il m'était impossible de déchiffrer.

Il y a eu l'été où je suis parti en Caroline du Nord, à l'île d'Ocracoke, pour peindre dans la solitude. Une exposition était prévue en octobre suivant, dans une importante galerie de Washington. Très peu de toiles étaient terminées et le temps pressait.

— Vas-y. Oublie tout ce qui se passe ici. C'est important, m'encouragea Caroline.

Au début, ce fut comme une libération. Une atmosphère, proche de la magie, régnait sur l'île. Elle me donnait de l'énergie pour travailler de longues heures et m'apaisait. Les images voletaient autour de moi, comme des oiseaux joueurs et colorés. Partout où j'allais, je les voyais et elles guidaient ma main sur la toile.

Puis, un dimanche, deux mois après mon arrivée sur l'île, je me suis réveillé avec le désir impérieux de plier bagage, le plus vite possible, et de rentrer à la maison. Lorsque j'ai appelé Caroline, elle l'a perçu.

— Peut-être as-tu trop travaillé? suggéra-t-elle. Pourquoi ne partirais-tu pas pour deux jours? Juste pour te reposer. Ne rien faire?

— Je veux rentrer à la maison, lui répliquai-je. Maintenant. Aujourd'hui.

— Alors rentre. Mais pourquoi? Je croyais que cela t'était nécessaire.

— Oui, mais j'ai besoin de retrouver un environnement familier.

— Tu veux dire que la maison te manque? s'étonna-t-elle.

J'ai réfléchi à sa remarque. Oui, ma chaise préférée me manquait. Comme l'invasion de mon atelier par les enfants, la respiration de Caroline endormie, le goût de mon café au petit déjeuner, les grognements du chien, le store de notre chambre que je me promettais de réparer depuis cinq ans.

— Alors? insista Caroline, tu t'ennuies de la maison?

— Sans doute.

— Est-ce que je te manque?

— Mais bien sûr.

Elle eut un faible rire.

— Je fais partie de ton univers familier, c'est ça?

— Oui, affirmai-je.

— C'est mieux que d'être rayée de la carte, je suppose. Alors, reviens. Tu as juste besoin d'un peu de tendresse.

Après être rentré je n'ai plus peint pendant trois semaines. Il n'y avait plus de magie, plus d'images semblables à des oiseaux joueurs et colorés. Mes yeux ne voyaient plus rien, mes mains n'étaient plus guidées.

C'était exactement comme le faux numéro au téléphone.

— Tout va bien?

— Du courrier?

— Des appels?

— Les enfants vont bien?

Le familier l'était trop.

Je rêvais aux rives orientales de l'île.

Ne voulant pas subir l'interrogatoire de Lila au sujet de ma journée avec Amy, je suis allé chez Dan Wilder, après être revenu de mon entrevue avec Carter. J'ai bu un café et mangé un gâteau au sucre à ma table attitrée en parlant avec Dan de l'agonie du village.

— Vu la façon dont ça évolue, je vais être obligé de fermer aussi, me confia-t-il. Déménager plus près de Kingston. Pour être franc, Bobo, je n'en ai pas très envie. Je me plais ici.

— Je croyais que les affaires marchaient bien, dis-je.

Il haussa ses imposantes épaules.

— Il y a du monde en hiver, durant la saison de ski, mais personne en été. J'ai quelques boutiques au bord de la route et une ou deux pensions qui me passent commandes régulièrement, et je livre quelques repas, mais c'est à peu près tout. Peu de gens entrent dans mon magasin maintenant. C'est comme pour Sammy et Lila. D'accord, ils ne connaissent pas grand-chose à la façon de faire tourner un hôtel mais même s'ils en savaient plus, les clients ne s'inventent pas. Cette vulgaire poupée aux grands cheveux et ce courtier qui viennent une fois par mois, pour jouer à cache-cache-baise ne suffisent pas.

— Tu les connais?

Dan eut un petit rire.

— Les seuls gens qui ne sont pas au courant sont leurs époux respectifs. A moins qu'ils ne se retrouvent eux aussi en ville, pendant que ces deux-là sont ici. Mais moi, je m'en fous. Chaque fois qu'ils repartent, ils me commandent deux douzaines de biscuits bruns pour elle et un gâteau d'une livre pour lui. Je pense que c'est un chouette moyen de tenir leurs conjoints tranquilles, en leur clouant le bec de friandises de chez Dan Wilder.

Il rit encore puis continua :

— A propos, Lila m'a dit que ton service funèbre pour le vieux fou était réussi.

— C'est gentil de sa part, répondis-je. Je suis content que ce soit terminé.

Il s'essuya les mains sur son grand tablier, tout en le lissant.

— Qu'as-tu fait d'autre?

Je lui ai raconté la sortie de Margaretville, les achats chez les antiquaires dans l'ancien théâtre Galli-Curci, pour une amie qui remeublait sa maison à Shandaken.

— Ouais. J'aime bien y aller. Flâner un peu, dit Dan. Je n'achète jamais grand-chose, mais c'est un moyen agréable de passer le temps. Je me sens toujours l'âme d'un archéologue. Je suis sûr qu'un de ces jours, je vais ouvrir une vieille malle et y trouver un tas d'ossements.

Je ne sais pas pourquoi je lui ai posé la question, mais je l'ai fait :

— J'ai vu une reproduction d'une artiste-peintre dont on m'a dit qu'elle vivait près de Woodstock — Jean Archer. Est-ce que tu as entendu parler d'elle ?

Dan acquiesça.

— Je la connais. J'ai composé les menus pour l'une ou l'autre de ses fêtes. Une vraie folle.

— Que veux-tu dire ?

— Elle a la tête dure comme du bois. Si ce n'est pas exactement comme elle le veut... Une maniaque, et emmerdante en plus !

Je souris.

— Quel genre de fêtes ? Des amis peintres et les conversations qui vont avec ?

— Peintre mon cul ! murmura Dan.

Puis il ricana avec mépris.

— Un paquet de droguées, si tu veux mon avis. L'une d'elles m'a dit un soir qu'elles étaient toutes des modèles. A l'essai ou quelque chose comme ça. Jean Archer aimait les observer dans un contexte social, avant de faire son choix, m'ont-elles raconté.

— Ça, c'est unique ! m'exclamai-je.

Dan sourit et dit d'un ton moqueur :

— Ce n'est pas ta façon de procéder, non ? Bobo ?

— Je ne l'ai jamais fait.

— Ben merde alors, tu as manqué quelque chose. Certaines de ces filles étaient très chouettes. Un peu anorexiques, peut-être, surtout pour moi.

Il se tapota l'estomac avec fierté.

— Mais une fille maigre qui est jolie exige autant d'attention que celle qui est rondelette. Non, Bobo, si j'étais un artiste, je veux dire comme toi, je ferais tellement de séances d'essai, qu'ils penseraient tous que c'est Cecil B. De Mille, le producteur de cinéma, qui est sorti de sa tombe. Même si je ne faisais rien d'autre que zieuter, au moins, ça en vaudrait la peine.

— Il faudra que j'y songe, plaisantai-je.

— Tu veux encore du café?

— Non, merci. Il faut que je retourne à l'Auberge et que je prenne une douche.

Dan haussa ses épais sourcils.

— Tu as un vrai rendez-vous d'amour, ce soir?

— Un dîner avec une amie.

— Ce n'est pas Lila, non?

— Ça alors! bien sûr que non, lui répondis-je choqué. Pourquoi tu dis ça?

Il se leva de son siège et s'étira.

— Eh bien, ça ne me regarde pas, mais Sammy se pose des questions à ton sujet.

— A propos de moi?

— Oui, toi, Bobo.

— Lila et moi sommes seulement de bons amis, l'assurai-je. Et tu la connais. Elle aime bien les plaisanteries.

Son visage devint sérieux.

— Ce n'est pas pour Lila que je m'inquiète. C'est pour Sammy. Je suis absolument sûr qu'il est coincé entre les étages et que sa sonnette d'alarme ne marche pas.

— Tu penses à quelque chose de précis? lui demandai-je.

Il réfléchit en respirant bruyamment.

— Je ne sais pas.

Il jeta un coup d'œil de l'autre côté de la rue, chez Arch.

— On dirait pourtant que si, insistai-je.

Il eut un rire bref.

— Merde alors, Bobo! Nous sommes tous un peu dingues par ici. Tu ne savais pas ça? Parfois je me dis que nous sommes les derniers vivants sur Terre et que nous ne sommes pas assez nombreux pour que cela fasse la différence — que nous survivions ou non. C'est comme si nous étions là, debout, à nous surveiller l'un l'autre pour savoir qui va s'en aller dans le trou le premier. Exactement ce que ce vieux fou racontait quand il était ici il y a deux ou trois ans.

— Avrum ?

— Ouais ! Il y avait une brochette de gosses assis autour de lui, venant de l'un des camps de vacances qu'il y avait plus haut, sur la route. Il leur faisait peur à mort.

— Que leur disait-il ?

Dan redressa la tête.

— Cela avait à voir avec le chant. Quelque chose comme « Elle va chanter de nouveau et vous allez l'entendre. » Il avait cet air égaré et sa voix grinçait, comme des parasites à la radio. Deux ou trois filles se sont mises à pleurer et j'ai été obligé de l'emmener gentiment dehors. Puis j'ai expliqué aux enfants que c'était simplement un vieux fou qui entendait des voix. Mais peut-être qu'il avait raison, Bobo ? Ne sommes-nous pas tous assis là, à attendre que quelqu'un chante à nouveau ?

— Avrum était parfois comme ça, c'est vrai, dis-je. Surtout les dernières années, simplement pour jouer son rôle. Les gens pensaient qu'il était fou, alors il s'évertuait à l'être.

Dan prit les tasses sur la table.

— Peut-être bien ! Mais je dois t'avouer, Bobo, je continue à écouter. Je continue.

Je quittai Dan et je me rendis à l'atelier de Sammy. J'essayai d'ouvrir la porte mais elle était fermée. J'entendais le son du marteau sur le métal qui tintait doucement, presque aussi délicatement que le chant du cristal, et je savais que Sammy était en train de ciseler de son mieux le visage d'Amy Lourie Meyers.

Si j'emporte la sculpture de Sammy comment puis-je espérer lui échapper ?

J'entendais les paroles de Carter en écho.

— Si tu renonces à Amy, ce serait comme si j'avais abdiqué avec Renée, et si tu te rappelles bien, je ne l'ai pas fait.

Renée.

En un éclair, son visage apparut dans ma mémoire.

Ce que Carter ne savait pas, c'est que Renée avait renoncé à lui, juste à cause d'un soir.

C'était le jour où Renée et lui s'étaient amèrement disputés, chez Arch, au sujet d'un client du Logis de Greenleaf, où Renée travaillait. L'homme avait tout juste la trentaine et il était marié. Il avait fait des propositions à Renée qu'elle rapporta à Carter. Il n'eut pas la réaction compréhensive et réconfortante qu'elle attendait. Il est entré dans une rage folle, l'accusant de faire des avances aux hommes. Je ne pouvais pas le calmer et Amy non plus.

— Allez, dit Amy à Carter, viens faire un tour avec moi. Tu as besoin d'apprendre une ou deux choses.

Elle s'adressa à moi :

— S'il te plaît Bobo, accompagne Renée à la maison.

Carter s'est levé et il est sorti en trombe. Amy l'a suivi.

— Ça va ? demandai-je à Renée.

Elle était toute pâle. Elle me fit signe que oui.

— Viens, dis-je.

Le Logis de Greenleaf était situé juste au-dessus du village, loin de la route, sur un vallon couvert de pins. C'était un lieu de vacances, pas très grand mais élégant, avec des écuries de chevaux de selle et des courts de tennis. Sa clientèle était plus jeune que celle de l'Auberge et souvent, la nuit, on entendait les clients, en groupe joyeux, partir se promener.

Le chemin qui y menait traversait la forêt de conifères, plutôt sombre la nuit. Carter l'avait appelé en plaisantant « la route des amours ».

Cette nuit-là avec Renée, j'ai compris ce qu'il voulait dire.

Nous marchions dans la forêt lorsqu'elle s'arrêta.

— On peut faire une halte, Bobo, je ne voudrais pas arriver là-bas avec les yeux rouges.

— Bien sûr, répondis-je.

Elle s'assit près d'un buisson de laurier et tamponna ses yeux avec un mouchoir. Je m'installai auprès d'elle.

— Par moment, je le déteste, fit-elle au bout d'un instant.

— Carter ?

— Il se met en colère si facilement, se plaignit-elle. Je

n'ai vraiment rien fait pour que cet homme s'intéresse à moi, Bobo, je te le jure.

Elle me regarda et je devinais ses yeux pleins de larmes.

— Il n'est pas comme toi, ajouta-t-elle doucement. Tu es gentil.

— Euh... merci, dis-je. Carter est seulement un peu jaloux. Cela signifie qu'il tient à toi. Il doit être en train de t'attendre au Logis pour s'excuser.

Renée ignora ma remarque.

— Parfois je pense à toi, comme à un grand frère.

— C'est vrai ? m'étonnai-je.

Je regardai vers le Logis à travers le mur d'arbres et j'aperçus la silhouette d'un homme qui marchait dans la nuit. Je me demandais si c'était Carter. Puis je vis deux enfants accourir vers lui.

— Mais pas toujours, reprit Renée.

— Excuse-moi. Pas toujours quoi ?

— Je songe seulement de temps en temps, que tu es mon grand frère.

Soudain, je me sentis mal à l'aise.

— Ce serait bien que tu sois Carter, murmura-t-elle.

Je ne répondis rien.

— Et qu'Amy ne soit pas là, poursuivit-elle. Je l'aime bien. Elle est vraiment gentille, mais ce serait mieux comme ça.

Je n'ai pas compris ce qu'elle suggérait.

— Pourquoi ? demandai-je.

Elle eut une moue triste. Elle chuchota :

— Je ne devrais pas te l'avouer, puisque Carter et toi êtes de si bons amis, mais si Amy n'était pas là, je préférerais sortir avec toi.

— Renée, tu ne devrais pas parler comme ça.

— Et après ? rétorqua-t-elle.

Elle se glissa plus près de moi.

— Si Carter n'en sait rien, cela ne peut pas lui faire de mal, n'est-ce pas ?

— Euh... Écoute... Renée, je..., balbutiai-je.

Son visage touchait presque le mien.

— Est-ce que tu as déjà fait l'amour avec quelqu'un, Bobo ?

J'étais abasourdi par sa question. Je hochai la tête.

— C'est bien ce que je supputais, soupira-t-elle. Moi oui. Mais pas avec Carter, quoi qu'il en dise.

Soudain, elle plaqua ses lèvres sur les miennes, elle me prit dans ses bras en me serrant très fort et elle m'attira à elle. Elle roula sur le côté, en me tenant toujours et, brusquement, je me suis retrouvé au-dessus d'elle. Elle ouvrit les jambes, enserra mon corps et se colla à moi.

— Fais-moi l'amour, Bobo, je t'en supplie. Laisse-moi être la première.

Sa bouche reprit la mienne à nouveau.

— Renée, arrête. Je ne veux pas de ça. Carter...

— Ne me parle pas de Carter, s'écria-t-elle. Pas maintenant.

Elle respirait de façon saccadée. Elle me fixa et sourit triomphalement. Elle se passa lentement la langue sur les lèvres, puis elle ôta sa veste et son pull dévoilant son soutien-gorge.

— Regarde, Bobo, me taquina-t-elle.

Elle libéra ses seins. Ils étaient bien ronds, les bouts dressés.

— Touche-les, Bobo.

Je me libérai d'elle et me relevai.

— Renée, je te laisse. Tu essaies de te venger de Carter et ce n'est pas le bon moyen. Pas avec moi.

Renée se rhabilla. Son sourire disparut. Elle se remit à pleurer.

— Je suis vraiment désolée, Bobo.

— Ce n'est pas grave.

— Je me suis rendue ridicule, sanglota-t-elle.

— Mais non. Les choses sont simplement devenues un peu difficiles.

— Tu me détestes?

Je m'agenouillai devant elle.

— Mais non, Renée. Les grands frères et les petites sœurs se battent parfois, mais cela ne signifie pas qu'ils se détestent.

Un léger sourire réapparut sur son visage.

— Tu es bon, Bobo Murphy. J'envie Amy. Elle ne connaît pas son bonheur.

Je la serrai doucement dans mes bras puis partis. Dans l'Antre, Carter était assis sur le bord de mon lit, à fumer une cigarette. Il était d'une humeur tout à fait calme.

— Elle va bien? demanda-t-il.

— Très bien. Elle était simplement un peu contrariée, c'est tout. Et toi, ça va?

— Ouais.

Il se frotta les mains.

— T'es vraiment un bon copain, Bobo.

— Où est Amy? demandai-je.

— Elle est rentrée à l'Auberge. Elle te verra demain matin.

— T'a-t-elle expliqué ce qui se passait?

Carter regarda ses mains.

— Ouais, elle m'a tout dit.

Le soir suivant, Amy et moi sommes allés nous promener du côté du bouleau, tandis que Carter et Renée sont partis en voiture « au cinéma », avaient-ils annoncé. A son retour, tardif, il me tira de ma couchette, me força à m'habiller et m'emmena au bord de la piscine. Il se jeta sur une chaise longue, alluma une cigarette et me confia, encore étonné :

— Je l'ai eue, Bobo, sur « la route des amours ». Oh, mon vieux, c'était super. Elle est folle de moi. C'est la première fois de ma vie que je pense à me marier, et ce pourrait bien être avec elle.

Je bégayai que j'étais heureux pour lui.

Il pencha la tête vers moi.

— Pour te dire la vérité, Bobo, je ne l'avais jamais fait.

Il sourit à mon air stupéfait.

— Ouais, je sais, avoua-t-il. Toutes ces histoires. Mais j'ai menti. Les garçons trichent souvent pour ce genre de choses. Mais ce soir, elle était tellement remontée que je pensais qu'il me faudrait lui donner une douche.

Il tira sur sa cigarette et fit un grand lasso bleu de fumée dans les airs.

— Pour elle aussi, c'était la première fois, ajouta-t-il confidentiellement. Je croyais qu'elle allait saigner un peu, mais non. Elle m'a expliqué qu'elle avait déchiré ce truc — comment est-ce que ça s'appelle? — en faisant du cheval sans selle. Ce cheval m'a rendu service. Je ne sais pas ce qui lui a pris, elle, mais je suis content. Ce vieux con lui a peut-être donné des idées.

J'ai toujours tu à Carter et Amy ma soirée avec Renée et je ne crois pas qu'elle en ait parlé de son côté.

Mais ce n'était pas un secret.

Pas comme Avrum l'avait défini.

Il ne m'avait ni soulevé ni jeté à terre. C'était un mensonge d'enfants.

21

Le rabbin était un homme de petite taille avec un doux visage, il s'appelait Norman Golf. Il était assis dans le hall de l'Auberge, l'air mal à l'aise, et conversait avec Lila. Sa gêne était provoquée par le décolleté plongeant de Lila et le caleçon moulant qu'elle portait.

— Le rabbin t'a attendu une heure, expliqua Lila.

Elle regagna la salle à manger, pour revoir les menus du week-end.

Je présentai mes excuses à Norman Gold.

— Quel dommage que je n'aie pas su que vous étiez là. J'étais à côté, à boire un café avec un vieil ami.

— Oh, je vous en prie, c'est moi qui vous en dois, pour être venu ainsi, sans prévenir.

— Ce n'est pas grave, répliquai-je. En quoi puis-je vous être utile ?

Norman Gold remua sur le divan du hall. Il leva le menton et se passa la langue sur les lèvres.

— J'ai passé un moment avec Sol Walkman, à la maison de Highmount aujourd'hui, répondit-il timidement. J'essaie d'y faire un tour plusieurs fois par semaine, si je peux être d'un quelconque secours.

Je décidai de lui éviter un embarras supplémentaire.

— Vous avez parlé du kaddish d'Avrum Feldman. C'est bien ça ?

Il acquiesça soulagé.

— Oui. Et aussi du don généreux de sa fortune à l'établissement. Croyez-moi, cela tombe à pic.

— Pour être franc, la maison le mérite bien. Ils ont pris

soin d'Avrum pendant des années et c'était un homme au caractère difficile.

Norman Gold sourit.

Je repensai à Carl Gershon, Léo Gutschenritter et Morris Mekel.

— Je connais l'expression juive pour décrire la façon dont il se conduisait : *meshuggener*.

Le sourire du rabbin se transforma en un rire sombre.

— M. Feldman n'était pas un homme ordinaire, assura-t-il. Nous avons eu beaucoup de discussions sur Dieu.

— Cela a dû vous rendre malheureux, répondis-je. Son attitude concernant les problèmes religieux était souvent très radicale. J'espère que Dieu a arrangé les choses pour lui, maintenant.

— Je le crois tout à fait, affirma Norman Gold.

— Il était tout de même un peu prophète, suggérai-je. Il savait qu'un rabbin me rendrait visite.

Je vis une lueur interrogative dans les yeux de Norman Gold.

— Savez-vous ce qu'il m'a ordonné? repris-je.

— J'ai presque peur de vous le demander.

— Il m'a dit « Non, ignore ce que le rabbin te dira. »

Norman Gold passa une main sur ses lèvres. Il me regarda, dans l'expectative.

— Il y a une enveloppe, là-haut, dans ma chambre, lui expliquai-je. Je dois l'ouvrir dimanche, six jours après sa mort. Elle contient les instructions pour son kaddish.

Norman Gold fronça les sourcils, attristé.

— Je ne suis pas juif, Rabbi Gold, mais je sais ce que c'est qu'un kaddish. Et celui que je m'apprête à célébrer n'aura rien de sacré. Le mot était utilisé par Avrum comme une sorte d'argument, dans ses discussions sur la religion — n'importe quelle religion. Je ne sais pas exactement pourquoi il voulait que j'attende six jours pour ouvrir l'enveloppe, mais je m'en doute. Il voulait me faire une blague. Il plaisantait souvent avec moi : si le Christ avait pu ressusciter des morts en trois jours, lui aussi en était capable. Je suis convaincu que je vais trouver un commentaire du genre : « Eh bien, cela prendra peut-être deux fois plus de temps pour moi. » Mais Rabbi, ce sera une affaire privée, provenant de discussions anciennes.

Norman Gold acquiesça d'un mouvement de tête.

— Je comprends. La seule chose qui compte pour moi, c'est de ne pas manquer de respect vis-à-vis du kaddish et des morts.

— Mais naturellement, assurai-je.

— Les cérémonies sacrées ont beaucoup de sens pour nous, dit Norman Gold posément. Je ne suis pas sûr que vous y ayez déjà assisté.

— Pas très souvent, lui dis-je. La première s'est déroulée ici, dans la chambre d'Avrum.

— Ah bon! Et qu'était-ce? s'enquit Norman Gold.

— Un *bris*.

Il rit de bon cœur.

— Cela a dû être un événement solennel pour vous?

— Oui, certainement. C'était le petit-fils d'un client de l'Auberge. Les parents habitaient Grand Indien, dans une maison trop petite pour la célébration.

— Vous comprenez donc ce que je veux dire.

Je me rappelai ce moment. Amy avait convaincu les grands-parents — les Cohen — de nous inviter, Carter et moi. Carter refusa, ayant déjà assisté à ce rite.

— Peu m'importe comment ils appellent ça, pour moi ils lui coupent le zizi, se plaignait-il. Ils le soûlent, en lui faisant sucer un chiffon imbibé de vin, puis ils lui tranchent d'un seul coup. Clac! Qui a envie de voir ça?

Amy insista.

— Si tu ne viens pas, Bobo ne se déplacera pas non plus et je veux qu'il soit présent.

Je lui demandai pourquoi.

— Je veux te voir en *yarmulke*.

Je ne connaissais pas le sens du *yarmulke*.

Carter m'expliqua.

— N'as-tu donc jamais vu une équipe de base-ball juive? C'est une casquette de base-ball, mais sans visière.

Pour le *bris*, j'empruntai une *yarmulke*. Amy me trouvait extrêmement élégant avec.

— C'est un coup monté, mon vieux, me prévint Carter. Elle veut que tu saches ce qu'il te faudra endurer, quand vous déciderez d'avoir des enfants.

J'ai trouvé la cérémonie très belle, parsemée de rires et de beaucoup de larmes aussi.

— Je crois que je comprends très bien ce que vous ressentez, dis-je à Norman Gold.

Il se frotta les mains et sourit.

— Si vous avez besoin de moi, je vous en prie, appelez-moi.

Je lui promis.

Norman Gold partit quelques minutes plus tard, après un bref échange sans intérêt sur la passion d'Avrum pour Amélita Galli-Curci. Norman Gold m'avoua qu'il aimait l'opéra et connaissait l'histoire de la légende Galli-Curci. Outre les motifs religieux, il avait aussi rendu visite à Avrum pour cette raison.

— Au moins, savait-il ce qu'est l'adoration, plaisanta Norman Gold.

Au moment où je m'engageai dans l'escalier pour monter à ma chambre, Lila m'arrêta.

— Merci beaucoup, Bobo, déclara-t-elle sarcastique.

Elle se tenait devant la porte de la salle à manger.

— J'ai fait quelque chose de mal ? m'informai-je.

— J'ai dû rester ici la moitié de l'après-midi, à tenir compagnie à un rabbin. Je n'y suis pas habituée. Cela me rend tout chose.

— Je crois, Lila, que c'est plutôt le rabbin qui l'était.

Elle sourit, puis fit un tour dans le hall en jouant les séductrices.

— Tu penses que c'est trop nu, pour un homme de robe ?

Elle étendit les bras au-dessus de la tête. Ses seins se gonflèrent avec fierté.

— Par moment, tu n'as vraiment aucune pudeur, lui répliquai-je.

Elle éclata de rire.

— Je fais ça pour toi, uniquement. En trouvant le magazine dans la corbeille de ta chambre, ce matin, j'ai pensé que tu aurais besoin d'un peu d'inspiration, avant ce soir.

— Tu vas me manquer, Lila, lui assurai-je. Et probablement qu'un jour, quand je sautillerai sur une patte avec une canne, je regretterai de ne pas avoir répondu à tes avances.

— Je t'attendrai, Bobo. Même à ce moment-là.

Elle rit et tourbillonna de nouveau en reprenant son air de vamp. Puis elle poussa la porte de la salle et disparut.

Dans ma chambre, j'ai passé deux coups de fil indispensables : l'un à l'école, pour annoncer que je ne reprendrai pas mes cours avant mardi, l'autre à Caroline.

Brenda Slayton, la secrétaire du directeur, m'assura qu'un jour supplémentaire ne posait aucun problème. Depuis que j'étais apparu sur CNN, me taquina-t-elle, j'étais devenu célèbre.

— Et les célébrités ont droit à un traitement spécial. De plus, tu connais la langueur des gens ici en été.

Avec Caroline, ce fut moins agréable.

— Mais nous nous sommes déjà parlé ce matin, répondit-elle irritée. Tu m'espionnes ?

Un flot de culpabilité m'envahit soudain.

— Mais non, j'ai seulement eu envie de te rappeler. Sammy et moi retournerons peut-être à Woodstock, ce soir, et j'ai pensé que si...

— Que se passe-t-il là-bas ?

— Où ça ?

— A Woodstock ?

Je réprimai une envie de tousser.

— Une exposition d'art.

— Bon. Alors tout va bien. Sais-tu quand tu rentres ?

— Lundi.

— Alors on se voit lundi, répliqua-t-elle nonchalamment.

Je marquai un silence.

— Autre chose ? demanda-t-elle.

— Est-ce que tu as conservé quelque souvenir de ta visite ici, en 1955 ?

Elle eut un rire bref et sarcastique.

— Je me rappelle avoir eu le sentiment que je m'interposais dans ta vie.

— Rien de plus agréable?

— Les arbres étaient beaux.

— Les arbres?

— Qu'est-ce qui ne colle pas dans ma réponse? Je croyais que tu aimais les arbres là-bas.

— Oui, mais je voulais parler de nous.

— Bobo, fit-elle sérieusement, que se passe-t-il?

— Ce n'est qu'une simple question, Caroline. Je m'interrogeais à ce sujet. Je me demandais si tu avais jamais pensé à nous deux, cet été-là?

Je l'entendais respirer. En arrière-fond, une voix de femme s'adressait à Derby.

— Je ne sais même pas quel genre de logiciel il lui faut. Je pourrais peut-être lui conseiller de vous appeler?

— Non, franchement, je n'ai jamais repensé à cet été-là, répondit Caroline, sur un ton très calme. En tous cas, pas avant cette minute. Ce que je peux t'affirmer, c'est que je l'ai adoré, mais en partie seulement. J'étais heureuse de te revoir, nous avions été séparés si longtemps. Mais je n'aimais pas le sentiment d'être l'étrangère que tout le monde ne cessait de dévisager et que tu n'avais pas vraiment envie de voir.

— Je suis désolé que tu aies ressenti ça.

— C'est toi qui as posé la question.

— Ce n'est pas très fair-play, en convins-je. Mais je suis peut-être ici pour la dernière fois. J'ai repensé à beaucoup de souvenirs, c'est tout.

Elle répondit fermement :

— Amuse-toi bien avec, parce que tu as raison. A moins que je ne vienne avec toi, j'en ai assez de cet endroit et de ce qui va avec et t'arrache à l'univers qui est le tien.

— Mais bon sang, Caroline, tu ne comprendras donc jamais?

Il y eut une pause.

— Tu sais, Bobo, je pourrais te rétorquer exactement la même chose, hein?

Et elle ajouta calmement :

— Appelle-moi avant de partir.

A en juger par la façon dont Maggie et Paul Charles

m'ont accueilli au Logis et au restaurant de la Maison de Poupées, je suis certain que Lila leur avait téléphoné pour les avertir de ma visite.

— Notre ami, l'artiste de Géorgie, leur a-t-elle sans doute rappelé. Vous ne pouvez vous tromper, à cause de son accent.

Maggie et Paul nous reçurent avec une exubérante chaleur. Ils enlacèrent Amy, comme l'une de leurs vieilles amies, puis ils lui firent découvrir la collection de poupées de Maggie. Tout en les présentant par leur nom, leur lieu d'origine, leur âge, leur costume, leur personnalité, ils apparaissaient comme des parents heureux, tout droit sortis d'un livre pour enfants aux illustrations colorées et à l'histoire pleine de lyrisme.

Amy était impressionnée et je les imaginais tous les trois devenir de bons amis, dînant ensemble, allant au concert, s'appelant au téléphone tard dans la nuit, pour partager les joies ou les chagrins du moment, et échangeant des cadeaux pour les occasions spéciales. Amy emmènerait ses petits-enfants rendre visite aux poupées. Elle en prendrait une, la tiendrait avec soin et leur expliquerait que c'est sa préférée, puis elle leur murmurerait l'histoire de la poupée avec vénération.

Maggie demanda à Amy où elle habitait. Elle lui indiqua l'emplacement de la maison.

— Oh! mais je connais cet endroit, s'exclama Maggie. Vous y faites des travaux, n'est-ce pas? J'ai vu des camions là-bas, il y a quelques jours.

— La maison en a bien besoin, répondit Amy.

Elle ajouta :

— Soit je déménagerai pour y rester à demeure, soit je la vendrai.

— Rejoignez-nous ici, insista Paul, en gesticulant selon son habitude. Comment pouvez-vous sentir la vie dans une ville? Écoutez-moi. Je sais bien. San Francisco, quelle merveille! Mais elle dévore toute votre existence. Ici, on la retrouve. Venez, asseyez-vous. Buvons un verre, pour fêter notre nouvelle voisine.

Et il partit en hâte chercher du vin.

Maggie nous a conduits vers une table, dans un coin

avec une fenêtre, et Paul est revenu de la cuisine en tenant à la main une bouteille : un chardonnay français supérieur.

— Rien à voir avec notre bibine de Californie, se vanta-t-il en l'ouvrant, humant le bouchon les yeux fermés et avec délice.

Il en versa un peu à Amy, pour qu'elle goûte. Elle sourit en l'appréciant :

— Délicieux.

Le dîner devait se dérouler de la même façon qu'avec Sammy et Lila, pas de droit de regard sur le menu.

— Ce soir, ce sera du homard, déclara Paul. D'accord?

Il disparut et on entendit sa voix résonner dans tout le restaurant, ce qui fit sourire les trois autres couples qui avaient déjà commencé à dîner.

— Le homard est tout frais et Paul aime beaucoup le préparer, chuchota Maggie, mais si vous...

— C'est parfait, l'assura Amy et elle me regarda.

— Je ne discute jamais avec un artiste, plaisantai-je.

— Dans ce cas, je pense qu'il faut que j'aille le contenir un peu. Il est français, vous savez. Ils ont une manière de se laisser déborder par leurs passions!

Elle nous quitta furtivement et, en chemin, s'arrêta à chaque table.

— Ils me plaisent beaucoup, affirma Amy. Je suis heureuse que tu aies choisi cet endroit.

— Moi aussi.

Amy me regarda brièvement. Un sourire flottait sur son visage. Elle caressa le bord de son verre de vin.

— Qu'y a-t-il? demandai-je.

Elle continua un moment, puis déclara :

— Je me disais que c'est étrange, vraiment étrange. Et si bon, répondit-elle doucement. Je croyais que ça n'arriverait jamais. De te revoir.

— Moi non plus, dis-je.

— Pourtant Avrum m'a prévenue que cela se produirait.

— C'est vrai?

Elle repoussa le verre, prit sa fourchette à salade et commença à dessiner la lettre *C* sur la nappe. Ses yeux devinrent brillants et espiègles.

— C'était il y a quelques mois, expliqua-t-elle. Il savait

que ce serait ma dernière visite. Il m'a dit qu'il était prêt à mourir, qu'il avait vécu déjà trop longtemps. Et il m'a parlé de toi.

Elle se tut et tourna la fourchette dans sa main.

— Il t'aimait vraiment, Bobo. Je n'ai jamais cru aux parents ou aux enfants de substitution, mais tu étais un fils pour lui. Et je crois qu'il ressentait la même chose pour moi, jusqu'à un certain point. Ou peut-être me considérait-il comme une belle-fille de substitution. De toute manière lors de notre dernière rencontre il m'a affirmé que je te reverrais et que tout irait bien pour nous.

— Il devait se douter que sa mort nous réunirait, d'une façon ou d'une autre.

Amy toucha le *C* qu'elle avait dessiné sur la nappe.

— Tu ne sais pas combien de temps j'ai passé avec lui, l'été où tu as travaillé à l'Auberge, dit-elle au bout d'un moment.

— Je ne savais même pas que tu le voyais.

— Mais si. Très souvent. Cela inquiétait mes parents. Je nettoyais sa chambre, je la fleurissais. Il a essayé de m'apprendre à jouer aux échecs, mais j'étais absolument nulle. La plupart du temps, il me parlait de toi, imaginant sans doute que c'était le meilleur moyen de me garder à ses côtés.

Elle se pencha vers moi et murmura :

— Je te montrerai un jour le journal intime que j'ai écrit, à cette période. Toutes les histoires d'Avrum te concernant y sont.

— Je ne suis pas certain d'en avoir envie, répondis-je.

— Tu devrais, assura-t-elle avec malice. Tu saurais alors combien c'était merveilleux de faire l'amour avec toi, cet été-là.

— Tu as menti, dans ton journal ?

Elle rétorqua en souriant :

— Non, je me suis menti à moi-même.

Par-dessus l'épaule d'Amy, j'ai aperçu une femme faire signe à son mari et repousser la table à laquelle elle se trouvait. Elle a hésité un moment, a tiré nerveusement sur sa cigarette, s'est composé une attitude artificielle, puis elle s'est approchée de nous.

— Excusez-moi, dit-elle obséquieusement.

Amy leva les yeux sur elle.

— Désolée de vous interrompre, déclara la femme précipitamment, mais je disais justement à mon mari — elle jeta un coup d'œil à l'homme assis à la table — que votre visage nous était très familier. C'est l'impression que j'avais. Et il était d'accord avec moi.

Elle éclata d'un rire aigu et stupide.

— Nous essayions de vous resituer.

—Je suis désolée, commença Amy, mais je ne crois pas que je vous...

— Non, nous ne nous connaissons pas en chair et en os, reprit hâtivement la femme. C'est ce que nous avons fini par comprendre. Nous n'avons fait que vous voir.

— Excusez-moi ? demanda Amy, perplexe.

— Le tableau.

La femme s'interrompit, attendant qu'Amy réponde.

— Le tableau ? fit celle-ci au bout d'un moment.

— Oui. Celui qui se trouve dans la maison de Jean Archer. Nous y étions cet après-midi. Nous envisageons d'acheter sa demeure.

Amy ne quitta pas la femme des yeux, mais un frémissement involontaire passa sur son visage. Elle s'efforça de sourire.

— Il doit y avoir une erreur, s'excusa Amy doucement.

— Oh non. Il ne peut y en avoir, insista la femme. Vos yeux, votre visage, même la façon de vous coiffer. C'est bien vous. Nous avons été très impressionnés par ce tableau. Mon mari voudrait le faire inclure dans l'acte de vente, si nous achetons la maison.

— Mais je n'ai jamais posé pour une toile, affirma Amy tranquillement.

La femme était très confuse. Son regard alla de son mari à Amy.

— Mais...

— Ce n'est pas moi, répéta Amy. Je ne sais vraiment pas de quoi vous voulez parler.

— Oh, ça alors...

22

Amy essayait, mais elle ne parvenait pas à ignorer la femme qui avait vu le tableau de Jean Archer.

Elle lui avait gentiment souri, acceptant ses excuses embarrassées puis m'avait dit à voix basse :

— Je ressemble sans doute à quelqu'un.

Ensuite elle avait détourné la conversation sur le vin en relatant une visite qu'elle avait faite en compagnie de son mari, dans les régions vinicoles de France. Son récit était chaotique, fragmenté. J'écoutais patiemment, tout en la surveillant. Elle portait constamment son regard vers la table où se trouvait la femme et en détournait précipitamment les yeux. Lorsque je faisais les inévitables commentaires, elle souriait d'un air contraint. Finalement, Paul et Maggie avaient transformé le dîner en une performance si éblouissante qu'il avait fallu les applaudir.

Le repas avait fait comme une diversion. Pendant une heure au moins le fantôme du tableau de Jean Archer avait été ce qu'Amy avait souhaité : un cas bizarre d'erreur sur l'identité de quelqu'un. Amy riait joyeusement, les yeux étincelant. Elle avait bu une bonne partie de la seconde bouteille de vin et quand nous avions quitté le restaurant, la tête lui tournait un peu. Elle avait invité Paul et Maggie à lui rendre visite et, sur le parking, dans la lumière douce de la lune, elle avait tourbillonné en dansant, s'écriant :

— Oh, Bobo, que je suis heureuse !

Nous retournâmes chez elle. Là dans sa chambre à coucher je m'allongeai sur le lit pour me reposer, tandis qu'elle allumait des chandelles, qu'elle plaça sur la table de nuit et sur la commode. Puis, elle ouvrit les rideaux de la fenêtre.

— Je sais que j'ai un peu trop bu, Bobo, mais je voudrais faire l'amour, et je voudrais que les étoiles nous regardent, dit-elle.

— Les étoiles ne seront pas les seules à nous voir. Il y a une route, en contrebas.

— Ça m'est égal, répliqua-t-elle. Je veux qu'on nous voie, que la vallée tout entière nous voie. J'espère que Dieu nous verra ; que Dieu et Avrum interrompront leur discussion pour nous regarder. Y a-t-il quelque chose qui ferait plus plaisir à Avrum ? J'espère que Carter passera, qu'il entrera, et qu'il nous verra, lui aussi. Ne crois-tu pas que cela le rendrait heureux ? Moi, si.

Elle me jeta un regard aguichant par-dessus son épaule et poursuivit :

— T'ai-je jamais raconté qu'il avait essayé de me faire l'amour, cet été-là ?

Je pensais qu'elle plaisantait.

— Carter ? demandai-je. Il nous a littéralement poussés dans les bras l'un de l'autre !

Elle se tourna pour me faire face et commença à déboutonner son chemisier. La lumière des chandelles l'enveloppait tout entière.

— Pourtant, c'est vrai. Il l'a fait, et il en a éprouvé de la honte. Te rappelles-tu la nuit où il s'est disputé avec Renée ? Je l'avais envoyé faire un tour, tandis que toi, tu raccompagnais Renée à Greenleaf. C'était cette nuit-là.

Je me mis à rire.

— Tu trouves ça drôle ? dit-elle.

Je l'attirai à moi, sur le lit.

— J'ai une histoire à te raconter. Comme aurait dit Avrum : « Et quelle histoire ! »

Comme des enfants, nous nous mîmes à papoter, parlant de Renée et de Carter. Carter m'avait avoué qu'il avait fait l'amour avec Renée, Renée de son côté l'avait dit à Amy.

— Nous les avons inspirés, remarqua Amy, ils en ont tiré bénéfice.

Elle roula sur le lit jusqu'à ce que son corps touche le mien, peau contre peau, puis elle murmura :

— Mais c'est du passé et nous, nous sommes ici.

Nous fîmes l'amour avec liberté et exubérance, à la lueur frémissante des chandelles. Tous les yeux de la nuit nous observèrent par la fenêtre aux rideaux ouverts. Amy fut comme une danseuse sensuelle, possédée par une musique qui rythmait ses mouvements et la consumait. Lorsque ce fut fini elle s'endormit au creux de mon épaule, sa main reposant sur mon cou. Je restai éveillé à la contempler. Sa beauté, qui avait toujours été comme un don, paraissait plus extraordinaire encore dans son sommeil. Je pensais alors : Voilà, c'est cela, le couple, dans le restaurant, a été fasciné par sa beauté.

Sa respiration, lente et calme comme le ronronnement d'un chat, me berça jusqu'à ce que je m'endorme. Je rêvai que j'étais au restaurant des Poupées avec Maggie et Paul, et j'entendais Amy qui riait aux éclats.

A mon réveil, Amy n'était plus dans le lit. Il faisait encore nuit et la chambre s'était refroidie. Je sentais faiblement une agréable odeur de bois qui brûle. Je me glissai hors du lit, mis mon pantalon et ma chemise et allai dans le petit salon. Amy était assise par terre en robe de chambre de flanelle. Appuyée contre le divan, elle fixait les flammes qui tremblaient. Il n'y avait pas d'autre lumière dans la pièce.

— Tu vas bien ? lui demandai-je.

Elle ne se retourna pas au son de ma voix.

— Oui, dit-elle, au bout d'un petit moment.

Je m'assis auprès d'elle.

— Le feu est beau, dis-je.

Elle appuya sa tête sur mon épaule.

— Je croyais que tu dormais paisiblement, ajoutai-je. Un mauvais rêve ?

Elle acquiesça d'un mouvement de tête.

— Des regrets ?

— Oui, admit-elle, mais pas pour cette nuit.

— Pour quand alors ?

— Pour autrefois. L'époque de l'été. Des regrets que nous ayons été si craintifs.

— C'est vraiment ça ? demandai-je.

Elle hésita avant de répondre.

— C'est presque ça.

— Mais encore? La femme dans le restaurant?

Je la sentis se raidir.

— Elle avait raison?

— Non, me répondit-elle dans un soupir.

— Connais-tu Jean Archer? insistai-je.

Elle s'écarta de moi et enserra ses genoux, ramenés vers elle. Elle continuait à contempler le feu.

— Tu la connais?

— Non, Bobo. Je ne la connais pas. Je sais qui c'est, évidemment, mais je ne la connais pas.

— Est-ce que tu veux m'en parler?

Elle se tourna vers moi d'un air étonné.

— Non, pourquoi le ferais-je?

— Je posais la question, c'est tout. Est-ce que je peux faire quelque chose?

— Prends-moi dans tes bras.

— Ça, c'est facile, dis-je en l'attirant à moi.

Son visage se nicha dans ma poitrine.

— Puis-je faire quelqu'autre chose?

— Oui.

— Quoi?

— Arrêter le temps.

— Pas facile, répondis-je.

— Je sais.

— Mais si nous ne pouvons l'arrêter, profitons-en au moins.

— Comment? demanda-t-elle.

— En rendant cet instant digne du souvenir.

— Tu crois que c'est assez, Bobo?

Lorsque le feu commença à baisser, nous retournâmes dans le lit. Nous n'avons pas fait l'amour et nous n'avons pas parlé. Amy se coucha contre moi, me tournant le dos, sa tête reposant contre mon bras, nos mains entrelacées. Je ne sais pas si elle dormait. Sa respiration était heurtée, elle ne ronronnait pas.

A l'aurore, elle se leva et se mit à me secouer en riant.

— Viens, me dit-elle, c'est un nouveau jour.

— Comment veux-tu le commencer? lui demandai-je.

— Tu verras, viens.

Je la suivis dans la salle de bains. Elle m'entraîna sous la douche et nous nous retrouvâmes dans un grand tub à pieds de griffon, sous un jet d'eau puissant et agressif, qui provoquait de gros nuages de vapeur. Un brouillard dense nous enveloppait comme une fumée, glissant à travers le bois. Amy sortit une grande serviette douce, en tapissa l'arrière du tub, puis m'ordonna de me coucher. L'eau ruisselait sur ses cheveux et ses épaules, glissant de son cou vers ses seins dont les bouts frôlaient mon visage et ma poitrine. Alors elle s'agenouilla au-dessus de moi, et, de sa main, me guida en elle. Elle pencha la tête en arrière et ferma les yeux. Ses lèvres étaient entrouvertes, son corps se balançait doucement contre moi. Puis elle ralentit son mouvement et frissonna. Elle me regarda, droite, l'eau ruisselant sur son visage en filets, semblables à des coulées de larmes.

— Encore deux jours? demanda-t-elle.

— Oui, deux jours, répondis-je.

Nous étions en train de prendre notre petit déjeuner, lorsque Carter appela. Il parla brièvement à Amy, lui dit quelque chose qui la fit rire, après quoi elle me tendit l'appareil.

— Surprise! chuchota-t-elle, Carter t'a trouvé.

Je me saisis du combiné, mais, avant que je puisse dire un mot, Carter m'avertit :

— Je ne veux pas en entendre parler, tu manques d'éloquence, je préfère imaginer la chose.

— Bonjour quand même. Des nouvelles intéressantes?

— Rien d'aussi intéressant que ce que vous avez vécu hier soir, je pense, répondit-il en étouffant un rire.

— Très fort! Et tout à fait toi!

— Ouais! de l'esprit autant que de l'intelligence. Tu n'es pas impressionné?

— Si! je le suis vivement, mais mon café est en train de refroidir.

— O.K., dit-il. Oublions les vieux comptes. Est-ce que tu

pourrais m'expliquer ce qui s'est passé hier soir, au restaurant?

— Mais de quoi parles-tu?

— Si tu ne peux pas aborder le sujet maintenant, réponds-moi seulement « D'accord, je vais y penser. Rappelle-moi plus tard ».

— Pour commencer, je suis embarrassé, lui rétorquai-je.

— J'ai reçu un appel hier soir, expliqua Carter. Un couple du nom de Fergis. Ils m'ont assuré avoir vu au restaurant la femme du tableau de Jean Archer, mais elle a nié que c'était elle. Ils sont perplexes. Des fouineurs merdeux, d'accord, mais l'endroit leur plaît et je préférerais commencer à le nettoyer plutôt que d'avoir Jean Archer sur le dos, toute l'année. Que s'est-il passé?

J'ai regardé Amy. Elle était en train de débarrasser la table de la cuisine.

— Alors? me pressa Carter.

— Je vais y penser. Je te rappelle plus tard.

— Ce n'est pas le moment, hein?

— Oui, c'est ça.

— O.K., appelle-moi quand tu peux. Je te couvrirai.

Il raccrocha.

— Des ennuis? questionna Amy.

J'inventai un problème d'omission dans le testament d'Avrum.

Amy haussa les épaules.

— C'est simplement du jargon d'avocat, mais tu ferais mieux de t'y faire. C'est un jeu, pour eux. Je l'ai écouté si longtemps que je ne l'entends plus.

— Je suppose que tu as raison, dis-je.

Elle se versa une autre tasse de café et s'assit à la table en face de moi.

— De toute évidence, Carter est au courant de notre histoire. Ça l'amuse beaucoup non?

— Je crois qu'il est heureux pour nous. Peut-être un peu inquiet.

— Inquiet? Pourquoi?

Je voulais donner une réponse prudente.

— Tu connais Carter, affirmai-je innocemment.

Elle versa de la crème dans son café et le remua. Elle réfléchissait, elle aussi, en veillant à peser ses mots. Après un long moment, elle dit :

— Oui je connais Carter, Bobo. Et je sais aussi que ce qu'il vient de te demander n'avait rien à voir avec le testament d'Avrum.

Elle eut un rapide sourire.

— C'était à mon sujet, n'est-ce pas ? Ou, peut-être, cela nous concernait-il tous les deux ?

Je fis signe que oui. Je voulus détourner mon regard, mais je n'y parvins pas.

— C'est bon, prononça-t-elle doucement. Mais je crois que tu devrais me mettre dans la confidence. A moins que ce ne soit une histoire de coucherie, dont Carter est friand.

Je songeai « Attention, attention ! »

— D'accord, nous avons parlé de toi, je l'admets. Mais ce n'est pas très nouveau. Je pense que tu étais le centre de soixante-dix pour cent de mes conversations avec Carter, depuis le soir de notre rencontre, chez Arch. Il aurait pu figurer au rang des grands prophètes.

— Hum, j'aime bien cela, fit-elle, pensive. Mais tu es très évasif, et je connais bien ce fonctionnement. Je suis une femme, une épouse et une mère. Il y a des choses qui me sont devenues évidentes.

— Mais c'est vrai ! Si tu entendais Carter parler de nous. Franchement, je ne soupçonnais pas la présence de Carter dans ta chambre, toutes ces nuits où nous avons fait l'amour, avec tes parents à côté. J'ai toujours pensé qu'il dormait, quand tu te glissais dans l'Antre.

Amy s'est mise à rire :

— Oh ! là ! là ! J'espère que tu dis la vérité. Cela voudrait dire qu'il y avait au moins une personne qui avait les mêmes pensées que moi. Mais tu continues à éluder la question.

— Veux-tu venir te promener en voiture ?

— Cela répondra-t-il à ma question ?

— Je pense que oui.

Je ne comprenais pas pourquoi Amy évitait de parler du

tableau de Jean Archer. Elle avait prétendu ignorer son existence, au restaurant et avait écarté mes questions assise devant le feu, la nuit précédente.

Sa conduite me rappelait le soir où, lors de sa visite aux Catskills en 1955, Caroline m'avait interrogé sur Amy, alors qu'elle ne connaissait pas son nom et qu'elle ignorait tout d'elle. Nous étions dans un café à Margaretville et la serveuse, qui m'y avait souvent vu avec Amy, avait déclaré à Caroline :

— Ah, vous êtes nouvelle !

Cette simple constatation fut le point de départ d'une véritable inquisition. Caroline voulait savoir. Pourquoi la serveuse avait-elle dit ça ? Avait-elle l'habitude de me voir là, en compagnie d'une autre personne ?

— N'y prête pas attention. Ce sont des paroles en l'air, lui assurai-je. Nous venons souvent ici. Moi, Carter, certains des gars qui travaillent dans d'autres hôtels. Elle nous connaît bien maintenant. Et toi, elle ne t'a encore jamais vue, c'est tout.

Je devinais à son expression et son froncement de sourcils, qu'elle ne me croyait pas vraiment. Je lui demandai :

— Cela t'inquiète ?

Elle me rétorqua :

— Non. Cela me paraît simplement bizarre. J'ai l'impression que tout le monde ici me regarde, comme s'ils faisaient un gros effort pour ne pas prononcer de paroles malencontreuses. Tout le monde, sauf la serveuse.

Face à Amy, j'étais conscient d'avoir le même air inquisiteur que Caroline.

Amy ne me réinterrogea pas au sujet de ma conversation avec Carter et elle ne me demanda pas où je l'emmenais, bien qu'elle sût que nous nous dirigions vers Woodstock. Elle avait l'expression joyeuse de quelqu'un qui s'attendait à vivre une journée pleine de promesses.

Elle s'enquit de savoir si elle pourrait flâner un peu, dans les boutiques de Woodstock, après ce que j'avais prévu.

— Mais oui, lui répondis-je. J'y suis passé avec Carter, au début de la semaine, mais nous ne nous sommes pas arrêtés. L'endroit a beaucoup changé.

— Je sais, mais je l'aime bien quand même. Tu te rappelles la première fois, avec Carter et Renée? Nous y avions rencontré un homme qui créait des bracelets, avec des débris d'avions.

Je dus lui avouer que je ne me souvenais que du voyage, mais pas du bonhomme.

— Si je ne me trompe, c'était notre première escapade de jour, et j'étais très inquiet à l'idée de rentrer en retard à l'Auberge, pour le dîner.

Elle me corrigea.

— C'est ce que tu prétendais. Mais en fait, tu étais inquiet des commérages si l'on nous voyait ensemble.

Elle se pencha vivement vers moi et m'embrassa au coin des lèvres.

— Voilà ce que je voulais faire, pendant cette promenade.

Elle regarda par la fenêtre.

— C'est exactement à cet endroit que j'avais eu cette envie.

— Belle pensée! Mais j'ai des doutes, car cette route est nouvelle.

Elle rit, s'enfonça dans son siège et regarda défiler les montagnes et les vergers. Elle me demanda :

— Aimerais-tu connaître mes enfants, Bobo?

Depuis le déjeuner à l'Auberge, c'était la première fois qu'elle en rediscutait.

— Oui. Parle-moi un peu d'eux.

Elle demeura un moment silencieuse, avant de répondre.

— Mes filles sont très gentilles, très proches de moi, du genre de celles d'un *Violoniste sur le toit*. Mais elles sont aussi très gâtées. Elles savent comment me monter contre leur père et inversement. C'est parfois agaçant.

— Oh! je sais bien, répliquai-je.

— C'est aussi comme ça chez toi?

— Oui. Depuis leurs tout premiers caprices de bébé.

— Chez nous, Peter achète leurs faveurs. Moi je ne suis pas pour. Mais tu leur plairais.

Elle me regarda.

— En fait, tu leur plais.

— Comment ça ? m'étonnai-je.

— Il y a quelques années nous étions en vacances dans le Maine, sans leur père. Un soir, il se mit à pleuvoir. Nous étions toutes les quatre, coincées dans une cabane, à bavarder — des conversations de filles — et elles m'ont questionnée sur mes flirts de jeunesse. Je leur ai parlé de toi, évidemment.

— Tu leur as tout raconté ?

— Assez pour qu'elles comprennent. Elles étaient jalouses. Elles voulaient savoir pourquoi cela n'avait duré qu'un été.

— Que leur as-tu dit ?

— Ce qu'elles avaient envie d'entendre. Cela avait été merveilleux le temps d'une saison.

— Ça fait un peu tragique, non ? suggérai-je.

Elle me sourit avec affection.

— Oh, non, Bobo. Pour des filles blotties dans une cabane pendant un orage, c'était romantique.

Elle se tut, revoyant le cercle de ses filles, calées contre elle, comme des oreillers.

— C'était chouette. Cindy, la plus jeune, voulait absolument savoir pourquoi nous ne nous étions pas mariés. Elle aurait adoré avoir un père artiste-peintre, qui lui aurait dessiné des images.

— Cela a dû être difficile à expliquer, assurai-je.

— Jeannie et Meg ont beaucoup ri à ce sujet. Elles ont essayé d'expliquer à Cindy pourquoi ce n'aurait pas été possible, mais je ne pense pas qu'elle ait compris. Pas à l'époque.

— Elles ont l'air bien, tes filles.

— Elles le sont.

Après un silence, elle ajouta :

— Elles pensent que je suis en train de perdre la tête.

— Peux-tu être plus précise ?

— Elles appellent la maison d'ici « le Projet ». Elles ont peur que je ne me prépare à quitter leur père et à devenir ermite.

— Et... à ton avis ?

Elle rit à nouveau.

— Je ne sais pas.

Elle se tourna vers moi.

— J'y pense de temps à autre, mais je ne suis pas certaine d'en avoir le courage. Tu pourrais quitter Caroline ?

Je haussai les épaules.

— Sujet sensible, n'est-ce pas ?

Je répétai mon geste.

— Tant d'années ensemble, n'est-ce pas, Bobo ?

— Oui, je suppose.

— En avez-vous jamais parlé ?

— J'imagine que chaque couple aborde ce sujet un jour ou l'autre. Mais, il y a très longtemps que nous n'en avons pas discuté. Je ne me souviens plus comment c'est venu, une histoire de différence de caractère. Mais je n'ai jamais oublié la réaction de Jason, notre fils. En tête à tête, il m'a confié qu'il avait surpris notre discussion et il voulait que je sache que ni lui ni ses sœurs ne nous en voudraient de divorcer. Nos trois enfants pensaient franchement que nous n'étions pas faits l'un pour l'autre.

— Mes filles ont réagi de la même façon. Pourtant, il y a eu suffisamment de larmes versées, pour que je réalise que leur attitude compréhensive avait des limites. Ce genre de conversation est une manière de jouer à l'adulte.

— Peut-être, mais les enfants sont parfois très intuitifs, objectai-je.

Elle appuya sa tête sur mon épaule, comme une adolescente.

— Alors, où m'emmènes-tu ?

— Nous arrivons bientôt.

— Ce serait préférable sinon je vais m'endormir.

Elle bâilla, se blottissant contre moi.

— C'est toi qui m'empêches de dormir, la nuit.

Elle ferma les yeux.

Elle se redressa, lorsque la voiture ralentit et que je m'engageai sur le chemin qui menait à la maison de Jean Archer. Je compris aussitôt qu'elle n'était jamais venue ici.

— Est-ce la maison dont la femme a parlé ? demanda-t-elle.

— Oui.

— Es-tu déjà venu ici ?

— Avec Carter. C'est lui qui s'occupe de la vente.

Je perçus une tension dans sa voix.

— Bobo..., balbutia-t-elle.

Je stoppai la voiture devant la maison.

— Viens, lui proposai-je.

Nous sortîmes de la voiture, puis je retirai la clef de sous la pierre. Amy jeta des regards emplis d'appréhension.

— Ne t'inquiète pas, lui assurai-je.

J'ouvris la porte et nous entrâmes dans la maison. Amy demeurait sur le seuil de la grande pièce du bas, hésitante. Ses yeux la scrutaient, en s'arrêtant sur les tableaux. Elle semblait mal à l'aise. Je la pris par le bras et la menai vers l'escalier.

— Je crois que l'on devrait s'en aller, Bobo, chuchota-t-elle.

— Pas encore.

Je la tenais toujours par le bras, tandis que nous montions jusqu'à la chambre de Jean Archer.

Lorsque j'ouvris la porte, je reculai d'un pas. Elle aperçut le tableau aussitôt et le choc la fit trembler. Elle s'arrêta, puis se dirigea vers la toile. Elle demeura longtemps ainsi, près du lit de Jean Archer, à la regarder. Quand elle se retourna, son visage était inondé de larmes.

Je m'approchai d'elle. Elle pressa sa tête contre mon épaule. Au bout d'un moment, elle murmura :

— Ce n'est pas moi, Bobo.

— Ça ne peut être personne d'autre, rétorquai-je.

— Mais si. C'est ma mère.

23

Amy s'est tue jusqu'à ce que nous soyons remontés en voiture et que nous ayons repris la route, pour retourner à Woodstock. Appuyée à la portière, elle regardait le paysage d'un air vague. Finalement, elle lâcha :

— Je me demande bien quand ce tableau a été fait. C'est tellement étrange. Maintenant que je l'ai vu, je comprends pourquoi vous pensiez tous qu'il s'agissait de moi. Un instant, je l'ai cru aussi. J'ai pensé qu'elle s'était servie d'une photo de moi pour peindre ce portrait. Mais ce n'est pas moi qu'elle a représentée, c'est ma mère.

— Est-ce que ta mère l'a connue ? demandai-je.

Elle marmonna quelque chose que je ne compris pas.

— Alors, elle la connaissait ?

Amy se tourna vers moi.

— Peut-être. Elle m'a parlé un jour d'une collecte de fonds pour les juifs déplacés qu'elle avait aidée à organiser. C'était une vente aux enchères de tableaux. L'une des participantes était Jean Archer. Je m'en souviens, parce que ma mère m'a parlé de son tableau. Il représentait des enfants dans un des camps de la mort. Les gens avaient pleuré en le voyant ; son réalisme leur avait fait peur. Personne ne l'avait acheté. Finalement il avait été vendu à un musée de Pittsburgh.

— Est-ce le seul lien que tu puisses faire entre elles ?

— Non, en une autre occasion, dans une galerie à New York, nous avons vu deux ou trois tableaux de Jean Archer. Ma mère était restée longtemps à les contempler, avant de murmurer : « Elle est remarquable. » Je me rappelle le ton de sa voix, il y avait quelque chose, comme... comme de l'adoration. Ma mère l'admirait vraiment.

— Elle avait bien raison, mais quand était-ce?

— Je ne sais plus. Il y a dix ans. Peut-être plus. J'y ai repensé, hier dans le magasin d'antiquités.

— Ta mère, aurait-elle pu poser pour ce portrait, au moment où elle s'occupait de la collecte de fonds?

Amy réfléchit un moment.

— Je ne sais pas. J'étais jeune. J'avais quatorze ou quinze ans à l'époque. J'étais tellement absorbée par ma propre vie que je n'avais guère le loisir de faire attention à ce qui se passait autour de moi. C'est possible cependant, mais elle n'en a jamais parlé, à moins que...

— A moins que?

— A moins que ce soit à cause de mon père.

— Pourquoi ton père?

— Je n'ai jamais vraiment compris pourquoi, mais mon père s'est toujours opposé aux fréquentations de ma mère. Il pensait que la plupart des artistes qu'elle connaissait se montraient plus doués pour prendre que pour donner. Il les appelait les « pirates ». C'était, entre eux, un sujet de discorde. Je me demande, d'ailleurs, si ce ne fut pas la raison de leur divorce.

— Ce n'est pas très original. Je connais quelqu'un dans le New Atlanta qui a à peu près la même opinion des amis de son mari. Or il se trouve que, pour la plupart, ce sont des artistes-peintres. Et en fait, elle a raison pour bon nombre d'entre eux.

Amy sourit d'un air compréhensif, étendit son bras par-dessus le siège et posa sa main sur mon bras.

— Excuse-moi, lui dis-je, cette association est malheureuse.

— Ce n'est pas grave, répondit-elle, je suis simplement troublée. Ma mère était une personne très secrète. Peut-être a-t-elle fait faire ce portrait, et a eu peur de l'apporter à la maison. J'aurais aimé qu'elle m'en parle. Savoir la vérité, maintenant, serait plus facile.

— J'ai lu quelque part que la vérité devenait plus lourde à porter, quand quelqu'un essayait de vous aider à le faire.

— Et toi, tu crois ça? demanda Amy.

— Non, mais je pense que c'est ce dont les gens ont peur.

Elle se glissa tout près de moi, prit ma main et l'embrassa.

— C'est ce que je ressens pour nous deux. J'ai toujours voulu tout dire sur toi à Peter, mais je n'ai jamais pu. Je ne pouvais attendre de lui qu'il comprenne. Même lorsque j'y ai pensé et repensé durant toutes ces années — et Dieu sait que je l'ai fait souvent — cela m'est apparu plutôt comme un rêve d'enfant, que comme la réalité.

Je me souvins alors de ce qu'Avrum aimait à répéter : « C'est une grande souffrance d'aimer quelqu'un et de savoir qu'on ne pourra jamais être ensemble. »

Je demandai si elle regrettait d'avoir découvert ce tableau. Elle ne me répondit pas immédiatement. Puis, doucement, murmura :

— Non. Il contient beaucoup d'amour.

Nous nous sommes arrêtés à Woodstock où nous avons pris un déjeuner léger. Mais nous n'avons pas flâné dans les boutiques, comme Amy l'avait souhaité. Elle n'était ni fâchée ni triste ; elle avait encore le tableau en tête. J'avais l'impression qu'elle désirait être seule. Je lui dis alors que je devais revoir les dispositions du testament d'Avrum, avec Carter, et elle fut d'accord pour dîner à la maison.

— Je vais faire un plat de pâtes au pistou et une salade d'épinards dont tu me diras des nouvelles, lui promis-je.

Elle sourit, tout heureuse.

— Ça me paraît splendide. Tu devrais parler à Carter du tableau. Si je ne le fais pas, il nous fera tourner en bourriques, tous les deux.

De retour à l'Auberge, j'ai appelé Carter. L'histoire du tableau de Jean Archer ne le surprit pas autant que je l'aurais cru. Il m'assura même qu'il avait souvent confondu Édith Lourie et Amy. Il me raconta, en riant, un incident qui s'était produit, avant que je vienne travailler à l'Auberge.

— Sa mère était près de la piscine en costume de bain. Elle était couchée dans une chaise longue, à l'abri d'un parasol. J'ai cru que c'était Amy. Je l'ai sifflée et j'ai sorti une stupidité du genre : « Pourquoi ne pas venir habillée comme ça pour le dîner ? » A ce moment-là, elle s'est levée et je me suis rendu compte de ma méprise. Je n'ai jamais été aussi embarrassé de ma vie et je dois dire qu'en ce domaine, j'ai eu plus d'une occasion de me surpasser. Elle avait le corps d'une jeune fille de seize ans. J'ai même rêvé d'elle.

— D'une certaine façon, cela ne me surprend pas, quant au tableau, Amy voulait que tu sois au courant.

— C'est très bien. A présent je peux téléphoner aux Fergis et leur expliquer que la ressemblance n'était qu'une coïncidence. Mais j'aimerais bien savoir comment le tableau s'est trouvé là. C'est un sacré secret à garder, que de faire faire son portrait par l'une des plus grandes artistes du monde et ensuite, de n'en rien dire à personne !

— Amy pense la même chose.

— Je suppose que tu n'es pas libre pour dîner ce soir ? me demanda Carter.

— Non, Amy et moi avons décidé de descendre ensemble le sentier des souvenirs.

— Ça me paraît pervers à souhait. Mais ça ne doit pas être pire que le siège arrière de ma Chevrolet. Faites bien attention, Bobo, de ne pas culbuter sur quelque chose qui traînerait sur le chemin.

J'entendis son rire jusqu'à ce qu'il raccroche.

Les sosies, cela existe.

A Atlanta, il y a un homme qui me ressemble tellement que les gens sont stupéfaits, quand ils le voient. Je ne l'ai jamais rencontré, mais je sais qu'il existe et lui aussi sait que j'existe. Amateur d'art il se rend souvent dans les expositions. Bien des propriétaires de galeries me disent qu'ils l'ont pris pour moi et ils sont abasourdis, quand ils apprennent que ce n'est qu'un sosie. Lui le prend très bien. Il a même promis de m'inviter un jour. Si je savais son nom, je lui téléphonerais.

Fern Weisel ressemblait beaucoup à Amélita Galli-

Curci. Un jour qu'il se trouvait assis sur son banc, avec un album de photos couvrant son existence — une vie évoquée par des visages souriants mais austères et figés, fixant la caméra sans bouger, comme ils l'auraient fait d'un peloton d'exécution — Avrum posa les photos des deux femmes, l'une à côté de l'autre et me demanda si j'étais capable de dire laquelle était la vraie Amélita. Je ne pus décider. Je croyais que les deux photos représentaient la même personne et qu'il s'agissait encore d'une plaisanterie d'Avrum.

— Tu vois, proclama Avrum triomphant, l'œil est menteur, et se heurtant la poitrine avec son index, ajouta, seul le cœur sait.

Puis il me raconta l'histoire de Fern Weisel

Alors qu'il travaillait comme interprète à Ellis Island, Avrum l'avait aperçue au milieu d'une foule. Il avait trouvé extraordinaire de rencontrer ainsi Amélita Galli-Curci, puis, quand il avait appris qu'il s'était trompé et n'avait vu qu'un sosie, il s'était dirigé vers elle pour se présenter.

Fern était devenue sa maîtresse.

Après tant d'années, Avrum en riait mais il avouait qu'il avait essayé de modeler Fern à l'image d'Amélita. Il lui avait acheté des robes ressemblant à celles qu'Amélita Galli-Curci portait durant ses spectacles, l'avait forcée à écouter des disques d'Amélita Galli-Curci et l'avait encouragée à chanter. Malheureusement, elle n'avait absolument pas d'oreille et les tentatives d'Avrum avaient été des échecs.

— Elle était comme ma femme, se lamenta-t-il. Elle n'aimait pas la musique. Elle n'aimait que les cadeaux et le lit.

Il souriait gaiement quand il en parlait.

— *Ja.* Sa musique, elle était dans le lit.

Leur liaison ne dura qu'un an. Avrum ne pouvait rester plus longtemps avec une imitation, même s'il l'avait créée et même si Fern était une maîtresse dont on ne pouvait que vanter les extraordinaires qualités.

— Seul le cœur sait, répéta-t-il, en se tapant à nouveau la poitrine avec son index.

Lorsque je pensais à Fern Weisel, je revoyais la photo qui aurait facilement pu être celle d'Amélita Galli-Curci. J'imaginais Avrum la forçant à s'habiller comme Violette de

La Traviata, ou Gilda de *Rigoletto*, ou encore Lucia de *Lucia di Lammermoor*, ou, bien évidemment, Dinorah de *Dinorah*. Il n'y avait rien de dépravé dans cette conduite. Le désir d'Avrum était obsessionnel, mais il n'était pas dangereux. Je me suis cependant demandé si c'est parce qu'il ne pouvait être Dieu qu'Avrum se querellait si souvent avec Dieu.

Par chance je n'eus à endurer les questions de Lila sur mon retour tardif à l'Auberge ni à suivre Sammy, dans sa boutique, pour apprécier l'avancement de son travail sur le buste d'Amy. Tous deux étaient très occupés : trente clients avaient investi l'Auberge. Ils venaient d'une Église réformée hollandaise de New York et s'étaient réunis, pour une retraite d'un week-end, dans le but de raviver leur passion conjugale. La seule chose que Lila me chuchota, depuis le comptoir de la réception, fut :

— Ils n'ont besoin que d'un bon coup de roulis au lit.

Puis elle sourit, m'adressa un clin d'œil en ajoutant :

— Tu pourrais témoigner pour eux, hein Bobo ?

J'ai dormi un peu, j'ai pris une douche, me suis habillé et me suis rendu à la maison de retraite de Highmount. C'était ma dernière occasion de voir Sol Walkman avant de retrouver Amy.

Je me sentis aussi coupable. Ayant passé tout mon temps en compagnie d'Amy, j'avais négligé quelque peu la période de deuil, après la mort d'Avrum, et je m'en faisais le reproche même si sa philosophie s'était toujours résumée à cette sentence abrupte : « Ce qui est mort est mort. »

Sol m'accueillit avec enthousiasme. Il était plein des nouveaux projets qu'il espérait pouvoir mener à bien grâce aux dons d'Avrum et il bafouillait, parlant d'ajouter une salle de culture physique et un déambulatoire.

— Cela permettra à nos pensionnaires de faire autre chose que regarder la télévision ou jouer aux jeux de société, m'expliqua-t-il, et c'est précisément ce dont ils ont besoin. Il leur faut savoir qu'ils sont encore capables d'activités, sinon ils se résignent à passer le temps en attendant de mourir.

Il me demanda conseil sur la façon dont il pourrait obtenir une aide des familles dont les parents y avaient passé leurs dernières années. Mais il pressentait leur réponse.

— Ils vont penser qu'ils ont déjà assez payé comme ça. C'est triste, c'est vraiment triste, mais nombreux sont les impatients, ceux qui attendent de déchirer l'enveloppe, de découvrir le testament, pour savoir combien on leur a légué. Et ceux-là ne sont pas prêts à en donner la moindre parcelle à la Maison.

Il voulut me montrer où serait située la salle de culture physique, et je le suivis le long d'un couloir, dont les murs étaient tapissés de liège. On pouvait y admirer les nombreuses photographies pâlies, fixées par des punaises, d'anciens résidents et de leurs familles. Je m'arrêtais devant l'une d'elles. Elle représentait Avrum en ma compagnie, et avait été prise une dizaine d'années auparavant par l'un des aides-soignants. Avrum arborait un sourire contraint et stupide.

— Je voudrais que celle-ci soit agrandie et accrochée dans la salle de culture physique, me dit Sol. En fait, je voudrais l'appeler la salle Avrum-Feldman, si vous n'avez pas d'objections.

Carter avait-il négocié ce projet, malgré ma désapprobation? C'était probable. Il avait aimé Avrum et il affectionnait ce genre d'usages. C'était sa manière de se fabriquer des compensations personnelles et ou des mystifications.

— Je n'ai rien contre, dis-je à Sol.

Il me vit regarder l'image d'un vieil homme tout tassé dans une chaise roulante, sa tête qu'il ne pouvait plus tenir droite tombant sur sa poitrine. Une jeune femme à genoux se tenait près de lui. C'était la femme du juge, la maîtresse du courtier.

— Vous la connaissez? demanda Sol d'un air soupçonneux.

— Je l'ai croisée à l'Auberge, au début de la semaine.

— Je suppose alors que vous connaissez l'histoire? Au sujet de son amant.

— Je pense que tout le monde ici la connaît, répondis-je. Lila, Sammy, Dan Wilder, Carter sont au courant, ainsi que la fleuriste de Phoenicia, vous et quelqu'un dans un magasin de vin. Ce doit être l'aventure la plus célèbre et la plus discutée des États-Unis.

Sol rit gaiement.

— C'est bien possible, mais elle n'aura plus son prétexte pour longtemps maintenant. D'après le médecin, son oncle n'a plus que quelques semaines à vivre.

— Si elle a besoin d'un prétexte pour venir ici, pourquoi n'en tirez-vous pas bénéfice, suggérai-je.

— Mais comment?

— Nommez-la présidente de quelque chose, par exemple d'un comité de soutien, avec engagement, sur l'honneur, d'une participation financière.

Les yeux de Sol se plissèrent de contentement à cette pensée.

— Bonne idée, me dit-il.

Je restai une heure avec Sol à l'écouter, à observer ses mains qui dessinaient agilement les équipements et organisaient les espaces, tandis qu'il décrivait avec enthousiasme les aménagements de la Maison. Il promit de m'écrire au sujet des travaux et il m'invita avec humour à faire partie du comité de soutien. Je pensais à Amy et acceptai avec entrain. Avant que je ne parte, il me donna une petite boîte scellée qui contenait les cendres d'Avrum. Il m'expliqua que la boîte avait été livrée par le funérarium, le vendredi précédent.

— Je ne sais pas ce que vous avez l'intention d'en faire et je n'ai pas besoin de le savoir. Je suis sûr que c'était quelque chose de personnel entre vous deux.

— C'est vrai. Je vous suis reconnaissant d'être si compréhensif.

Il me serra longuement la main, lorsque nous fûmes devant la voiture et me remercia encore pour la donation d'Avrum. Je pensais qu'il m'interrogerait sur le kaddish, mais il ne le fit pas. Sol Walkman connaissait l'art de la négociation. Il avait envoyé Norman Gold, le rabbin, pour se faire le porte-parole de son inquiétude, tout comme l'avait prédit Avrum. La négociation était close, il n'allait pas prendre le risque de perdre la donation sottement.

— Vous êtes vraiment un envoyé de Dieu, me dit-il avec gratitude, un envoyé de Dieu.

Lorsque je le quittais en le voyant balayer l'air doux de l'après-midi, dans ses gestes d'adieu, je compris ce que Sol voulait dire, en parlant de moi comme d'un envoyé de Dieu.

Dieu avait finalement fait tourner la situation en sa faveur, pour le récompenser de toutes ces années où il avait supporté Avrum Feldman.

Le soleil se couchait, laissant de longues bandes colorées, comme des marques de peinture, sur un mur de nuages qui roulaient, remontant les cols des montagnes. Le spectacle m'évoqua Arch Ellis. C'était le moment de la journée qu'il préférait et c'était la raison pour laquelle il balayait toujours le chemin qui passait devant son magasin à cette heure-là. « Un homme qui voit un coucher du soleil aux monts Catskills et qui ne croit pas en Dieu est un homme condamné à l'enfer », avait-il coutume de crier d'une voix tonitruante, comme un prêcheur de rues du Sud. Il m'avait appris qu'il n'y a aucun mal à se laisser posséder par la beauté; ce n'est le signe d'aucune faiblesse. S'il y avait une chose qui vaut la peine d'être criée sur les toits, c'est bien la valeur de la beauté.

Lui aussi était l'une des ombres des Catskills.

Amy était à l'extérieur. Elle travaillait dans un massif de fleurs, lorsque j'arrivais. Ses jeans et sa chemise de coton élimée étaient maculés de terre. Malgré l'air qui avait fraîchi, la sueur perlait sur son front. Elle avait le visage congestionné et l'expression heureuse d'un enfant qui a joué jusqu'à épuisement, et qui a ignoré les appels pour rentrer à la maison. Si elle avait été peinée d'avoir vu un portrait de sa mère, dans la chambre à coucher de Jean Archer, elle avait enterré son chagrin dans le riche terreau du jardin.

— Mon Dieu! s'écria-t-elle. Quelle heure est-il?

— Quelle importance? répondis-je.

Elle retira ses gants de jardin et s'essuya le front, puis m'embrassa avec naturel et simplicité.

— Je suis dégoûtante, me dit-elle. J'ai besoin d'une douche.

— C'est évident, mais j'ai pensé que je pouvais passer pour voir ce dont nous avons besoin à l'épicerie.

— Allons-y. J'ai un réfrigérateur plein de choses inutiles que je jette sans arrêt. Mais ça m'est égal. C'est ma façon d'affirmer mon indépendance.

Elle me conduisit dans la maison et je fis un bref inventaire de nos ressources pendant qu'elle prenait sa douche. Il y avait des pâtes, des épinards en boîte, du persil et du Parmesan râpé, mais ni basilic, ni huile d'olive, ni noix, ni crème. Amy sortit de sa chambre, enveloppée dans une serviette, pendant que je complétais ma liste. Ses cheveux mouillés brillaient.

— Tu le fais exprès, n'est-ce pas?

Un sourire passa sur son visage.

— Je ne sais pas de quoi tu parles. Je fais exprès de faire quoi?

— De me tenter.

Elle se pencha alors pour m'embrasser.

— Tu sais que j'ai été modèle, autrefois?

— C'est vrai?

Elle se tourna, accomplissant, à la façon d'un mannequin, une sorte de pas de danse.

— Je l'ai été pour des œuvres de charité, bien sûr.

Elle pivota à nouveau, me présentant son dos et pencha la tête par-dessus les épaules, prenant la même pose que cette artiste éclairée aux chandelles devant les rideaux ouverts de sa chambre à coucher. Puis elle ouvrit lentement la serviette et pivota avec beaucoup de séduction. Elle me faisait face, son corps semblable à un tableau érotique.

— Cela ne marche pas, dis-je.

Elle fit la moue.

— A quelle heure ferme l'épicerie? demandai-je.

Elle replia la serviette sur elle et s'installa sur mes genoux.

— J'ai juste envie d'être excentrique, Bobo. J'adore être comme ça mais je me retiens. J'ai toujours le sentiment d'être observée partout, sauf lorsque je suis ici. Ici je me sens en lieu sûr. Mais aujourd'hui tout cela m'est égal. Ça m'est égal qu'on me voie avec toi, au contraire, même j'aimerais que Carter sache que nous avons fait l'amour hier, que cette nuit nous allons, à nouveau, coucher ensemble et que demain matin nous prendrons notre petit déjeuner ensemble.

Elle inclina sa tête vers moi et ses cheveux mouillés tombèrent sur mes tempes.

— Oh! je sais, chuchota-t-elle, invitons Carter pour le petit déjeuner.

— Tu crois vraiment?

— Mais oui, il faut qu'il vienne ici. Il a été le premier à comprendre ce qui allait nous arriver.

Elle se pencha en arrière et prit mon visage dans ses mains, comme un enfant qui demande de l'attention.

— Sais-tu ce qu'il m'a dit, le soir où je t'ai rencontré?

Je murmurai que non.

— Il m'a annoncé que j'allais être impressionnée, que j'allais probablement tomber amoureuse de toi et que je passerais le reste de ma vie dans une ferme, en Géorgie, à élever des poulets et des enfants et à chanter dans une église baptiste.

Je souris à cette idée.

— Il avait vraiment à faire, ce soir-là.

— Que veux-tu dire?

— Ce même soir, il m'a prévenu que je tomberais amoureux de toi et que je deviendrais un complet imbécile. Selon lui tu devais être la plus belle femme que je serais amené à rencontrer dans ma vie.

Amy éclata de rire. Elle se redressa et prit à nouveau la pose, me demandant :

— Et tu le penses encore?

Je la regardai attentivement. Ce n'était plus la jeune fille des Catskills, mais son corps mince, ferme et athlétique, était celui d'une femme de trente ans, et il rayonnait de la même beauté que son visage. Je me redressai, ouvris la serviette qui l'enserrait et touchai l'un de ses bouts de sein.

— Oui, dis-je, oui, tu es belle.

Elle s'approcha alors et pressa son sein contre ma paume, puis elle prit ma main et baisa tendrement le bout de mes doigts.

— Amy...

Elle se retira vivement et ajusta la serviette autour de son corps.

— Va, dit-elle doucement, avant que je ne devienne trop gourmande.

Puis, tournant les talons elle s'en alla dans sa chambre.

Il y avait à Phoenicia une petite épicerie où l'on pouvait trouver des herbes fraîches et, c'était une surprise, un bon choix de vin. J'avais fait mes emplettes et me tenais dans la file d'attente, devant la caisse, lorsque, jetant un coup d'œil dans la rue, je vis la femme du restaurant sortir de chez un marchand de glace, en compagnie de Carter. Ils mangeaient des crèmes glacées et la femme riait. Ce devait être l'une des tactiques de Carter, je suppose. La femme fit alors un sourire embarrassé, et se retourna prestement pour regarder alentour, comme si elle cherchait quelqu'un. Carter se pencha vers elle et lui chuchota quelque chose ; elle le regarda, hésita, puis fit un signe d'assentiment. Finalement, elle s'éloigna en lui adressant un salut de la main. Carter la regarda partir, et sans cesser de sourire, il prit une lampée de glace, avant de se diriger vers sa voiture d'un air satisfait.

— Est-ce tout ? me dit le vendeur.

— Oui, répondis-je.

Comme je quittais Phoenicia, je vis à nouveau la femme. Elle se trouvait dans un petit jardin, près de la crique d'Ésope. Assise à une table de pique-nique, elle observait un groupe d'adolescents qui passaient, en flottant sur leurs chambres à air. Elle semblait absorbée dans ses pensées.

Pendant mon absence, Amy avait revêtu un jean seyant, une chemise de coton bleu pâle, et elle avait allumé un petit feu dans la cheminée. Elle était en train de verser deux verres de chardonnay, lorsque j'entrai dans la cuisine.

— Est-ce que ceci te convient, ou tu voudrais quelque chose de plus fort ?

— C'est parfait, lui dis-je. J'ai pris un cabernet pour le dîner.

Elle se saisit de la bouteille que j'avais sortie de l'un des sacs de courses et examina l'étiquette.

— Il semble bien, mais pas autant que celui que nous trouverons, quand nous serons en France.

— Je suppose que tu as les billets ?

Tout en m'aidant à déballer elle répondit :

— Je peux les avoir dans la journée.

— On dirait que tu parles sérieusement.

— Mais bien sûr. C'est tout à fait sérieux.

Je me tus un moment. L'idée de me trouver dans les petits villages de France avec Amy, dans les rues magiques de Paris, me traversa l'esprit comme une prière.

— Ce serait bien, dis-je.

Elle prit la bouteille d'huile d'olive, et la rangea dans le placard.

— Je pourrais le faire, Bobo. Et ce me serait facile contrairement à toi. Les miens pensent que je suis en train de vivre, avec du retard, ma crise de maturité et quoi que je fasse tant que cela ne leur semble pas nuisible, ça ne les dérange pas. Peter dirait : « La France ? Mais c'est merveilleux. Veux-tu que j'appelle mon agence de voyage ? » Les enfants, ajouteraient : « Amuse-toi bien, maman. Ne t'inquiète pas pour nous. On va s'occuper de tout, y compris de papa. » Et ils m'accompagneraient pour mon départ, en gesticulant comme des supporters déchaînés, se conduisant comme si c'étaient eux qui avaient organisé cette escapade.

Elle se tut, puis sourit d'un air embarrassé.

— J'ai rangé l'huile d'olive, mais tu en as besoin, n'est-ce pas ?

Elle rouvrit la porte du placard et sortit la bouteille.

— Peut-être ont-ils raison ? reprit-elle. Peut-être suis-je en train de perdre la tête.

— A moins que ce ne soit le contraire. Tu es peut-être en train de la retrouver ?

Elle me donna un petit baiser sur la joue.

— Merci, dit-elle. Maintenant, prépare le repas, j'ai faim.

Nous avons cuisiné ensemble et avons tiré des plans imaginaires, pour un voyage imaginaire en France, en Allemagne et en Italie. Nous jouions, et chacun de nous savait que ce n'était qu'un jeu. Amy inventa une histoire. Nous étions à Paris, sur les Champs-Élysées, nous venions de nous rencontrer et nous buvions du vin dans un café, sur l'une des contre-allées. Tous deux divorcés, nous étions désireux de nous débarrasser au plus vite de notre passé et de commencer une nouvelle vie. Nous étions de nouveaux amants, ou peut-être de vieux amants qui venaient de se retrouver.

— Puis, nous louons une voiture, une Mercedes et nous partons en voyage, ajouta-t-elle, enthousiaste. Pas de cartes, pas de plans. Nous roulons, c'est tout, et nous nous arrêtons, là où nous en avons envie. Nous y restons, une nuit ou une semaine, aussi longtemps que nous le souhaitons.

— Qui conduit ? demandai-je.

— Nous deux.

— J'ai déjà conduit en Europe. Rouler à 130 km à l'heure ne correspond pas du tout à mon idée de la détente, même en Mercedes. Tu peux conduire.

— D'accord, mais il nous faut une décapotable. J'adore rouler les cheveux au vent.

Et nous nous arrêtions dans les restoroutes, nous mangions des sandwichs, achetés dans des épiceries fines, traversions de petits villages, buvions du vin de la région, dans des verres de cristal achetés à Paris et que nous emballions avec soin, après chaque utilisation. Nous visitions des galeries de peinture, de vieilles églises, assistions à des festivals, des foires, et lisions des histoires sur les plaques des monuments. Nous faisions l'amour dans les chambres minuscules et encombrées de petits hôtels bon marché, et sortions le soir, dans d'étranges tavernes emplies des gens étranges.

La seule chose dont nous ne parlâmes pas, la seule partie du jeu que nous évitâmes, fut le retour à la réalité. Nous savions tous deux que ce retour signifie la dernière nuit pour les amants, et que personne ne doit parler de la dernière nuit, tant que ce n'est pas nécessaire.

Nous avions fini de dîner, et nous étions assis à même le sol, le dos appuyé sur le divan. Nous buvions du cognac, chauffé au bain-marie, et nous évoquions mes années de peintre et d'enseignement — années calmes, mais pas aussi excitantes ou enthousiasmantes que je l'avais rêvé ou souhaité, je devais bien l'avouer — lorsque l'on sonna à la porte d'entrée.

Amy parut surprise.

— Tu attends quelqu'un? demandai-je.

Elle secoua la tête, tout en se levant. Puis laissa tomber, comme pour me rassurer :

— J'ai parlé à Peter pendant que tu faisais les courses. Il est à Washington.

Je me redressai et m'approchai d'elle.

— Peut-être est-ce Carter? suggérai-je.

Sans me répondre, Amy se dirigea vers la porte qu'elle ouvrit.

Une femme de belle stature, habillée de façon informelle, portant des cheveux argentés, coiffés en arrière comme s'ils avaient simplement été aplatis par le vent, se tenait dans l'embrasure.

— Oui? dit Amy.

La femme resta silencieuse pendant un long moment. Ses yeux, d'un bleu azur, contemplaient le visage d'Amy. Puis elle dit très doucement :

— C'est incroyable.

— Excusez-moi? lui rétorqua Amy.

Alors, je m'approchai d'Amy et la pris par le bras.

— Amy, voici Jean Archer.

24

Nous nous sommes installés dans la cuisine, autour de la table, avec du café et du cognac et nous avons parlé, ou plutôt Jean Archer a parlé. J'avais proposé de partir, mais Amy avait insisté pour que je reste. J'avais bien lu un doute dans le regard de Jean Archer, mais elle n'avait rien dit.

Elle commença d'expliquer qu'elle avait appris la présence d'Amy aux Catskills, par le couple qui désirait acheter sa maison. Elle avait aussi découvert qu'Amy avait hérité de la maison d'été de sa mère.

— Je suis venue en espérant vous trouver. Il fallait que je sache, que je voie votre visage. Votre mère m'a montré de nombreuses photographies de vous, et chaque fois c'était son visage que je voyais.

Nous lui avouâmes que nous étions allés dans sa demeure, sans sa permission, que nous avions vu le tableau et que nous avions pensé qu'il s'agissait d'Amy.

Elle ne fit pas de remarque mais son corps se raidit de mécontentement.

— Je suis l'initiateur de cette visite, soulignai-je. J'espère que vous me pardonnerez. C'était une impulsion.

Je ne mentionnai pas ma seconde visite.

— Cela n'a pas d'importance, répondit-elle froidement.

Amy lui posa alors la question, que je lui avais posée et à laquelle elle n'avait pas su répondre.

— Quand ma mère a-t-elle posé pour ce tableau?

Jean cilla. Des larmes montèrent dans ses yeux d'un bleu perçant.

— Quand vous étiez très jeune, vous souvenez-vous?

Votre mère vous a quittés, vous et votre père, pour quelques semaines.

— Oui, répondit Amy.

— Elle était chez moi.

Amy était pâle.

— Quand j'ai su qu'elle était mourante, je lui ai promis de vous retrouver et de vous le dire, ajouta Jean calmement.

— Me dire quoi? interrogea Amy intriguée.

Jean fit une pause. Elle se redressa, dans une attitude de fierté et de défi.

— Votre mère et moi étions amantes, Amy.

Amy s'effondra, mais ses yeux ne quittèrent pas le visage de Jean Archer. Je lui pris la main. Elle s'agrippa à moi, si violemment que j'eus l'impression qu'elle s'efforçait de ne pas crier.

— Je suis désolée de vous choquer, reprit Jean. Je crois à la vérité, et la vérité est restée cachée assez longtemps.

Elle me regarda.

— Cet homme est votre amant, n'est-ce pas?

Amy ne répondit pas, moi non plus.

Jean posa son regard sur Amy.

— Je sais qui est cet homme. Votre mère m'en a parlé, l'été où vous l'avez rencontré et, à nouveau, avant de mourir. Elle avait peur de lui, peur de la façon dont il pouvait vous faire mal. Vous étiez si différents! Elle pensait à nous, naturellement, à la douleur que notre relation pouvait provoquer si elle venait, un jour, à être connue.

Elle se tut, poussa un soupir et reprit :

— Je n'étais pas d'accord avec elle. Je n'étais pas d'accord, Amy, parce que je l'aimais, autant que vous aimez cet homme. Nous étions plus différentes l'une de l'autre que tout ce que l'on peut imaginer, pourtant je savais que je ne pouvais vivre sans elle, et elle savait qu'elle ne pouvait vivre sans moi, en dépit des efforts que nous avons faits pour mettre fin à notre relation.

Amy murmura plus qu'elle n'énonça sa question :

— Est-ce que mon père est au courant?

— Oui, répondit Jean, et cette découverte fut la cause du divorce.

— Mais...

— Il ne vous a jamais rien dit. Je le sais. Votre père est un homme très digne, un homme merveilleux. J'ai toujours éprouvé de la peine pour lui, mais je ne pouvais pas cesser d'aimer votre mère.

— Lui avez-vous jamais parlé? demanda Amy.

— Plusieurs fois. Lorsque votre mère est morte, il m'a appelée pour me demander de ne pas assister à l'enterrement. Il l'a fait très gentiment et j'ai accepté.

Amy retira sa main — que je tenais enserrée — et prit son verre de cognac. Elle le leva et le contempla longuement. Finalement, elle laissa tomber :

— Racontez-moi.

— Êtes-vous sûre que vous voulez savoir?

— Oui.

La mère d'Amy avait rencontré Jean Archer, à New York, lors de la collecte de fonds pour les juifs déplacés. Leur amour avait commencé aussitôt et avait continué, rythmé par les célèbres colères et les infidélités occasionnelles de Jean, ainsi que par les crises de culpabilité d'Édith Lourie, jusqu'à la mort de cette dernière. Jean Archer avait acheté une maison dans les monts Catskills, pour être plus près d'Édith.

— Cela peut vous sembler curieux, dit Jean doucement, mais avant de rencontrer votre mère, je ne savais pas vraiment qui j'étais ni ce que j'étais. J'avais essayé de cacher ma sexualité. Après avoir rencontré Édith, je ne pouvais plus la nier. Jusque-là, je n'étais qu'une personne sachant tracer des lignes sur du papier, après notre rencontre je suis devenue une véritable artiste. Mon art — c'était *elle*. Lorsqu'elle est morte, j'ai voulu mourir aussi... j'ai même essayé.

Je me sentais mal à l'aise. Mais l'esprit nous joue parfois de curieux tours. Tout en écoutant parler Jean Archer, je l'imaginais faisant l'amour à Édith Lourie, le corps de cette dernière se mouvant avec soumission sous les attouchements de doigts aussi légers que des coups de pinceau et puis Édith arrivant enfin à attirer le visage de Jean Archer vers le sien, pour happer avec gourmandise la pointe de sa langue.

Et sans raison, je repensais à Kelly Pender, timide professeur d'anglais, qui enseignait dans l'école où je travaillais.

Une fois, alors que nous jouions le rôle de chaperons à une soirée dansante, Kelly m'avait confié qu'elle était lesbienne.

— Je te le dis parce que je te fais confiance, Bobo, ou peut-être parce que j'ai besoin de dire la vérité à quelqu'un. Je ne pense pas que je puisse vivre plus longtemps dans le mensonge.

J'avais écouté son histoire, tandis que nous montions la garde, au milieu des danses, espionnant tout spécialement les adolescents dont les hormones bouillaient. Son amante était une ancienne étudiante qui finissait ses études universitaires. Je connaissais cette fille, une Scandinave attrayante, brillante, pleine de talent, remarquablement blonde et remarquablement belle. Lorsque Kelly parlait de leur façon de faire l'amour, elle évoquait la douceur, la tendresse, l'attention.

— Avec les hommes, c'est toujours la même chose : satisfaire son désir et partir, disait-elle avec amertume. Avant, il m'arrivait de rêver que je faisais l'amour avec un homme et je me réveillais furieuse. Maintenant je rêve que je fais l'amour avec elle, seulement elle. C'est pour cela que je pense que je dois accepter la vérité.

Il était tard lorsque Jean Archer se leva pour partir. Nous l'accompagnâmes jusqu'à la porte.

— Il fallait que je vous voie, dit-elle, sur le seuil, je pars demain et je ne reviendrai jamais plus.

Amy fit un pas vers elle et l'enlaça avec affection.

— Je suis heureuse de votre visite. Et heureuse que vous m'ayez tout raconté.

— Surtout, que ce que je vous ai dit n'apporte aucune ombre à votre amour pour votre mère, répondit Jean. Croyez-moi, c'est à cause de l'attachement qu'elle avait pour vous et votre père, que notre relation lui faisait tant de peine.

— Soyez sans crainte.

— Il y a autre chose : le tableau. Je ne vais pas le vendre, je voudrais vous le donner, si vous le voulez.

Amy secoua la tête.

— Il est très beau, mais je ne peux pas l'accepter. Il vous appartient.

Des larmes brillèrent à nouveau dans les yeux de Jean Archer. Elle leva la tête, ferma les yeux un instant, puis se tourna vers moi :

— Je suis heureuse que nous nous soyons connus, dit-elle.

— Moi aussi.

Elle tendit ses bras vers Amy, la tint enlacée un moment en tremblant, puis tourna les talons et quitta la maison.

Nous l'avons regardée partir en voiture, avant de fermer notre porte.

— Ça va ? demandai-je à Amy.

Elle acquiesça.

— Tu veux rester seule ?

Elle se tourna vers moi.

— Je veux aller au lit. Aimerais-tu me prendre dans tes bras ?

Dans le lit, elle se serra contre moi, comme un enfant qui a besoin d'être consolé, et s'endormit. Je ne pense pas qu'elle ait fait des rêves. Lorsque je me suis réveillé, elle était toujours contre moi.

Au petit matin, je me glissai hors du lit et j'allai dans la cuisine faire du café. Dehors, l'obscurité de la nuit devenait moins épaisse devant la promesse de lumière. J'entendais un oiseau s'agiter énergiquement, comme s'il avait décidé de se battre contre la paresse de la nuit et je me rappelai qu'on était dimanche — le jour du kaddish d'Avrum. Je sortis mon portefeuille, et pris l'enveloppe, sur laquelle il avait écrit à mon attention *Kaddish d'Avrum Feldman. A ouvrir six jours après sa mort A.F.*, et je l'ouvris. Ses instructions me firent sourire. Sol Walkman et le rabbin ne pourraient rien objecter.

Je replaçai l'enveloppe dans mon portefeuille, pris du café et me mis à l'écoute de l'oiseau agité. Je songeais alors à Kelly Pender. Peu après notre conversation et sur mon conseil, elle était allée dire au directeur de l'école qu'elle était lesbienne et qu'il ne fallait pas renouveler son contrat. J'avais voulu intervenir en sa faveur, mais elle ne me l'avait pas permis. Et elle avait eu raison. Par la suite, elle s'était engagée dans le mouvement de défense des droits des *gay* et on la citait souvent dans les médias. Un soir, dans un restaurant de Highland Avenue, nous l'avions vue, Caroline et moi, en compagnie de sa maîtresse. Kelly s'était précipitée vers moi, traversant tout le restaurant, et elle s'était jetée à mon cou, tout heureuse. Caroline en avait éprouvé de la jalousie et de l'amertume. Sur le chemin du retour, elle m'avait lancé : « Comment peux-tu être l'ami d'une pareille personne ? » Je fus abasourdi par sa réaction. « Bon sang ! Comment peut-on tourner le dos à une amitié ? » avais-je répondu furieux. Caroline, appuyée à la portière, m'avait dévisagé, avant d'ajouter : « Tu as tellement changé, je n'en crois pas mes yeux. »

Je me versai une tasse de café frais et retournai dans la chambre. Amy s'était glissée à ma place. A mon arrivée, elle se tourna et me jeta un regard furtif.

— Café, s'il te plaît, dit-elle.

Elle se redressa, puis ramenant des oreillers derrière son dos, s'adossa au montant du lit. Les couvertures tombèrent, découvrant ses seins. Je lui donnai du café et m'assis près d'elle.

— Quelle heure est-il ? me demanda-t-elle.

— Un peu plus de six heures et demie.

— Tu te lèves toujours aussi tôt ?

— Oui. La plupart du temps.

Elle but un peu de café.

— Hum, c'est bon.

— Tu vas bien ? lui demandai-je.

Elle toucha mes lèvres.

— Oui. Je vais très bien.

— Tu veux encore dormir ?

Elle sourit.

— Quand nous irons en Europe, je dormirai au moins jusqu'à huit heures, tous les matins.

— A Paris, peut-être.

— Surtout à Paris, dit-elle.

Elle posa sa tasse sur la table de chevet, se déplaça, prit ma main et m'attira vers elle.

— Nous avons oublié quelque chose, hier soir, murmura-t-elle.

— C'est vrai ?

— Tu n'es tout de même pas si vieux !

Elle pressa son visage contre ma poitrine et ajouta :

— Nous n'avons plus tellement de temps.

— Pourquoi ? demandai-je.

— Carter sera ici à sept heures et demie. J'ai appelé et j'ai laissé un message pour lui, pendant que tu faisais les courses. Il a rappelé juste avant que tu ne rentres.

Nous avons fait l'amour à la hâte, avec passion. Nous nous sommes livrés corps et âme, sans retenue. Ce fut pour nous bien plus qu'un assaut sexuel, ce fut un véritable exorcisme de tout ce qui nous avait dominés jusqu'alors, toutes les pressions que nous avions dû subir, tous les interdits qui s'étaient dressés entre nous. Amy cria dans la convulsion finale, puis elle jeta tout son corps contre moi et me tint serré, apaisée. Nous prîmes une douche et nous habillâmes. Lorsque Carter arriva, nous étions dans la cuisine, en train de préparer le petit déjeuner.

Il était en pleine forme, à sa manière. Cela se voyait à son sourire et à la lumière qui dansait dans ses yeux.

— Alors, nous y voilà, dit-il avec enthousiasme, en faisant un grand geste. C'est formidable. Une vraie scène d'intérieur, dit-il en regardant la cuisine, et il ajouta : c'est un vrai petit nid, Amy. Un vrai petit nid !

— Je viens d'arriver, le coupai-je.

Carter eut un mauvais rire.

— Arrêtez, vous deux, intervint Amy. J'ai assez entendu vos blagues de petits garçons. Carter, verse-toi du café et prends du jus d'orange, si tu en veux. Où est Libby ?

— Elle dort encore, je suppose, dit Carter. Je ne l'ai pas prévenue. Elle est beaucoup trop jeune pour apprécier la chose. Si j'avais pu trouver Renée, je l'aurais invitée, mais n'importe qui d'autre aurait été un intrus.

Je regardai Amy et je souris. Elle luttait contre elle-même pour ne pas rire, mais elle était en train de perdre la bataille.

— Qu'y a-t-il encore ? demanda Carter. Qu'est-ce que j'ai dit ?

— Rien. Simplement nous avions parlé d'être ensemble, tous les quatre, et maintenant, c'est toi qui mentionnes Renée. C'est drôle, c'est tout.

— Sans un whisky ou deux je ne trouve pas cela très drôle. Dites-moi, vous êtes sûrs que vous n'avez pas déjà commencé la fête sans moi?

Amy se tourna vers moi.

— Tu vas lui répondre? me demanda-t-elle, en riant.

— Bon. Ça va, fit Carter. Je retire ma question. Elle était idiote.

Il tira une chaise et se mit à table.

— J'ai faim.

Nous avons pris le petit déjeuner sans nous presser. Carter mit un jeu au point : je devais faire le service, lui devait débarrasser, tandis qu'Amy devait laisser un pourboire généreux. Nous rejouerions nos rôles comme des professionnels à la retraite rejoueraient un match de vétérans, mimant toutes les passes, pour le seul plaisir du souvenir.

— Et moi, c'est comme ça que je vais faire pour le pourboire, lui dit Amy en faisant semblant de lui donner quelque chose.

— Je suis d'accord, lui répliqua-t-il. Bobo prenait toujours le plus gros pourboire, et il me semble qu'il a déjà été assez récompensé, pour le peu de travail qu'il a fourni.

Amy lui jeta un regard malicieux.

— Tu ne sais pas ce que tu dis.

— Oh, je t'en supplie, Amy, ne me fais pas ça à moi, soupira Carter.

Après le petit déjeuner, Amy ouvrit une bouteille de champagne et nous restâmes à table — Carter n'avait toujours pas débarrassé — à porter des toasts.

— A l'enfance, dit Carter.

— A l'âge adulte, ajoutai-je.

— Au moment présent, dit Amy.

Nous avons porté des toasts à Renée et Joe Ly, à Nora Dowling et Ben Benton, Henri Burger et Eddie Grimes. Nous avons bu aussi à Arch et à Avrum.

— Ah oui, à Avrum, le responsable de cette petite fête, aussi excentrique que lui, dit Carter. On dirait qu'il avait tout prévu d'avance, ce vieux fou. Il savait que sa mort vous réunirait.

Il avança son verre en direction des nôtres.

Amy leva le sien.

— A Avrum.

— A Avrum, dis-je aussi.

— Qui avons-nous oublié ? demanda Carter.

Un grand sourire apparut sur son visage. Puis il dit d'un ton dramatique :

— A Jean Archer, qui sait reconnaître la beauté quand elle la voit.

Subitement, il y eut un silence qui traversa la pièce comme une rafale de vent.

Carter qui tenait devant lui son verre de champagne dit :

— Ai-je bien entendu le pavé tomber dans la mare ?

— Mais...

Amy m'interrompit.

— Non, Bobo, laisse-moi le dire.

— Quoi ? demanda Carter, en ramenant son verre

— Jean Archer est venue nous voir hier soir, répondit Amy calmement.

— Ah oui ? Pour quoi faire ?

— Pour me parler de ma mère.

— Ta mère ? demanda Carter.

Amy fit une petite pause.

— Elles étaient amantes, Carter.

Elle raconta à Carter toute l'histoire. Celui-ci écoutait attentivement. L'expression grave dans ses sourcils froncés n'était pas celle de l'homme de loi. C'était celle de Carter lui-même, celle qu'il avait, quand il se sentait concerné et qu'il avait de la peine.

— Amy, ma douce, je suis désolé, dit-il, quand elle eut fini de parler. Bon sang ! Ça a dû être très dur à encaisser.

— Oui, mais ça va maintenant. Au moins, je sais enfin tout ce que ma mère a vécu. Et le plus drôle, c'est que je crois bien que je comprends.

Elle prit ma main et la tenant au-dessus de la table, dit à Carter :

— Tu sais que j'aime cet homme, n'est-ce pas ?

Carter haussa les épaules :

— Bien sûr que je le sais. Je l'ai toujours su. Je le sais mieux que vous deux.

— Dans vingt-quatre heures, il sera parti. Je ne sais pas si je le reverrai un jour, mais je sais que je garderai à jamais le souvenir de ces trois jours et que rien ni personne ne pourra me les prendre, les gâcher, ou me pousser à les regretter.

— Regretter? s'indigna Carter. Ah non! je ne veux pas entendre ce mot.

— Tu voulais que je l'appelle, avant qu'il se marie, tu te souviens, Carter? demanda Amy.

Carter inclina plusieurs fois la tête. Il me jeta un regard, puis regarda de nouveau Amy.

— Si j'avais téléphoné ou écrit, nos vies seraient peut-être différentes. Nous aurions peut-être été ensemble, toutes ces années. Je ne sais pas.

Sa main caressait la mienne. Elle se pencha vers Carter.

— Mais tout ça, Carter, ce sont des peut-être. Et l'on ne peut construire une vie dessus. La vie exige plus que cela, et plus aussi, que l'ennui et la routine. J'ignore comment elle doit être ordonnée pour être parfaite, mais je sais, en revanche, que ce qui est vraiment grand, merveilleusement grand — même si cela ne dure que quelques heures — vaut bien tous les chagrins qui peuvent en résulter... Et je crois que ma mère l'a compris, ajouta-t-elle dans un murmure.

La voix de Carter était rauque, quand il se mit à parler.

— Merde alors, qu'est-ce que je vous aime tous les deux.

Il se leva de table, nous attira à lui et nous étouffa sous ses effusions.

— Merde alors, qu'est-ce que je vous aime, répétait-il.

25

Après notre petit déjeuner, je raccompagnai Carter à sa voiture. Il m'expliqua qu'il devait rencontrer Joe et Anne Fergis.

— Avec un bon baratin bien senti, le vieux Joe va sortir son chéquier et l'affaire sera conclue. Plus de Jean Archer, pour personne d'entre nous.

— Tu es sûr de la vente ? demandai-je.

— La femme aime l'endroit, précisa Carter sur un ton confidentiel. Et ça lui plaît de penser que la maison a appartenu à quelqu'un de célèbre. Les gens, ajouta-t-il en claquant la langue, se laissent prendre par les bulles du champagne, pas vrai ?

Repensant à Carter et Anne Fergis, devant le marchand de glaces, j'ai répondu :

— Oui, sans doute.

— Faut que j'y aille. Joe devait revenir ce matin, fit Carter en regardant sa montre.

— Qui ? demandai-je.

— L'homme au chéquier. Il devait retourner en ville, hier, pour se procurer de l'argent.

— Et il a laissé sa femme seule avec toi ? lançai-je sur un ton innocent.

Carter rougit, cachant son trouble par un clin d'œil :

— Ouais ! Il est fou, ce type, hein ?

— Sois prudent, mon vieux.

— Ne t'inquiète pas. Au fait, qu'est-ce que vous avez prévu pour aujourd'hui ?

— Une ou deux choses à faire. Je pars demain matin, très tôt.

— Je te revois, avant ton départ ?

— Peut-être. Sinon, je t'appelle.

— Tu as maintenant une nouvelle raison de venir par ici, déclara-t-il en me serrant dans ses bras.

— Je ne sais pas, avouai-je. Peut-être que le passé est bel et bien révolu et qu'il n'y aura rien de plus.

Carter regarda vers la maison, puis se glissa dans sa voiture.

— Non, Bobo, je ne crois plus à ce genre de raisonnement. Quand tu as rencontré Amy, je prévoyais tout à fait comment vous alliez réagir. Je savais que c'était une relation impossible. Une juive et un péquenot du Sud ! Bon sang ! Quel mélange ! J'avais raison à l'époque, mais aujourd'hui c'est différent ! Je pense que les choses deviennent ce que l'on en fait. Écoute-moi, mon vieux. Tu as toujours été trop raisonnable. Parfois, il faut risquer le tout pour le tout et maintenant c'est le moment. Alors, cette fois, fais-le et fais-le bien.

En 1977, Avrum m'avait dit qu'il souhaitait être incinéré après sa mort.

— Je vais te montrer ce que tu devras faire des cendres, avait-il précisé.

Sortant alors une petite boîte de l'armoire de sa chambre, il me l'avait tendue.

— Qu'est-ce que c'est ? avais-je demandé.

— Des cendres.

— D'où viennent-elles ?

Il me regarda, médusé :

— De la cheminée, voyons. Qu'est-ce que tu crois ? Qu'il s'agit de quelqu'un ? ajouta-t-il en ricanant. Maintenant, viens, je vais te montrer.

Il m'ordonna de le conduire jusqu'à son banc à Pine Hill :

— Allez, va. Trouve une pelle !

J'en empruntai une à Arch et revins au banc. Avrum était installé à l'endroit où, durant des années, il était resté assis.

— Maintenant, creuse, fit-il.

— Où ça?

Il pointa son doigt vers le sol, entre ses deux pieds.

— Pourquoi? questionnai-je.

Il leva la tête et ferma les yeux, comme il l'avait si souvent fait lorsqu'il écoutait Amélita Galli-Curci.

— C'est ma place, répondit-il simplement.

Pendant que je creusais, il s'est tenu debout à mon côté.

— *Gut, gut*, dit-il au bout de quelques minutes. Maintenant les cendres.

Il m'observa attentivement, pendant que je versais les cendres dans le trou.

— Est-ce que je devrai dire quelque chose?

Un sourire fugitif passa sur son visage.

— *Ja*, « voici Avrum qui s'en va », fit-il en pouffant. Maintenant recouvre tout ça.

Lorsque je jetai la première pelletée, un nuage de poussière s'éleva.

— Voici mes orteils qui s'en vont, dit Avrum avec ironie.

Après l'enterrement des cendres de la cheminée, nous nous sommes rendus au théâtre Galli-Curci, afin qu'Avrum puisse contempler ce qui semblait le tenir en vie. Nous allâmes ensuite dîner, dans un petit restaurant. Avrum mangea de bon appétit, plaisantant avec la serveuse sur le fait qu'il aurait pu être son arrière-grand-père. La serveuse, amusée, demanda :

— Mais, en fait, quel âge avez-vous exactement?

— Quatre-vingt-onze ans, répliqua-t-il avec fierté.

— Non! fit-elle, stupéfaite.

— Peut-être vivrai-je jusqu'à cent ans, voire deux cents, fit remarquer Avrum en hochant la tête.

— C'est pas impossible! s'exclama la serveuse.

— Quand je mourrai, c'est cet homme qui m'enterrera.

La serveuse m'a regardé avec étonnement.

Je n'ai pas dit à Amy qu'il me fallait rester seul pour enterrer les cendres d'Avrum et me préparer à ce qu'il appelait avec ironie son kaddish. Je lui ai seulement précisé que j'avais quelques détails à régler, avant de partir. Je lui promis de la rappeler dans l'après-midi.

— Pas trop tard? demanda-t-elle.

— Non.

— Il nous reste si peu de temps.

Revenant à Pine Hill, j'eus l'impression que le village avait été envahi, ou bien qu'un festival s'y déroulait. Des couples se promenaient dans la rue, s'asseyant sous le porche de l'entrée principale de l'Auberge. D'autres se rendaient au café-pâtisserie de Dan Wilder ou en revenaient. Mais le plus surprenant était l'attroupement devant la porte ouverte de chez Arch. J'aperçus Sammy gesticulant devant son exposition de sculptures.

Après m'être garé dans une rue latérale, je me suis dirigé vers l'Auberge. Lila était derrière la réception, travaillant avec fureur sur une calculette. Elle parut soulagée de me voir.

— Bon sang, Bobo, où étais-tu? J'aurais vraiment eu besoin d'un serveur de plus, ce matin.

— C'est bien pour cela que je ne me suis pas montré.

— Tu ressembles étrangement à quelqu'un que je connais, dit-elle. Vous ne valez rien. Même les meilleurs. Tous les mêmes.

— Ça marche? Tu as l'air occupée.

— Comme la seule et unique putain dans une réunion exclusivement masculine. Crois-tu vraiment que ces week-ends d'amour forcé, ça marche, Bobo? ajouta-t-elle en repoussant sa calculette.

— Je suppose que oui, du moins pour certains. Caroline et moi avons essayé une fois. Dans un endroit appelé Jardins d'Évasion, avec un groupe de notre église. Les azalées étaient couvertes de fleurs rouges. C'était magnifique!

— Et qu'est-il arrivé?

— Nous nous sommes disputés durant tout le chemin du retour.

Lila rit, et s'excusa. Puis elle se pencha vers moi et me chuchota:

— S'il fallait que je supporte certaines des bonnes femmes idiotes de ce groupe, je mettrais mon cul sur la grand-route, et je me tirerais sans demander mon reste.

— A ce point, vraiment?

— Comparée aux vacheries que j'ai entendues ces dernières vingt-quatre heures, n'importe quelle catastrophe n'est rien de plus qu'une petite migraine. S'ils pensent vraiment qu'il y a un dieu, ils peuvent se préparer au grand choc, quand ils auront passé l'arme à gauche.

— Peut-être qu'ils attendent un miracle, remarquai-je.

— N'est-ce pas ce que nous faisons tous? soupira-t-elle. Et toi, qu'est-ce que tu fais ici? Amy en a eu marre de toi et elle t'a viré?

— Non. Je suis venu enterrer Avrum.

— Pardon, murmura-t-elle, gênée.

— J'ai besoin d'une pelle.

— Où est-ce que tu vas l'enterrer?

— Sous son banc.

Lila regarda par la fenêtre. Un couple d'un certain âge était assis sur le banc, se tenait par la main et se souriait bêtement.

— Bordel de merde, Bobo! Tu es complètement fou. Qu'est-ce qu'ils vont dire, quand tu vas leur fourrer un macchabée sous les pieds?

— Ce ne sont que quelques cendres, Lila. Je vais leur expliquer et leur demander de se déplacer.

Lila alluma nerveusement une cigarette et en souffla violemment la fumée.

— Tu sais, Bobo, je regarde ce banc, chaque fois que je m'assois sous le porche.

— Et alors?

— Eh bien, si ce vieux bonhomme commence à sortir de sa tombe, comme ça, moi je descends jusqu'en Géorgie et je t'éclate les couilles!

— Tu as peur des fantômes, Lila?

Elle plissa les yeux en me regardant:

— Quand je commencerai à y croire, Bobo, c'est sûr que j'en aurai peur. Et je pense aussi que si je vivais au milieu d'un cimetière, je pourrais bien me mettre à y croire. Et ce que tu veux faire, Bobo, c'est installer un cimetière de l'autre côté de la rue, exprès pour moi.

— Mais tu n'as pas besoin de regarder, objectai-je.

— Et je n'en ai pas l'intention, répondit-elle brutalement. La pelle est derrière, sous le palier.

Comme je m'éloignai, elle me lança :

— J'ai oublié, Caroline a appelé, il y a une heure environ. Je lui ai dit que tu étais sorti te promener.

— Merci.

— Elle doit penser qu'il se passe quelque chose entre nous. Elle a l'air furieuse, chaque fois qu'elle téléphone.

— Je lui ai parlé de nous. J'ai même fait un dessin de toi, nue. Elle te déteste.

— Espèce de salaud !... Comme je voudrais ne pas t'aimer, ajouta-t-elle dans un sourire.

Dès le moment où Caroline a décroché, je compris qu'il me faudrait attendre avant qu'elle me dise enfin ce qui l'inquiétait vraiment. Sa voix joyeuse et légère, son gentil bavardage me rappelèrent un ami de New York qui détestait parler aux gens du Sud, parce qu'ils mettaient une éternité avant d'aborder le véritable sujet de la conversation. Un jour, à Washington, il avait rendu visite à un sénateur de Caroline du Sud, en compagnie d'une femme, qui souhaitait obtenir un soutien financier fédéral pour le Conseil des Arts de Columbia.

— Ils ont passé une heure à parler récoltes, cousins, oncles et tantes, avait raconté mon ami. J'ai cru devenir fou.

A l'époque, j'avais essayé de lui expliquer combien il pouvait être instructif d'écouter une conversation à bâtons rompus :

— C'est moins ce que les gens du Sud disent qui importe, que la manière dont ils s'expriment. Si l'on écoute attentivement, on peut deviner, d'après l'intonation, si ce que l'on va entendre est important ou non.

Il m'avait regardé, incrédule.

Une certaine gêne sourdait dans le ton de Caroline. Elle parlait avec beaucoup trop de chaleur. Aussi après quelques minutes d'un babil anodin sur le travail et les enfants, elle se lança :

— Oh! A propos, avant que tu ne rentres et que tu l'apprennes par des commérages, je voudrais que tu saches que j'ai dîné avec Kenny Carpenter hier soir.

— Ah oui?

Kenny Carpenter, veuf depuis quatre ans, était l'un de nos voisins. Il travaillait à la station-service où nous achetions notre essence et avait, d'après les observations que faisait la communauté féminine avoisinante, un charme très hollywoodien, pour un homme qui a passé la cinquantaine. D'une certaine façon, il ressemblait un peu à Carter. Il y avait quelque chose en lui, une certaine brutalité, qui faisait que, troublées, les femmes battaient systématiquement des paupières en sa présence, et Caroline n'échappait pas à cette règle. Sa vue provoquait, chaque fois, chez elle une vive confusion et de tous les hommes que je connaissais, Kenny Carpenter était le seul qui aurait pu la convaincre de m'être infidèle. Bien qu'elle ne s'en rendît pas compte, battre des paupières avait toujours été un signe très révélateur de ses émotions. A en croire la plaisanterie que fit un jour un autre de mes voisins, c'était, semble-t-il, réciproque : « Vous devriez éviter de laisser Kenny Carpenter s'approcher de trop près de votre femme. Le pauvre vieux en salive chaque fois qu'il la voit. »

Caroline s'empressa de se justifier :

— Ce n'était pas prévu. Je faisais des courses au marché, il y avait des soldes chez Rich. Et j'ai décidé d'aller au dîner du mardi chez Ruby. Kenny Carpenter était tout seul à une table, et il m'a tout simplement proposé de me joindre à lui.

— C'est gentil.

— Nous avons parlé de ses enfants, continua-t-elle avec détachement. Il s'inquiète pour David. Tu sais, c'est celui qui a quitté le collège pour entrer dans l'Armée. A présent, il regrette de n'être pas resté à l'école, et il passe son temps à réclamer de l'argent à Kenny.

— Eh bien, je suis content que Kenny ait trouvé une oreille attentive.

— Je voulais seulement que tu le saches. Hilda Sain

était là avec l'une de ses filles et, tu penses bien que, maintenant, cela va faire le tour du canton. Elle a fait semblant de
ne pas nous voir.

— Ne t'inquiète pas. Si quelqu'un te dit quoi que ce soit,
réponds que c'était un acte de vengeance. Hier soir, j'ai dîné
avec deux femmes.

Il y eut un silence. Quand elle reprit la parole, le ton
s'était refroidi :

— Vraiment ? Qui ça ?

— Une artiste-peintre très célèbre, du nom de Jean
Archer, et une vieille amie qui s'appelle Amy Meyers.

— Ah ?

— Bon sang, Caroline, tu ne penses pas que nous
sommes maintenant assez vieux pour dîner avec des amis,
sans toujours regarder derrière nous ?

— Je suppose que oui. Tu rentres toujours demain ?

— Oui. Dans l'après-midi. Je t'appellerai de l'aéroport
dès mon arrivée.

— Parfait. A demain !

— Transmets mon bonjour à Kenny, lançai-je sur un
ton moqueur.

Elle apprécia modérément mon humour faiblard et raccrocha sans répondre.

26

Lila attendait près du banc, faisant les cent pas dans la contre-allée. Elle m'observa avec dégoût, alors que j'arrivais avec la pelle et la boîte contenant les cendres d'Avrum.

— Je croyais que tu ne voulais pas voir cela, remarquai-je.

— Non, je ne le veux pas, grogna-t-elle, mais il faut bien que quelqu'un s'assure que tu le fais correctement. De toute façon, il fallait bien que quelqu'un chasse les amoureux du banc.

Je l'interrogeai sur ce qu'elle avait dit.

— Qu'un employé du service des Eaux cherchait une canalisation principale sous le banc.

Elle jeta un coup d'œil à la boîte que je tenais à la main :

— Elles sont là ?

— Oui.

Elle recula d'un pas.

— Oh ! là ! là !

— Ça ne prendra pas plus d'une minute, la rassurai-je.

— Mais il faut un rabbin ou quelque chose comme ça, non ?

— Non. Ce n'est pas une cérémonie. C'est seulement l'exécution des dernières volontés d'un ami.

Je posai la boîte sur le banc et commençai à creuser, à l'endroit que m'avait indiqué Avrum. La fillette à bicyclette faisait ses tours en huit, dans la rue. Elle portait autour du cou une écharpe d'un orange criard et son visage était cette fois-ci maquillé outrageusement. Elle ressemblait à un clown de cirque que l'on aurait loué pour l'occasion : l'enter-

rement d'Avrum Feldman. Les roues de la bicyclette conti-
nuaient de bourdonner.

Lila me surveillait et s'agitait comme si elle participait à
une profanation. Pourquoi avait-il choisi une contre-allée,
comme dernière demeure? demandait-elle. Pourquoi n'a-t-il
pas souhaité que l'on répande ses cendres sur la scène du
Metropolitan Opera House puisque cet idiot était tellement
obsédé par l'opéra. Comment pouvais-je honorer le désir
enragé d'un homme qui, de toute évidence, était cinglé? Et,
par conséquent, comment pouvais-je en vouloir à Caroline
de se fâcher chaque fois que je me rendais aux Catskills?

— Tu sais Bobo, vraiment tu m'inquiètes. Je pense que
tu auras besoin d'être aidé, quand ce sera fini. Il faut que tu
parles à quelqu'un de compétent, pour oublier toutes ces
conneries que tu trimballes depuis des années.

Je m'arrêtai de creuser.

— Écoute, Lila, pourquoi tu n'irais pas dans la maison,
je vais avoir fini.

— J'en ai vu assez pour rester jusqu'au bout, répliqua-
t-elle. Qui sait? Tu peux avoir besoin d'un témoin, le jour où
l'on essayera de t'inculper.

J'avais fini de creuser. Je pris la boîte sur le banc et
l'ouvris. Les cendres se trouvaient dans un petit sac en plastique, fermé par un Zip. Lila regardait par-dessus mon
épaule.

— Oh merde! C'est un sachet à sandwichs, se moqua-
t-elle... Comment sais-tu qu'il s'agit bien de lui? demanda
encore Lila. Peut-être n'est-ce rien d'autre que de la cendre
de cigare. Peut-être qu'on a vendu son corps à une école de
médecine?

— C'est bien lui.

— Attends, attends, chuchota Lila.

Elle se mit à genoux près de moi et déploya sa jupe,
comme pour protéger le banc.

— Qu'est-ce que tu fais? demandai-je.

— Mais, bon sang, Bobo! Tu ne veux tout de même pas
que les cendres s'envolent partout, hein? Allez, termine,
maintenant!

J'ai versé les cendres dans le trou, et les regardai se
déposer lentement. Je murmurai :

— Voici Avrum qui s'en va.
— Qu'est-ce que tu dis?
— Rien, rien.

Je poussai doucement la terre dans le trou, l'aplanissant avec les mains. Je me levai, Lila, à côté de moi, s'efforçait de prendre une pose funèbre. Au bout d'un moment elle me demanda.

— C'est fini?

J'acquiesçai.

— Tu ne crois pas que tu devrais déclarer quelque chose?
— Je l'ai fait.
— Ah bon! Et qu'est-ce que tu as dit?
— « Voici Avrum qui s'en va. »
— Toi alors!

La fillette à bicyclette s'en est allée, son écharpe orange volant au vent.

Le cérémonial avait éveillé la curiosité du couple, gentiment congédié par Lila, qui se promenait maintenant dans les contre-allées de Pine Hill. Le mensonge de Lila, concernant les recherches de canalisation d'eau, avait été diffusé parmi les clients et suffisait à prévenir les questions. Si quelqu'un tentait de se renseigner, Lila avait préparé une réponse.

— Je vais leur dire que tu es un homme politique qui en a marre de s'engueuler avec moi. C'est exactement ce à quoi tu ressembles.

De retour dans la salle à manger de l'Auberge, Lila nous servit du café. Elle paraissait heureuse de m'avoir aidé à mettre les cendres d'Avrum en terre; pourtant cela la dégoûtait profondément.

— Quand je mourrai, Bobo, je ne veux pas que l'on m'approche d'un feu, même pas d'un briquet. Je veux être bourrée de cire et enfermée dans un cercueil hermétique. Je veux que quelqu'un me trouve, dans mille ans et que, ébloui par ma beauté, il en fasse dans sa culotte.

— J'y veillerai, je te le promets.

— Peut-être que, à ce moment-là, ils seront capables de me mettre quelques pièces de rechange et de faire repartir mon moteur?

— Je ne crois pas que ce soit ça la vie éternelle.

— Éternelle? Mais Bobo, je ne te parle pas de vie éternelle. Je parlais d'une seconde chance.

— Je peux me tromper, mais je crois que c'est quelque chose qui ne dépend que de toi, précisai-je.

Elle me regarda par-dessus sa tasse de café.

— Possible, Bobo, fit-elle d'un air entendu.

— Je suis sûr qu'il y a là matière à réflexion, mais j'y reviendrai plus tard, continuai-je. Lila, je voudrais que tu me rendes encore un service.

— Lequel?

— Est-ce que je peux t'emprunter quelques objets?

— Quoi, par exemple?

— J'aimerais autant ne pas te répondre. Peux-tu simplement me faire confiance?

Lila s'appuya sur le dossier de sa chaise avec un air tragique. Ses gros seins tendaient le tissu de sa chemise.

— D'accord, Bobo. Tu connais la maison, n'est-ce pas? Alors prends ce que tu veux.

— *Merci*[1], dis-je.

— Bobo, ne me la fais pas! S'il y a bien une chose que les Sudistes ne savent pas faire, c'est parler français.

De retour dans ma chambre, je pris l'enveloppe contenant les instructions d'Avrum que je relus:

Prends les chandeliers et place sa photographie contre eux, place ensuite la page de partition et le collier comme je te l'ai montré...

Je sortis la boîte d'acajou, la partition, les chandeliers, la photo d'Amélita Galli-Curci et son collier, et les disposai sur la table de chevet comme je l'avais vu faire. Je m'attardai sur la signature. Apposée en toute hâte, elle s'étalait, tel un coup de fouet, sur la feuille tout entière.

---

1. En français dans le texte.

Il ne me restait qu'une chose à faire, mais il fallait attendre encore.

Appuyé contre la fenêtre, je me suis mis à regarder les couples de l'Église réformée de Hollande qui se promenaient et ressemblaient aux figurants d'une scène de 1955. Leur marche était lente, interrompue de temps à autre par un détail qui avait attiré leur attention. Ils se regroupaient dans les endroits ensoleillés et le bruit de leurs rires et de leurs conversations montait des rues.

J'aperçus, parmi eux, un couple plus jeune, d'une trentaine d'années environ. Tous deux étaient blonds, leur corps athlétique et bronzé pouvait tout à fait figurer dans les magazines. Ils étaient vêtus de chemises et de shorts de tennis assortis. Je me demandais ce qu'ils faisaient là. Leur mariage était-il donc si fragile qu'il avait besoin d'une retraite? Ne se touchaient-ils que lorsqu'ils posaient pour des revues de mode? Avaient-ils déjà eu des aventures amoureuses?

Ils parlaient à un couple plus âgé et, de ma fenêtre, j'apercevais l'expression embarrassée de ceux-ci. C'était tout à fait comme s'ils avaient eu, au-dessus de leurs têtes, des bulles de bandes dessinées qui rapportaient leurs pensées :

Que savent-ils de la vie, ces jeunes gens?

Ce sont des enfants.

Ils n'ont pas la moindre idée de ce qu'est le mariage, et comme on peut devenir méchant.

S'ils ont un peu de bon sens, ils s'en iront, tant qu'ils le peuvent encore.

Le jeune couple s'éloigna fièrement, et je vis les yeux du vieil homme s'attarder sur le corps mince de la jeune femme.

Merde alors! Comme j'aimerais posséder quelque chose comme ça, avant de mourir.

La femme âgée bouscula gentiment son mari qui détourna les yeux. Elle se pencha vers l'homme et lui dit quelque chose, d'une voix aigre. Il grogna comme un animal et s'en fut d'un air irrité, abandonnant sa femme à son amertume.

Et soudain, je me rappelai le jour où Jimmy Creenshaw — Jimmy le Siffleur, qui avait été serveur, durant l'été 1955 — avait essayé de tuer Dave Klein, avec un couteau à fromage.

Dave Klein était le client le plus riche et le plus exigeant de l'Auberge, plus riche et plus exigeant même que Henri Burger. Il se prenait aussi pour le favori des femmes, illusion qu'il entretenait comme une forme supérieure d'humour.

Un soir, Dave se fâcha contre Jimmy parce que Hilda Klinger — une femme qu'il cherchait à séduire, sur l'instigation d'Henri — était, d'après la rotation du service, la dernière à être servie. Il commença à crier contre Jimmy, exigeant que Hilda soit servie immédiatement. Jimmy tenta d'expliquer calmement à Dave, qui ne voulut rien entendre, qu'il y avait un tour de service fixé. Ses cris devinrent plus agressifs et plus insultants. Finalement, Jimmy a craqué. Saisissant le couteau du plateau de fromage, il traversa la pièce en hurlant :

— Je vais te tuer, espèce de vieux salaud !

Carter a vivement débarrassé son plateau qu'il a retourné verticalement, comme un bouclier, pour en frapper Jimmy. Nous l'avons sorti de la salle à manger, tandis qu'il hurlait des menaces qui firent blêmir Dave.

Depuis le jour où le vieux Abe Brumfeld fut surpris, sautant une femme de chambre, pendant que sa femme jouait au bridge, en bas, ce fut l'événement le plus excitant qui se déroula à l'Auberge de Pine Hill.

— Abe a dit que c'était la première femme qu'il avait baisée en trente ans, avait juré Henri. Il disait que si sa femme demandait le divorce, il était vraiment prêt à donner tout ce qu'il possédait jusqu'au dernier sou, tellement ça en valait le coup.

A présent, je regardai la vieille femme s'en aller vers l'Auberge, avec une dignité qui lui était visiblement coutumière. La bulle au-dessus de sa tête disait :
Espèce de salaud.

Je me suis étendu sur mon lit et je contemplai le portrait d'Amélita Galli-Curci posé contre les chandelles sur ma table de nuit. Avrum estimait qu'elle était belle. Pas moi. Il n'y avait pas de douceur dans son visage. Elle avait l'expression arrogante d'une méchante reine qui se plaint toujours et qui tourmente ses servantes. Mais grâce aux disques de la collection d'Avrum, j'avais pu me rendre compte que sa voix était aussi envoûtante qu'il le disait. Je pense que c'était la voix qu'Avrum aimait, parce qu'il aimait la musique qu'elle interprétait.

Je regardai ma montre. On était juste avant midi. Dans vingt-quatre heures, je serai au-dessus des nuages, dans un avion en direction d'Atlanta et de ma maison. Si peu de temps avant la fin, songeai-je. Et je me suis rappelé les paroles d'Avrum, sur les moments de changement lourd de conséquences et de sens.

Amélita Galli-Curci avait été l'un de ces moments pour Avrum.

Amy Lourie avait été également ce moment pour moi.

Je me suis tourné sur le côté, et prenant le téléphone j'ai composé le numéro d'Amy. Elle répondit à la seconde sonnerie. J'ai aussitôt compris que quelque chose n'allait pas.

— Bonjour, fit-elle d'une voix enjouée. Comment ça va ?

— Très bien... Qu'est-ce qui se passe ?

— Je viens d'avoir une surprise, précisa-t-elle, toujours joyeuse.

— Vraiment ?

— Oui. Peter, mon mari, est là. Il est arrivé en voiture, il y a une demi-heure environ.

Elle continua sans faire de pause, pour me laisser le temps de réagir.

— Il a réglé ses affaires à Washington hier soir, ce matin il a pris l'avion jusqu'à Newburgh, et a loué une voiture.

— Bien... C'est très bien, marmonnai-je.

J'entendis dans le fond une voix d'homme :

— Qui est-ce ?

Amy répondit, de façon à ce que je puisse l'entendre :

— C'est la femme de la boutique d'antiquité à Margaretville. Elle appelle pour dire qu'elle pense avoir trouvé la table à café que je cherchais.

— Ça, c'est bien, fit la voix d'homme.

Amy parla à nouveau dans l'appareil :

— Si cela vous convient, je pense que je vais venir la voir. Mon mari veut faire une petite sieste, et si c'est bien celle que je veux, je n'ai pas envie de l'avoir à mon côté, à ronchonner.

— Oui, s'il te plaît, murmurai-je. Je suis à l'Auberge, chambre douze.

— Super. A tout de suite.

— D'accord.

Je suis resté assis sur le lit un long moment. Je ne craignais pas de voir Peter Meyers débarquer. J'aurais souhaité parfois qu'il ouvre la porte et nous trouve ensemble, dans le lit d'Amy. Ç'aurait été une découverte parfaitement honnête qui aurait effacé la confusion dans laquelle nous étions tous plongés. Mais je savais que ces instants n'étaient que bravoure et folie. Ce que je ressentais, à présent, relevait plutôt de la tristesse.

Je me suis à nouveau approché de la fenêtre. Les rues et les contre-allées étaient désertes. Il n'y avait que la fillette qui se prénommait Trinité. Assise sur le banc d'Avrum, elle contemplait l'endroit où la terre avait été fraîchement retournée. Elle avait appuyé sa bicyclette contre un arbre. Sammy pensait qu'elle était l'unique enfant du village : « La dernière de nous tous... » Elle sentit que je l'observais et leva lentement la tête dans ma direction. Elle m'apparut à cette minute, comme un ange protecteur, volant au-dessus de la tombe d'Avrum. Un frisson me parcourut. J'eus l'impression que la petite fille était en réalité l'ange de la mort qui attendait patiemment. Tâchant de calmer les frissons de mon corps, je me rassurai : peut-être est-elle simplement l'ange de miséricorde qui nous observe. Elle m'a souri.

Je m'éloignai de la fenêtre, et entendis des voix, le son creux d'une cloche qui montaient du hall. En hiver, Lila avait l'habitude d'utiliser la cloche pour rappeler les skieurs. Aujourd'hui, elle sonnait pour rappeler ceux qui s'efforçaient de survivre à leur mariage blessé.

Cet endroit me manquera, pensai-je.

On frappa doucement à la porte et la voix de Lila se fit entendre :

— Bobo ?

— Entre, dis-je.

Lila pénétra dans la pièce. Elle aperçut aussitôt les chandeliers et la photo d'Amélita Galli-Curci.

— Qui est-ce ? demanda-t-elle.

Je l'informai sans toutefois expliquer les dernières volontés d'Avrum, pour son kaddish. Elle s'approcha et scruta longuement la photo.

— Bon sang! Qu'est-ce qu'elle est moche, Bobo!

— Je suis sûr que tu te rappelles ce vers sur la beauté qui est enfouie très profondément sous la chair.

— Alors, elle avait bien besoin d'une nouvelle peau, et d'un nouveau squelette. Tu déjeunes avec nous? ajouta-t-elle en se retournant vers moi.

— Non. J'attends Amy.

— Très bien.

— Je ne sais pas. Son mari a fait surface ce matin. Elle a inventé une excuse, pour pouvoir s'en aller.

— Oh! Bobo. Je suis désolée!

— Ce n'est rien. Je voudrais simplement rester seul un instant avec elle.

Lila me caressa le visage doucement :

— Ne t'inquiète pas. Je vais occuper Sammy. Et je me conduirai bien, je te le promets, ajouta-t-elle avec un sourire triste.

— Je le sais bien. Mais merci, quand même.

— Bobo, en un sens je l'envie, et en un autre je la plains, continua doucement Lila.

— Pourquoi?

— Un jour, juste avant mon divorce, alors que j'essayais de comprendre, ma mère m'a demandé si je voulais vraiment vivre avec Sammy. C'est peut-être la seule bonne chose qu'elle m'ait jamais dite. Et je ne l'ai jamais oubliée : « Rien n'est pire que de ne pas avoir ce que l'on veut quand ce que l'on veut est si facile à prendre. » Ça paraît compliqué, mais, en y réfléchissant, ces paroles sont pleines de sens.

— Je crois que tu as raison, dis-je.

— Non, Bobo. Tu *sais* que j'ai raison.

Amy est arrivée quinze minutes plus tard. Je l'ai observée par la fenêtre, pendant qu'elle garait sa voiture. Elle entra en hâte, par le porche principal. Je l'attendais à la porte. Lorsqu'elle est entrée, elle a aussitôt passé ses bras autour de ma taille.

— Je suis désolée. J'ignorais qu'il allait venir, chuchota-t-elle.

— Je sais bien. Pourquoi est-il venu ? demandai-je après être allé fermer la porte à clef.

— Il voulait me faire une surprise, fit-elle avec amertume. Il dit qu'il avait réfléchi à cela, à son indifférence à l'égard de mon enthousiasme pour ma maison ici. Mais il n'est pas ici pour cela. C'est sa version. En fait, il veut que je vende. Une demi-heure après son arrivée, il me parlait déjà de quelqu'un qui désirait acheter une maison, dans les montagnes. Le salaud a même discuté du prix avec eux.

— Mais l'endroit t'appartient, n'est-ce pas ?

— Et il restera à moi, ajouta-t-elle glaciale.

— Combien de temps va-t-il demeurer ici ?

— Jusqu'à ce soir. Il doit être à son bureau demain. Il n'a jamais manqué un jour de travail. Jamais.

— Je pense que nous devrions appeler Carter et l'avertir. Et empêcher ainsi une de ses gaffes « en croyant bien faire », suggérai-je.

— C'est déjà fait. Je me suis arrêtée dans une cabine. Il souhaite d'ailleurs que tu le rappelles.

Elle examina la chambre en souriant.

— Tu sais, ce qui est drôle dans tout cela ?

— Quoi ?

— C'était ma chambre ici, l'été d'alors.

— Tu es sûre ?

Elle se dirigea vers la fenêtre.

— Mais oui. Je restais là à vous regarder, Carter et toi, lorsque vous alliez près de la piscine, le soir.

— C'est là que nous allions, lorsque Carter voulait me dire quelque chose qu'il considérait comme sérieux, expliquai-je.

— J'ai passé tout cet été à t'attirer dans cette chambre. Et maintenant, nous y sommes.

Son sourire disparut. Elle regarda à nouveau la chambre et aperçut les chandeliers et la photographie d'Amélita Galli-Curci.

— La cérémonie, dit-elle doucement.

— Oui. Tu es au courant, n'est-ce pas ?

Elle acquiesça.

— Il le faisait pour moi, quand je lui rendais visite. Il disait que tu étais la seule autre personne à l'avoir jamais vue. Est-ce que tu as une photo de moi?

— Oui, répondis-je. Celle que tu m'as donnée pour faire ton portrait. Elle est dans mon portefeuille avec la pierre bleue. Tu veux la voir?

Après une hésitation, elle approuva du regard.

J'ouvris mon portefeuille et en sortis la photo et la pierre. Je les lui tendis. Elle referma sa main sur la pierre et contempla la photo.

— Que j'étais jeune! murmura-t-elle.

— Nous l'étions tous les deux.

— J'ai toujours ton dessin. Je l'ai mis sous verre, il y a longtemps, fit-elle dans un sourire.

— Je pensais que tu l'avais peut-être brûlé.

Elle me rendit la photo, mais garda dans sa main la pierre qu'elle frotta doucement de ses doigts.

— Le brûler? Non. Jamais je n'aurais fait cela. Parfois, je le regarde pour me souvenir.

— Moi aussi, avouai-je. Je crois qu'Avrum nous a bien appris.

— Cela n'a rien à voir avec Avrum, Bobo. Pas pour moi.

Il y avait de la surprise et du chagrin dans sa voix.

— Je ne voulais pas dire que je...

— Je me suis posé des questions à ce sujet, Bobo. Cela m'inquiète parfois. A quel point il a pu te manipuler, m'interrompit-elle.

— Avrum?

— Oui. Je l'aimais tendrement. Tout comme toi. Mais c'était un grand manipulateur. Tu sais cela, non?

— Il était simplement différent. Il avait une obsession. La plupart des gens ne le comprenaient pas.

Elle fronça les sourcils, l'air perplexe:

— Une obsession? Mais non, Bobo, c'était plutôt une déception.

— Je ne comprends pas ce que tu essaies de me dire.

— L'histoire du boa de loutre qu'il a fait pour elle, tu t'en souviens?

— Oui. Mais il m'a dit que j'étais la seule personne à la connaître. Il m'a même fait prêter serment.

— Non, tu n'étais pas le seul. Cet été-là, il m'a aussi raconté cette histoire. J'ai aussi promis de ne jamais en parler à personne, y compris à toi. Mais tout cela était un mensonge, Bobo. Ça n'a jamais eu lieu, ajouta-t-elle après une pause.

— Comment le sais-tu ? fis-je stupéfait.

Elle s'approcha de la table de nuit, prit la partition et la regarda.

— Ce n'est pas la signature d'Amélita Galli-Curci, Bobo. L'autre femme, celle qui lui ressemblait tant...

— Fern Weisel ?

— Oui, Fern Weisel. C'est elle qui l'a signée.

Je n'arrivais pas à y croire. Je pris la page et examinai la signature.

— Tu l'ignorais, n'est-ce pas ? Il m'avait semblé que tu le savais, mais en fait tu l'ignorais, continua-t-elle d'une voix détachée.

Je secouai la tête.

— Il l'a finalement admis, seulement après en avoir compris la nécessité. J'ai vu la signature d'Amélita Galli-Curci, une seule fois dans ma vie, lorsque nous sommes allées, ma mère et moi-même, à Margaretville. Un marchand d'antiquités avait un autographe d'elle dans une de ses vitrines, porté sur un programme annonçant l'ouverture du théâtre et qui ne ressemblait en rien à celui-ci. Le lendemain, je crois, j'ai rendu visite à Avrum, et je lui ai dit posséder un autographe de la chanteuse. Je pense l'avoir embarrassé. Il est resté un temps silencieux, puis m'a demandé de lui donner la boîte d'où il a sorti la photo d'Amélita qu'il a gardée dans sa main, avant de m'avouer la vérité. L'histoire du boa, de l'autographe, du bijou, tout cela, il aurait souhaité que ce fût vrai, Bobo. Il avait besoin de se raconter de belles histoires pour se sentir vivant et héroïque. Alors il les a inventées. Il voulait être un héros, et, dans ces histoires, il l'était. Même le vol de la peau de loutre était pour lui une aventure. Il nous en a parlé, parce qu'il voulait que l'on croie en lui. Puis, il m'a dit la vérité pour que je pense à toi.

Souriant doucement et tristement, elle regarda la pierre et la caressa.

— Et ça a marché. J'ai vraiment pensé à toi... Lorsque je

suis partie cet été-là, je savais que tu devais sortir de ma vie. Cela m'a pris des années, Bobo, mais j'ai réussi. Parfois tu surgissais, de façon tout à fait inattendue, mais j'arrivais à me dominer, en me répétant que tu n'étais qu'un souvenir. Ensuite, Avrum m'a dit la vérité sur le boa, la signature, le bijou, et tu m'es revenu, comme un torrent que je ne pouvais plus contrôler. Ensuite, il est mort, et tu es là.

Je me laissai tomber sur le lit, près des chandeliers et de la photo. Je sentis que quelque chose s'enfuyait, me quittait brutalement.

Amy s'assit à mon côté.

— Est-ce si important ce qu'Avrum a fait? Je ne le crois pas. Voilà pourquoi je ne t'en ai pas parlé. Ce n'était pas vraiment un mensonge, c'était une illusion. Ce n'est pas grave. Est-ce que nous n'agissons pas tous de même?

— Je faisais la même chose avec ta photographie, lui confiai-je. J'avais mon rituel, je l'imitais.

— Et il aurait adoré cela, dit-elle.

Elle prit ma main et y enfonça la pierre.

— Il croyait à la magie. Moi aussi.

— Je ne suis pas sûr que j'y crois, lui répliquai-je.

Elle s'approcha de la fenêtre, et y resta immobile un petit moment. Puis elle se retourna.

— Qu'est-ce que c'est, pour toi, la magie?

— Peut-être quelque chose que l'on ne peut expliquer. Je ne suis pas sûr, répondis-je honnêtement.

— Je crois que c'est accomplir ce qui nous fait peur, murmura-t-elle. Bobo, je veux parler de nous deux à Peter.

Elle leva les mains pour m'empêcher d'intervenir.

— J'y ai pensé en venant ici, fit-elle précipitamment. Je m'entendais le lui dire. Je savais avec quels mots. Je les entendais, Bobo. Je lui disais : « Il y a un homme que j'ai aimé pendant très longtemps et je croyais l'avoir perdu. Mais je l'ai retrouvé et si je le laisse partir, je ne le reverrai plus jamais. »

Elle me regarda d'un air suppliant.

— Je pouvais m'entendre, continua-t-elle. C'était si facile à dire. Je m'imaginais assise avec lui. Je voyais tout cela, comme si c'était la réplique d'une pièce de théâtre à laquelle j'assistais d'un balcon. Je voyais mes lèvres remuer, j'écoutais les paroles.

Elle s'arrêta et s'avança. Sa voix redevint calme.

— Tu sais ce qu'il y avait de drôle dans cette scène? Ma mère était au balcon à côté de moi; je la sentais assise là près de moi. Peut-être est-ce pour cela que c'était si facile? C'est bien ce qu'elle a fait, non?

— Cela n'a pas été facile pour ta mère, lui rappelai-je.

— Mais elle l'a fait, rétorqua Amy. Ne le pouvons-nous pas aussi, Bobo?

— Je ne sais pas, fis-je en secouant la tête.

Elle resta silencieuse un petit moment, puis elle demanda tout doucement:

— Est-ce que tu veux le faire?

Je ne répondis pas.

— Tu as peur?

— Oui. Oui. C'est ça, étais-je obligé d'admettre.

— C'est à cause de ton âge, Bobo. Tu ne crois pas que nous avons attendu trop longtemps?

— Je ne sais pas.

— Bon sang, Bobo! Nous ne sommes pas trop vieux! s'exclama-t-elle avec désespoir, en arpentant la pièce. Nous avons cinquante-cinq ans. Qu'est-ce que nous sommes supposés faire maintenant? Vivre encore trente ans, comme nous avons vécu jusqu'à présent? C'est ça que tu veux? Tu veux vivre encore trente ans comme ça, parce que c'est ce que l'on attend de nous? Trente ans, Bobo. Penses-y. Moi, je ne veux pas de cela. Je ne veux pas passer mon temps à me rendre à des repas de convenance et à œuvrer dans des comités.

Elle eut un rire triste.

— Je n'ai pas envie de rester à veiller tard le soir, en faisant des plans pour la retraite et en m'inquiétant pour des testaments et des sépultures. Bon sang, Bobo! J'ai envie de vivre. J'ai envie que *nous* vivions. J'ai envie que nous fassions l'amour, comme des adolescents. J'ai envie de partir pour Paris avec toi. J'ai envie de rester assise à te regarder peindre. J'ai envie d'être couchée dans un lit, à ton côté, de te tenir la main. J'ai envie de te *sentir*, Bobo. Tant de bonnes années. Pourquoi ne pouvons-nous prendre ce temps?

Je remarquai qu'elle tremblait. Elle revint vers moi, me prit la main.

— Vas-tu y songer? suppliait-elle, la tête contre ma poitrine. Peux-tu me promettre au moins cela?

— Oui.

— Je ne veux faire de peine à personne, Bobo, et je sais que nous le ferions. Nous ferions de la peine à Peter et Caroline, à nos enfants et à nos amis. Mais je ne veux pas passer le reste de ma vie à me demander ce qui aurait pu arriver, et à désirer ce que je n'aurais pas eu. J'ai passé trop de temps à le faire.

Elle leva son visage et me regarda. Elle ferma les yeux lentement et, lorsqu'elle les rouvrit, l'expression de son visage avait changé. Elle était calme, résolue.

— Je suis désolée, murmura-t-elle en effleurant mon visage. Tu ne peux pas le faire, c'est ça? Non, tu ne le peux pas. Et ce n'est pas bien de ma part de te le demander. Mais je comprends, Bobo, je comprends. Ce matin, je n'aurais pas pu non plus, malgré tout ce que j'ai dit. Maintenant, je peux et je ne sais pourquoi. Ce n'est pas parce que Peter est là, ni à cause de ce que j'ai découvert sur ma mère. C'est seulement quelque chose que je sais pouvoir faire, quelque chose que je veux faire.

Elle m'embrassa tendrement.

— Avrum n'avait pas l'intention de mentir, ajouta-t-elle. Il voulait dire la vérité, mais il ne pouvait *réaliser* la vérité. Je ne lui en veux pas pour cela et je ne t'en veux pas. Je ne nous en veux pas. Si nous ne pouvons réaliser la vérité, au moins, nous la connaissons.

Souriante, radieuse, elle s'écarta de moi. Elle jeta encore un regard à la chambre, se dirigea vers la porte, puis se retourna.

— Je t'aime, Bobo, fit-elle tendrement.

Elle sortit.

27

Lorsque la douleur frappe pour la première fois, le corps et l'âme ne souffrent pas de la même façon.

Le corps crie, se tord, supplie que l'on tue la douleur.

L'âme s'anesthésie, se tait, se ment à elle-même, reniant la douleur. L'âme reste hébétée.

Je ne me souviens pas être allé à la fenêtre de ma chambre, pour regarder Amy traverser la rue et remonter dans sa voiture. Pourtant je l'ai fait. Debout devant la fenêtre, tenant la pierre dans ma main, je l'ai observée s'en aller sans se retourner.

J'ai alors composé un numéro de téléphone pour réserver un hôtel, près de l'aéroport, à Newburgh. J'ai ensuite quitté l'Auberge pour me rendre chez Arch dans l'espoir d'y trouver Sammy. Il était dans son atelier et transportait des morceaux de sa sculpture du fond de sa boutique jusqu'aux tables d'exposition, près de la porte d'entrée. Il venait de vendre *Le Monde dans la tempête*. Une pièce qui ressemblait à un ballon de basket défiguré par une cicatrice, semblable à une déchirure dans le sol, après un tremblement de terre. L'acheteur, membre de l'Église réformée de Hollande, était une femme qui voulait fêter son amour retrouvé pour son mari, en lui offrant une œuvre d'art. D'après Sammy, cette sculpture n'était pas la plus appropriée pour un tel cadeau, mais la transaction l'avait incité à solder ce qu'il jugeait digne d'être emporté.

— Finalement, Dan a peut-être raison, me dit Sammy d'un air pensif. En arrangeant un peu l'endroit avec un bon éclairage, et en faisant de la publicité sur l'autoroute, il y aurait certainement moyen de faire bouger les choses. Je me demande même si l'on ne pourrait pas commander quelques objets artisanaux ou des productions locales, comme on en trouve dans les boutiques de Fleischmann ou de Margaret-ville. Tu vois ce que je veux dire ? De toute façon, aujourd'hui tout est prétexte à gagner de l'argent. Alors, s'ouvrir aux questions d'environnement, ou encore à celles de l'Église, comme la promotion du mariage, pourquoi pas ? Tant que ça rapporte du pognon, pour moi, c'est du pareil au même. Dans cette optique, je serais même prêt à distribuer des comprimés de vitamine E ou à organiser des projections de vidéos porno en circuit fermé, tu sais, comme ils en ont dans les hôtels.

Je savais que ce bavardage était censé me distraire et m'empêcher de penser à Amy. Il ignorait ce qui s'était passé dans ma chambre, mais Lila avait dû lui parler de l'arrivée soudaine de Peter Meyers. Et j'étais convaincu qu'elle lui avait demandé de ne pas me faire de morale.

— Alors, qu'est-ce que tu en penses ? me demanda-t-il avec un enthousiasme forcé.

— Je crois que c'est une bonne idée. Peut-être est-ce cela dont le village a besoin, une spécialité, comme dans les années cinquante, lorsque les réfugiés étaient ici.

— Ouais. C'est à ça que je pensais.

— Dis-moi Sammy, pourrais-tu me rendre un service ?

— Demande toujours.

— Je te le dirai plus tard, mais ce n'est pas bien compliqué.

Sammy se retint de me poser la question qui lui venait. Il haussa les épaules et dit :

— D'accord.

— Je pars pour Newburgh aujourd'hui, j'y passerai la nuit. J'ai un vol très tôt demain matin.

— Je suis bien triste de te voir partir, dit Sammy sincèrement. Merde alors ! J'aurais vraiment aimé que tu t'installes ici. Je travaille toujours mieux, quand tu es par là.

— Tu n'as besoin de personne, répondis-je. Seulement de toi-même.

Sammy tira violemment sur l'une des sculptures et la réarrangea. Au bout d'un moment, il dit :

— Merci, Bobo.

— On se voit plus tard, d'accord?

— Entendu. Je serai là. Je dois voir un couple qui n'arrive pas à se décider entre *Après la bombe* et *Le Volcan mort*.

Il passa fièrement sa main sur les deux pièces en question, qui se ressemblaient beaucoup.

Je quittai Sammy et décidai de traverser le village une dernière fois, en passant par le cimetière. C'était le chemin qu'empruntait Amy quand elle venait me rejoindre au pied de notre bouleau, aujourd'hui disparu. Une pierre de la taille du poing s'était logée dans l'herbe à sa place. Je me rappelai alors le jour où Amy avait enterré, furieuse, la brochure sur les mariages interconfessionnels. La terre l'avait absorbée et digérée.

Depuis le flanc de la colline, j'apercevais les couples de l'Église réformée de Hollande qui chargeaient leurs voitures. Pendant un instant, le village me parut être celui de 1955. J'étais assis au soleil à l'endroit où Amy et moi avions passé tant de temps, à l'ombre du bouleau, et je regardais les voitures partir, laissant le village désert, avec pour seule présence celle de Trinité. Elle remontait la rue, faisait demi-tour, redescendait, puis tournait à nouveau. Elle faisait ses tours à bicyclette comme si elle revendiquait la place. Je me demandai si elle serait encore là quand tout le monde aurait disparu, et que Pine Hill elle-même aurait été digérée par la terre. Je me demandais aussi à quoi ressemblerait le son de sa voix.

Je suis resté un long moment à penser à Amy. Avrum m'avait dit que notre histoire était écrite à l'avance, de même que ma rencontre avec lui. C'était le destin. Il avait tenté de me convaincre que c'était la même chose avec Amélita Galli-Curci, que cela ne pouvait être mis en question. Dit de cette façon, cela paraissait *vraiment* magique. Et pendant trente-huit ans, j'y avais cru.

Je repensai alors aux gens qui l'avaient connu. Ils l'appelaient le vieux fou qui s'inventait de belles histoires.

— Fais attention, Avrum aime bien tirer les ficelles, m'avait prévenu Henri Burger.

— Il t'utilise, insistait Caroline. Il prétend entendre des opéras, pour attirer ton attention. Et tu es aussi fou que lui.

Je me sentais idiot, irrité et las.

De retour à l'Auberge, j'appelai Caroline de ma chambre, pour lui dire que je passerais la nuit à Newburgh.

— J'ai pensé que je pourrai prendre un avion plus tôt. Je crois qu'il y en a un qui décolle à six heures demain matin.

— Mais pourquoi ? Tu n'as pas besoin d'aller au collège demain.

— Non. Mais j'ai simplement envie de rentrer.

— Tu vas bien ? questionna-t-elle.

— Oui. Pourquoi me demandes-tu ça ?

— Tu as l'air étrange. D'ailleurs, tu as été comme ça, toute la semaine.

Après un silence :

— Il est arrivé quelque chose, n'est-ce pas ?

— Je te l'ai déjà dit, des souvenirs, répliquai-je.

Il y a eu à nouveau un silence. Je l'ai entendue soupirer. Elle tapotait du crayon sur l'écouteur. C'était son habitude, quand elle était en colère.

— Je te verrai donc demain.

— Attends une seconde. Je voudrais te dire quelque chose.

— Vas-y.

— Je ne veux pas que tu rentres, sans avoir tout réglé là-bas, dit-elle sur un ton décidé. Je ne veux pas d'explication, je te demande seulement d'être honnête avec toi-même. Je ne veux pas que des choses soient restées en suspens au moment où tu reviendras à la maison. Je ne veux plus de ça. Je ne peux plus.

— Caroline, je ne sais pas de quoi tu parles.

— Si, tu le sais.

Je m'appuyai contre le lit. Je me suis rappelé ce qu'elle m'avait dit, un jour, au cours d'une dispute : « Tu peux penser que je ne sais pas ce que tu ressens, ou bien que je ne sais pas grand-chose sur ce que tu fais, mais je te connais. N'oublie jamais cela : je te connais. » Et c'était vrai. Elle me connaissait bien.

— Est-ce que je peux te demander quelque chose?

— J'écoute.

— Est-ce que tu m'aimes?

Sa réponse m'a surpris :

— Je t'aime, Bobo, mais cela ne peut pas être la réponse à tout. Ce n'est pas une panacée. Je n'ai plus envie de jouer maintenant, et je ne pense pas que tu en aies envie non plus. Nous sommes tous les deux trop vieux — et encore trop jeunes — pour cela.

— Bien, fis-je, après un silence.

— Je suis là.

La porte de chez Arch n'était pas fermée. Je suis entré et j'ai appelé Sammy. Pas de réponse. J'ai appelé à nouveau. Silence.

J'ai traversé la boutique en me faufilant parmi les blocs de pierre. L'endroit même où autrefois les histoires d'Arch Ellis suscitaient l'enthousiasme était étrangement calme. Je me suis arrêté devant l'un des bustes inachevés de Sammy. Les traits bruts d'un visage masculin semblaient sertis dans la pierre. Un visage fier, arrogant. Il me sembla avoir été inspiré par celui de Winnisook, le géant indien ; Arch aurait été heureux que Sammy l'ait ainsi retrouvé et lui ait redonné liberté.

Arrivant à la pièce où Arch conservait ses stocks de marchandises, je frappai doucement à la porte.

— Sammy?

— Bobo? répondit-il, sa voix traversant la cloison.

— Ouais, c'est moi.

— Entre donc.

J'ai ouvert la porte. La pièce était vide, seulement occupée par un divan et une desserte rayée. Sammy était étendu, les jambes croisées. Je perçus une odeur sucrée, celle de la marijuana.

— Alors, comment ça va Bobo? laissa tomber Sammy sur un ton badin.

— Ça va... Et toi?

Sammy sourit bêtement et balançant des pieds, se redressa sur son séant.

— Super, mon vieux. Extra. Je me repose une minute. Tu m'as trouvé dans ma cachette.

— En effet, dis-je.

— C'est là que je trouve mes idées, Bobo. Juste là. C'est ma cachette, ajouta-t-il, tapotant le divan de la main et agitant la tête en signe de satisfaction. Une ou deux bouffées de l'herbe interdite, et les idées viennent aussitôt, mais pour cela, j'ai besoin d'être seul. Ça ne t'arrive pas à toi ?

— A chaque fois. Je ne prends pas d'herbe, mais j'aime m'isoler avant de commencer à travailler.

— N'en parle pas à Lila, dit Sammy soudain précautionneux. Elle pense que je viens ici méditer sur un trône minéral. Si elle avait la moindre idée du fait que j'aime bien être tout seul, elle deviendrait folle à lier.

— Peut-être comprendrait-elle ? Peut-être aime-t-elle avoir un peu de temps à elle ? risquai-je.

Sammy me regarda d'un air pensif.

— Je vais te dire quelque chose, au sujet de Lila, quelque chose que peu de gens savent. Elle a une phobie : il lui est impossible de rester seule. Ça va si je suis à côté ou s'il y a quelqu'un avec elle, mais dès qu'elle pense qu'elle est complètement seule, elle devient aussi bête que Daffy le Canard.

Il eut un rire las.

— Je dis à tout le monde que nous nous sommes installés ici, pour que je puisse travailler en paix. Mais tout ça c'est du baratin. Je pourrais très bien faire ce que je fais, dans une foutue allée de Brooklyn, au beau milieu d'un braquage. En fait cela améliorerait peut-être les choses... quelques traces de balles sur mes pierres. Non, Bobo, nous sommes venus ici à cause de Lila. C'est pour ça que nous avons commencé à faire marcher l'Auberge. Au début, je pensais qu'il y aurait du monde tout le temps.

— Je l'ignorais, avouai-je, je suis désolé, Sammy, ça doit être difficile.

Il s'étira comme quelqu'un qui se réveille, puis se frotta les yeux.

— Ce n'est pas si mal. Elle a vraiment du sang bleu, tu sais. Le salaud avec lequel elle était mariée aurait pu acheter ce qu'il voulait, et rien qu'avec la monnaie qu'il avait dans sa poche. Elle l'a supporté aussi longtemps qu'elle a pu, puis elle a craqué et, depuis, elle s'est transformée.

Il fit une pause, croisa ses doigts derrière sa tête et me regarda.

— Maintenant, elle s'habille comme une putain, ajouta-t-il, parfaitement à l'aise. Elle se conduit comme ça aussi, je suppose. Mais autrefois, elle ressemblait à un mannequin de *Vogue*, elle aurait pu prendre le thé avec Alistair Cooke de la radio, et lui faire croire qu'il est l'un des Trois Pigeons. Tu l'as entendue parler français, n'est-ce pas? Tu l'as vue, ce soir-là. C'était une pâle image de l'ancienne Lila.

— Qu'est-il arrivé?

Sammy se tut pendant un long moment. Il me fixa avec une expression triste.

— Son ex-mari l'a fait avorter, finit-il par dire. Il ne voulait pas d'enfants. L'opération a failli la tuer. Elle a été hospitalisée pendant un mois, puis placée en Institution pour un an. C'est là que nous nous sommes rencontrés. Je travaillais dans cette maison comme homme de service pendant mes études.

Il sourit et haussa les épaules.

— Je suis content que tu m'aies parlé, lui dis-je. Je te sais gré de ta confiance.

Sammy se leva, s'extrayant du divan comme un vieillard.

— Je voulais que tu saches. Je veux que tu reviennes. Tu rends Lila heureuse. Elle se sent différente. Tu la traites comme un gentleman, tu lui rappelles les meilleurs moments de sa vie.

— Elle est différente pour moi aussi, lui dis-je. Vous l'êtes tous les deux.

— Bobo?

— Oui.

— Est-ce que tu crois que je suis cinglé, de faire ce que je fais?

— Non, dis-je. Non, tu n'es pas cinglé.

Sammy sourit.

— Alors, tu es prêt?

— Oui, répondis-je.

La porte de ma chambre était entrouverte et Lila y entra sans frapper. Elle renifla l'air avec une expression dramatique.

— Je le savais. Du sexe. Absolument. Du sexe. C'est contre les règles de la maison. Je vais être obligée de te demander de partir.

— Ce n'est pas du musc, ce que tu sens, c'est de la poussière.

Elle rit et s'assit sur mon lit.

— Est-ce que tu as fait tout ce que tu voulais?

— Oui. Sammy veille à la dernière chose.

— Alors c'est ça qu'il est en train de faire, dit-elle. Je l'ai vu partir, mais il ne m'a pas dit où il allait.

Tout à coup je pensai à ce que venait de me dire Sammy concernant la hantise de Lila de rester seule, et je m'empressai d'ajouter :

— Il ne sera pas parti longtemps.

— Alors, Bobo Murphy, c'est la dernière fois que je te vois.

— J'en doute, je suis comme un oiseau migrateur. Tous les deux ans à peu près, j'entends quelqu'un qui m'appelle par ici.

— Amy? demanda-t-elle doucement.

Je lui pris la chemise des mains et la mis dans la valise.

— Désolée, s'excusa-t-elle, cela ne me regarde pas.

— Mais si, ça te regarde, répondis-je. C'est Amy, oui, mais c'est aussi Sammy, et c'est Dan et Carter et cette petite fille qui fait toujours du vélo dans la rue et qui ne parle jamais. C'est Avrum et c'est Sol Walkman et tous ces gens de la maison de retraite. Il y a quelque chose dans cet endroit qui me touche. Avrum me disait que c'était là que ma vie avait changé. Peut-être avait-il raison, même si c'était un rêveur.

Lila me regarda d'un air perplexe et interrogateur.

Je m'assis sur le lit auprès d'elle et je lui pris les mains.

— Écoute, je tiens à Amy. Peut-être cela date-t-il du premier jour, lorsque je l'ai vue assise chez Arch avec Carter. Il se peut aussi que mon affection pour elle soit une invention de Carter que j'ai fini par croire? Moi, je sais seulement que quelque chose s'est achevé.

— Au moins, vous avez pu passer quelque temps ensemble, dit Lila gentiment.

— Oui. C'est vrai. Et sais-tu ce qu'il y avait de merveilleux, en plus ?

— Dis-moi.

— Eh bien, cela s'est passé tout à fait comme je l'imaginais.

— Et cela n'évoque-t-il rien pour toi ?

— Je ne sais pas, répondis-je.

J'ai demandé à Lila de ne pas me raccompagner, ce qu'elle a compris.

— Je voudrais rester là quelques minutes, sur le banc d'Avrum, lui ai-je dit.

Elle m'a embrassé tendrement.

— Au revoir, dans une autre vie, Bobo.

— Je te le promets.

Après avoir déposé valise et sac dans la voiture, j'ai traversé la rue jusqu'au banc et je me suis assis. Il était cinq heures moins cinq. *A cinq heures*, m'avait ordonné Avrum. Ses instructions concernant la parodie du kaddish étaient formelles.

Un vent frais remuait les branches des pins, des chênes et des bouleaux, telles des mains qui claqueraient pour appeler à une réunion. Et tandis que j'attendais, ils ont commencé en effet à apparaître. Henri Burger et Nora Dowling ont descendu les marches de l'Auberge. Ben Benton a arrêté son camion dans la rue, il en est descendu et a commencé à se diriger vers moi. Arch Ellis est sorti de son magasin, pour nettoyer la contre-allée avec son balai. Mme Mendelson a traversé la pelouse de sa démarche hésitante, sa tête dodelinant au rythme de ses pas. Édith Lourie a quitté la table ombragée près de la piscine. Joe Ly et Eddie Grimes s'appuyaient à la porte de l'Antre. Carter et Renée se tenaient près d'un chêne, les mains enlacées. Avrum était assis à mes côtés et souriait avec fierté.

— Écoute, écoute, dit Avrum, fermant les yeux et penchant la tête.

Amy n'avait-elle pas dit que la magie fait se réaliser ce que l'on redoute ?

— Tu l'entends ? murmura Avrum.

Et alors vint la voix d'Amélita Galli-Curci ; les premières syllabes du « Chant de l'Ombre » de *Dinorah* résonnèrent, devenant plus fortes, se répandant dans la vallée, sous Highmount. La sonorité du magnéto et des haut-parleurs que Sammy avait amenés de Sul Monte était extraordinairement claire.

Fais jouer de Sul Monte la musique que j'aime le plus, avait écrit Avrum.

J'ai vu Lila ouvrir la porte d'entrée de l'Auberge, aller sous le porche s'asseoir pour écouter. Dan Wilder guettait, droit et guindé devant son café-pâtisserie, la tête dressée.

Trinité, la fillette à la corde à sauter et à la balle, s'appuyait sur sa bicyclette dans un coin de la contre-allée. Elle a levé la tête et s'est mise à chercher d'où venait la musique.

Avrum s'est penché vers moi, sur son banc.

— Tu l'entends, tu entends ?

La voix me touchait profondément.

— Oui.

— Alors tu sais, *ja* ? Tu sais.

— Oui.

— Va, va, me poussait Avrum.

Je me suis levé et j'ai regagné l'Auberge.

— Quoi, que se passe-t-il ? a demandé Lila.

— Je voudrais téléphoner, lui ai-je répondu.

Elle a souri et fermé les yeux, reposant sa tête sur le coussin de la balancelle. La musique, la voix claire, enlevée, sourdant de la gorge et de l'âme d'Amélita Galli-Curci, emplissait le porche.

A l'intérieur, j'ai fait le numéro d'Amy. Elle a répondu aussitôt.

— Dis-lui !

— C'est ce que tu veux ? Vraiment ?

Sa voix tremblait.

— Oui, vraiment.

Impression réalisée sur CAMERON par
BRODARD ET TAUPIN
La Flèche
en juin 1996

Imprimé en France
Dépôt légal : juin 1996
N° d'édition : 96100 – N° d'impression : 1363P-5